ELIZABETH II
LA DERNIÈRE REINE

MARC ROCHE

ELIZABETH II

La dernière reine

LA TABLE RONDE
14, rue Séguier, Paris 6e

© Éditions de La Table Ronde, Paris, 2007.
ISBN : 978-2-7103-2944-2.

À ma mère.

SOMMAIRE

PROLOGUE

LES DIX VIES D'ELIZABETH II

Sergei Pavlenko, peintre russe installé à Londres, a peint le plus beau portrait officiel d'Elizabeth II. Le teint de pêche, les yeux bleus au regard direct, le profil net et droit, le gant blanc nonchalamment abandonné sur le manteau de velours bleu nuit et l'insigne étoilé en émail rouge de l'ordre de la Jarretière : une autorité naturelle émane d'elle sous la lumière zénithale de la verrière. Hiératique sur le Grand Escalier de Buckingham Palace aux marches peu profondes couvertes de velours rouge, elle me toise d'un air mystérieux. Il y a de la Joconde dans ce sourire à peine esquissé. Moi, le républicain, je dois en convenir : cette femme me fascine.

Notre première rencontre remonte à 1991. C'était à Harare où je couvrais le sommet du Commonwealth. Quand la souveraine a fait son apparition sous la marquise dressée sur la pelouse du haut-commissariat britannique dans la capitale du Zimbabwe, tous les invités se sont figés. Sa dame de compagnie m'avait indiqué qu'il convient d'appeler Sa Majesté « Ma'am » (Madame). C'était le sésame salvateur.

« Comment allez-vous, monsieur ?

— Bien, Ma'am.

— Depuis combien de temps êtes-vous en poste en Angleterre ?

— 1985, Ma'am.

— Et vous vous y plaisez ?

— Énormément, Ma'am.

— Les Français s'intéressent-ils au Commonwealth ?

— Oui, Ma'am. Il existe une organisation similaire : la francophonie.

— Similaire, mais différente. »

Un silence s'installe. Le temps pour moi de trouver une suite à cet échange. La reine a disparu. Fin brutale d'une rencontre avec une légende.

Retour sur les impressions. La souveraine est plus petite que je ne le pensais. Sa poignée de main est molle. Sa voix nasillarde, ses fins de phrase pratiquement inaudibles. Elle a l'air passablement ennuyée par le monde qui l'entoure.

Déçu ? Au contraire. Par la suite, je l'ai rencontrée à cinq reprises, dans l'exercice de ses fonctions officielles et, chaque fois, je suis tombé sous son charme. Étais-je séduit par la femme ou la fonction ? Jamais je n'ai pu faire la différence.

Cinq rencontres en vingt-deux ans de correspondance à Londres, c'est apparemment peu, mais en fait beaucoup.

Peu pour saisir cette personnalité qui incarne toute l'Histoire contemporaine du Royaume-Uni et du monde.

La doyenne des têtes couronnées d'Europe a eu pour interlocuteurs toutes les stars politiques de la planète, de Churchill à de Gaulle en passant par Kennedy et Nehru. Elle est à la fois chef d'État commandant en chef des armées et gouverneur suprême de l'Église anglicane.

On a toujours l'impression d'avoir vu la monarque la plus photographiée et peinte de la planète dans un musée de cire. Son effigie est partout, sur les timbres-poste et les billets de banque. Ses initiales « ER » (Elizabeth Regina) décorent les parapheurs ministériels, les boîtes aux lettres rouges, les tentures de l'Opéra de Covent Garden ou le costume rouge et or des hallebardiers au chapeau plat Tudor. Les passeports, les déclarations d'impôts et le permis de conduire sont émis en son nom. Les prisonniers sont détenus selon « le bon plaisir » de Sa Majesté.

Sous son règne enfin, le pays a connu les joies du succès et les affres de l'échec, démontrant qu'une nation, prise entre un équilibre ancien déjà rompu et un équilibre nouveau qui reste à réinventer, peut renaître.

À l'inverse d'un président élu au suffrage universel ou des familles royales du continent, la reine vit sous une cloche dorée, coupée de la vie réelle du commun des mortels. Elle fuit la presse. Même à ses quelques amies, Elizabeth II ne se livre guère. Si elle n'avait pas été reine, quelle mémorialiste cet ordinateur vivant aurait pu être !

Personne n'a jamais rien pu lire sur ce visage lourd de secrets consignés chaque soir dans son journal intime qu'elle emportera, sans doute, dans sa tombe. Elle garde la même impassibilité dans les situations les plus dramatiques, la même maîtrise devant des événements éprouvants.

Même les républicains les plus endurcis critiquent le système, mais rarement la personne au-dessus de tout reproche. Devant une telle unanimité, l'observateur reste partagé entre l'incompréhension et l'admiration. Incompréhension devant les ors et fastes d'un passé clairement incompatible avec le monde moderne. Admiration pour le parcours quasi sans faute de Sa Gracieuse Majesté animée par son sens du devoir.

Le succès du film de Stephen Frears, *The Queen*, est dû essentiellement au fait qu'Helen Mirren, dans l'interprétation d'Elizabeth II, projette parfaitement les deux faces contradictoires de son modèle : la reine et la femme. La comédienne a admirablement rendu la patine inimitable dont luit la couronne d'Angleterre. Il y a dix ans, Mirren était une ardente républicaine. Anoblie entre-temps, elle ne cache pas aujourd'hui son admiration envers la reine, comme en témoigne l'hommage rendu à son modèle lors de la remise de l'Oscar hollywoodien de la meilleure actrice : « Pendant un demi-siècle, Elizabeth Windsor a su garder sa dignité, son sens du devoir... et sa coiffure. Je salue son courage et sa constance et je la remercie, car, sans elle, il est sûr que je ne serais pas ici. Mesdames et Messieurs, je vous donne la reine. »

Un autre argument m'ayant incité à écrire cet ouvrage est la commémoration du dixième anniversaire de la mort de la princesse Diana, à Paris le 31 août 1997. « La princesse des cœurs » aurait eu quarante-six ans. La mémoire collective britannique semble avoir pudiquement refoulé de l'ère élisabéthaine cette page noire, exonérant la souveraine des principaux griefs qui lui avaient été faits alors. La publication, le 14 décembre 2006, du rapport Stevens clouant au pilori la théorie, défendue par Mohammed Al Fayed, d'un complot orchestré par les Windsor pour se débarrasser de la princesse Diana, a dédouané la monarque et les siens. Le départ prévu de Tony Blair du 10 Downing Street modifie, de surcroît, profondément le paysage politique où évolue l'hôtesse de Buckingham Palace. À l'occasion de la célébration du soixantième anniversaire de son mariage, en 2007, l'Angleterre succombe à nouveau à la Elizabethomania.

Enfin, les passions partisanes de l'élection présidentielle française nous conduisent à nous interroger sur les avantages du système monarchique à l'anglaise, au-dessus de la mêlée politique. L'instauration de la République a créé une rupture dans la continuité politique de la France. Les Français républicains ont toujours eu la fibre un peu monarchiste. Le silence du monarque, dit-on, vaut tous les discours d'un président. Le style «Ve République», après tout, paraît comme un amalgame surprenant de royauté et de républicanisme. L'étrangeté de la monarchie britannique, ses châteaux, bijoux, chevaux, uniformes, bibis... font l'objet d'une curiosité un peu goguenarde mais le plus souvent admirative dans l'Hexagone. Le style vestimentaire d'Albion, l'éducation des enfants, les loisirs, l'humour au second degré et l'art de vivre continuent de séduire grands et petits-bourgeois français. Cette anglomanie rend perplexe le duc d'Édimbourg, époux de la souveraine, qui m'a dit un jour qu'il trouvait les Français franchement « rigolos » : «Vous adorez la monarchie des autres après avoir abrogé la vôtre. »

L'ambition de ce livre est d'essayer de comprendre comment une frêle jeune fille brune, timide, au maintien modeste, sommairement éduquée, a atteint, après un demi-siècle de règne, un prestige personnel que nul ne prévoyait. Par sa dignité tranquille, son dévouement total à la fonction et l'intelligence de son rôle, cette petite femme aristocrate de naissance, mais petite-bourgeoise par ses goûts, a réussi à asseoir plus solidement que jamais l'une des institutions les plus anachroniques au monde : la royauté britannique. Lorsque Elizabeth II ne sera plus là, tout indique que la monarchie continuera. Mais sans doute, sous une autre forme que celle qu'elle lui a donnée. D'où notre titre, *La Dernière Reine*. Pas au sens de dernière de la lignée, mais de la description admirative du président Mitterrand : « une vraie reine ».

Écrire sur la reine n'est pas une mince affaire. Le premier écueil est la déférence illustrée par cet avertissement d'un conseiller royal à l'auteur de la biographie autorisée de George V : « Vous n'avez pas été convié à écrire sur un homme, mais sur un mythe. » Les biographes doivent jouer aux équilibristes entre la coopération du palais, sans laquelle rien ne peut se faire, et la protection de leur liberté éditoriale. L'effet de la royauté sur le profane est impalpable. Il est difficile de conserver les pieds sur terre quand un huissier de Buckingham Palace glisse à l'oreille du policier de service : « Ce n'est pas la peine de demander un document d'identité à M. Roche. On le connaît. » Le déroulement du tapis rouge peut amener à décrire l'occupante des lieux telle qu'elle souhaite qu'on la voie plutôt que telle que vous la voyez.

Un second problème est celui des sources. Comme on dit familièrement, sur les questions royales, ceux qui savent ne parlent pas et ceux qui parlent ne savent pas. La reine n'a jamais donné d'interview de sa vie. Ce silence royal est propice à la propagation de rumeurs, de potins, d'informations de seconde main, impossibles à vérifier.

Enfin, une biographie linéaire « à l'anglaise », étoffée d'une kyrielle de dates, de faits et de noms, peut rebuter le lecteur étranger. C'est pourquoi j'ai choisi une construction bâtie autour de dix chapitres structurés autour d'une légende qui, comme les étoiles, ne se laisse pas saisir. Par souci de simplicité de lecture, tous les titres nobiliaires ont été supprimés. Les détenteurs nous le pardonneront.

La reine est une amie de la France, comme le sont bon nombre de membres de son entourage. A-t-elle donné la permission de m'aider dans cette entreprise ? Sans doute. Il ne s'agit bien sûr pas d'une biographie autorisée d'Elizabeth II. Il n'y en a jamais eu. Il n'y en aura jamais.

Londres, avril 2007.

I
ELIZABETH II, REINE ET FEMME

À Buckingham Palace, tous les matins, à 9 heures et pendant quinze minutes, le rituel est immuable depuis 1843. Après avoir bu un café arrosé de cognac, Alistair Cutheberston, garde royal écossais en kilt, joue de la cornemuse dans le jardin sous les fenêtres des appartements privés de la reine. C'est aux accents stridents d'airs écossais du *Sovereign Piper* que commence la journée de Sa Majesté Elizabeth II.

En compagnie du prince Philip, elle prend son petit déjeuner. Toast, marmelade d'oranges, céréales présentées dans un bol Tupperware, thé Darjeeling servi avec un nuage de lait provenant exclusivement des vaches jersey de son élevage de Windsor. La reine est très à cheval sur ce dernier détail. Une douzaine de serviteurs sont mobilisés pour les servir. Obéissant à une chorégraphie complexe pour éviter les collisions, ils sont priés de marcher sur les côtés des tapis pour ne pas les élimer. S'ils croisent le regard de l'hôtesse ou de son mari, ils s'arrêtent net et

font un petit geste de la tête. Le couple royal mange silencieusement et lentement. Sur un vieux transistor, ils
écoutent comme quatre millions de leurs sujets la
«Thought of the Day», la pensée du jour, la chronique
de morale de la BBC Radio 4. Puis, en échangeant quelques propos routiniers, chacun se plonge dans son quotidien favori qui a été préalablement repassé pour ne pas
tacher les doigts : le *Daily Telegraph* pour lui, le *Racing
Post*, le journal turfiste, pour elle. C'est avec regrets
qu'Elizabeth quitte l'atmosphère ouatée de cet îlot privé
au milieu de l'île collective pour accomplir sa tâche de
reine.

La reine est au travail. Son immense bureau aux murs
vert pâle et or avec cheminée beige et marron surplombe
à la fois Constitution Hill et Green Park. Assise à son
secrétaire Chippendale qui la suit depuis la fin de la
guerre, elle se consacre à sa correspondance, lisant quelques-unes des lettres qui lui sont transmises via ses dames
de compagnie.

Devant elle, quelques photos de famille en noir et
blanc, un buvard, deux encriers, du papier à lettres gravé
à ses armes, un coupe-papier portant le chiffre royal et de
la cire à cacheter. Les documents officiels sont signés à
l'encre noire, la correspondance privée à l'encre verte.
Elle travaille seule sans la présence de secrétaires. Le personnel de son bureau, quatorze personnes au total, est
installé au rez-de-chaussée et ce sont ses deux pages attitrés qui jouent le rôle de coursiers.

11 heures. Le secrétaire particulier entre. « Bonjour,
Votre Majesté », dit cet équivalent de directeur de cabinet, en inclinant légèrement la tête. Par la suite, il s'adres-

sera à elle d'un « Ma'am ». Le protocole veut qu'il reste debout jusqu'au moment où la souveraine l'invite à s'asseoir. Ensemble, ils passent en revue les documents confidentiels les plus importants enfermés dans les fameuses « boîtes » à tiroirs contenues dans une valise de cuir pourpre. La reine l'ouvre avec une clé qu'elle est la seule à posséder. Puis ils examinent les manifestations royales à venir, inaugurations, réceptions, voyages.

L'agenda de la reine n'est guère flexible. Rien n'est laissé au hasard et tout obéit à des dates fixes qui n'ont pas changé en plus d'un demi-siècle de règne. Son emploi du temps est minuté et réglé comme du papier à musique. La reine a vingt semaines de vacances par an, soit quatre fois plus que le Britannique moyen. Parmi les dates clés de l'année figure le 21 avril, jour de son anniversaire, réservé à la réunion annuelle de l'ordre de la Jarretière. En juin ont lieu les courses hippiques — Derby d'Epsom et Royal Ascot — qu'elle ne manque pour rien au monde. Son anniversaire officiel est célébré le même mois, lors du Trooping the Colour, la revue des grenadiers de la Garde. L'événement principal de juillet, ce sont les garden-parties auxquelles sont invitées trente-deux mille personnes, trois à Londres, une en Écosse. L'automne est dominé par la commémoration de l'Armistice au Cénotaphe, le monument au soldat inconnu de Whitehall, la cérémonie d'ouverture de la session parlementaire au cours de laquelle est prononcé le discours du trône et la réception du corps diplomatique.

À tout cela s'ajoutent les visites officielles de chefs d'État étrangers, deux par an, ainsi que ses propres déplacements en province et en dehors du Royaume-Uni.

Ce soir, Sa Majesté prend le train royal, destination
Stafford, à seulement deux heures de Londres. Elle dormira dans son wagon bordeaux et gris surmonté de la
couronne royale, garé sur une voie de dérivation, à proximité de cette ville des Midlands. Elle aurait aussi bien pu
prendre un hélicoptère plutôt que passer la nuit à bord du
train en rase campagne. Mais l'arrivée de la souveraine en
train a nettement plus d'allure, surtout dans une ville qui
célèbre le 800e anniversaire de l'octroi de la charte royale.
Ce sont tous ces petits détails qui entretiennent la grandeur des Windsor, aux yeux de leurs sujets.

Sur le quai de la gare où l'attendent les dignitaires
locaux en rang d'oignons, Elizabeth apparaît dans un
ensemble couleur « framboise écrasée », certes adapté au
début du printemps, mais surtout facilement repérable
par la foule. Les ourlets de son tailleur et son chapeau ont
été lestés de plomb pour résister aux coups de vent. Le
sac à main, qu'elle porte à la coudée du bras, la laisse
libre de ses mouvements. Pour saluer, elle tourne la main
d'un mouvement de rotation étrange. La dame de compagnie me livre le mode d'emploi : « Comme si vous
dévissiez une ampoule électrique. »

Cette inauguration de chrysanthèmes n'intéresse
guère les chroniqueurs royaux accrédités lassés de trop de
cérémonies du même genre. La presse locale, en revanche, est là en force. Composé seulement de trois voitures,
précédé de deux motards sans sirène, le cortège est très
modeste. Dépourvue de plaque d'immatriculation, la
Bentley brune de la reine est rehaussée pour permettre à
cette femme de petite taille de s'en extraire facilement.

Par la fenêtre, on découvre un plaid écossais que sa dame de compagnie lui posera sur les genoux.

Le 4 × 4 Mercedes gris de l'entourage royal ressemble à une boutique de fleuriste avec des dizaines de bouquets de jonquilles offerts par le public, entassés sur le plancher. La dame d'honneur côtoie l'aide de camp de la Royal Navy qui accompagne la souveraine partout et fait aussi office de chef de protocole. Face à eux, le secrétaire particulier adjoint et l'organisateur de la cellule de coordination des visites. À côté du chauffeur a pris place le cameraman du palais. Quatre gardes du corps suivent dans une troisième voiture. On note l'absence de ministres et d'invités personnels comme ceux qui suivent partout le « monarque républicain » de l'Élysée.

« Purple One et Purple Five sont en vue », murmure dans son talkie-walkie un policier du corps du Royalty Protection Department alors que la reine et le duc d'Édimbourg pénètrent dans la petite église gothique St. Mary de Stafford. Le dispositif de sécurité visible est composé de trois hommes et d'une femme accompagnés d'un officier de la Special Branch antiterroriste. Il y a aussi des policiers en civil. Le petit insigne ER rouge à la boutonnière indique qu'ils sont armés, au contraire des bobbies placés aux carrefours stratégiques. Ce sont les seuls qui sont autorisés par le protocole à garder la veste ouverte en présence de la reine au cas où ils devraient dégainer leur Glock, revolver de fabrication autrichienne. D'après un ancien garde du corps, la souveraine suit strictement les consignes de ses policiers. Mais ces tireurs d'élite s'efforcent de ne pas être trop près du chef de l'État. Sa garde rapprochée est constituée de huit officiers de police qui se relaient vingt-quatre heures sur vingt-quatre pour prévenir tout attentat.

La sécurité joue un rôle crucial dans la préparation d'une visite royale. Le programme officiel du périple à Stafford — la « Bible », comme dit le palais — tient en dix pages. Ce déplacement a été programmé deux ans à l'avance : une minute de visite prend trois heures de préparation. Deux missions de reconnaissance ont tout minuté. Le choix de la ville doit ménager toutes sortes de susceptibilités : ne pas privilégier le sud par rapport au nord, les grandes agglomérations par rapport à la province, les municipalités de gauche par rapport à celles de droite. Une visite doit intégrer quatre aspects de la monarchie d'aujourd'hui : pompes de la royauté, simplicité de la démocratie et de l'union nationale, importance du volontariat et reconnaissance de la réussite professionnelle. Mais aussi trouver le geste juste et symbolique qui ravira les sujets et, accessoirement, trouvera sa place dans le journal du soir de la BBC. En raison de l'âge de la reine et de son conjoint, le nombre de manifestations au cours d'une visite a été limité à quatre. La charge de représentation de Sa Majesté a été allégée. Elle a eu 425 obligations en 2006 au Royaume-Uni contre 509 en 1996.

Market Square, la place de la mairie de Stafford, est bariolé de calicots de bienvenue et de petits drapeaux britanniques. « Il y a du monde. Il fait beau. La reine est sublime », me glisse, lyrique, la dame de compagnie. Sublime mais distante. Cette grand-mère, fière de ses sept petits-enfants, n'embrasse pas les bébés, tout au plus leur sourit-elle. Des mains se tendent. En professionnelle de la représentation, elle n'en serre que quelques-unes. Le bain de foule figurant au programme se limite à quelques secondes de conversation polie. « Cela fait plaisir de vous revoir », lance-t-elle à une mamie à la permanente sage et au tailleur démodé qui lui offre un modeste bouquet de tulipes. C'est l'accueil des petites gens, avec un message simple et un poème d'enfants. Les regards se figent. Des «Vive la reine » fusent, des Union Jack s'agitent. Elizabeth excelle dans cette double nécessité de paraître à la fois accessible et inaccessible. Elle va vers le public, mais jamais jusqu'à le toucher. C'est une reine.

La ville a été nettoyée de fond en comble. Les lampadaires luisent sous le soleil printanier. «Chaque fois qu'elle effectue une visite, il y a une fâcheuse odeur de peinture fraîche et de moquette neuve », dit, sur un ton ironique, un courtisan.

Pour faire fondre la glace, mettre le public à l'aise et surtout couvrir les cliquetis des photographes de la presse locale, un orchestre militaire entonne l'air du célébrissime *Let It Be*. Une fois que la reine a quitté la place, chacun regagne son *home*, heureux de l'avoir aperçu, ne serait-ce que quelques secondes.

Le déjeuner a lieu à l'Hôtel de Ville. Auparavant, le palais avait suggéré trois menus. La mairie de Stafford a retenu la mousse au saumon fumé, le poulet aux champignons, la tarte à l'orange. Bien entendu, le repas ne doit pas être roboratif. Les viandes saignantes, les fruits de mer et les épices (jamais d'ail) sont prohibés. Il ne faut pas surcharger l'estomac royal car la « Bible » qui a tout prévu ne concède que cinq minutes à la reine pour se « rafraîchir ». Sa Majesté n'aime pas être dépaysée : un dé de gin Dubonnet à l'apéritif et de l'eau minérale Malvern. Si elle prend un verre de vin, c'est un riesling en raison de sa faible teneur en alcool.

Conformément au protocole, la reine parle avec son voisin de droite durant l'entrée, avec celui de gauche pendant le plat principal, et converse avec tous les deux au dessert. Dès que son interlocuteur ouvre la bouche, cette experte en repérage social reconnaît aussitôt le milieu d'où il vient, quelle école il a fréquentée. Elle jauge également certains détails, les chaussures, la cravate, le col de la chemise, les chaussettes. Aristocrate, la reine a un sixième sens, celui de la stratification sociale.

Elle inaugure ensuite un nouveau studio de production télévisée à l'université du Staffordshire. « La reine déteste avoir les caméras dans les yeux et se donner en spectacle » : un membre de son entourage tance gentiment deux étudiants chargés de filmer l'événement. Tout est dit. Elizabeth II considère les médias comme un mal nécessaire et affiche un beau sourire systématique dès que les projecteurs s'allument.

Au Staffordshire County Showground, elle coupe le gâteau d'anniversaire, une pièce montée dans le plus pur style victorien de vingt-huit kilos, offert à l'occasion des quatre-vingts ans de la souveraine par cette organisation rurale. Elle est ici chez elle. Le public d'un certain âge, attaché aux vieilles valeurs britanniques, est soigneusement endimanché, bien coiffé. À l'évidence, l'euphorie royaliste règne dans cette sorte d'allégorie d'une Angleterre qu'on allait un peu oublier, patriote, respectueuse de Dieu et de sa reine. Elle partage les mêmes caractéristiques liées à sa génération que ces gens, le stoïcisme, la frugalité, la froideur émotionnelle et le sens de la bien-séance. La reine boit religieusement et silencieusement une tasse de thé mais refuse de toucher au cake Batten-berg dont les couleurs reflètent curieusement les tons de son chapeau. Elle a tort, il est délicieux.

* * *

Le travail d'une reine impose des obligations rituelles, comme la remise de décorations.

Des militaires en grand costume d'apparat, l'orchestre des gardes royaux, un peloton de redoutables Gurkhas népalais et hallebardiers en costume Tudor : dans la salle de bal de Buckingham Palace dominée par son orgue monumental, la royauté déploie tous ses fastes pour une cérémonie de remise de médailles. Ce rituel, qui n'a pas changé depuis 1876, se répète une vingtaine de fois par an. Les récompenses, enregistrées sur la liste des hon-neurs, sont une autre manière pour Elizabeth II d'aller à la rencontre de son peuple. Une centaine de sujets méri-tants sont aujourd'hui distingués par titres, dignités et médailles.

À côté de la reine, le Lord chambellan, le comte Peel, petit-fils du deuxième Premier ministre de Victoria, aboie le nom du récipiendaire qui s'immobilise dans un garde-à-vous martial devant la reine. Léger salut de la tête pour les hommes, révérence pour les femmes. En un tour de main — force de l'expérience — Elizabeth épingle l'heu-reux élu. La reine a une mémoire fabuleuse des noms. Elle a lu pendant le week-end précédent les fiches indivi-duelles de ses services à propos de chacun des sujets décorés. Elle a souligné à l'encre rouge deux ou trois faits significatifs.

L'écuyer lui glisse les mots clés qui meubleront la courte conversation. Le couturier Julien McDonald se présente devant elle en chemise de satin noir, le col ouvert sur un énorme pendentif en diamant. Imperturbable devant cette extravagance vestimentaire, la reine évoque la beauté des pierres précieuses. Elle s'y connaît en gemmes. Après tout, sa couronne impériale est ornée de quatre rubis, onze émeraudes, seize saphirs et deux mille huit cent soixante-treize diamants. Le grand cuisinier Garry Rhodes, à la dégaine de rock star, suit. La souveraine à l'appétit d'oiseau remercie le célèbre chef, dont on s'arrache les livres de recettes, d'être une inspiration pour tous ceux qui veulent « réintroduire la cuisine anglaise ». Le champion du fish and chips et du pudding nouveaux a commencé sa carrière comme marmiton au palais, ce qui crée des liens.

Le dialogue est prévu en deux phases. Si, à la première question de la reine, son interlocuteur bafouille, Elizabeth interrompt l'échange avec un sourire bienveillant et passe au suivant. Si le dialogue s'établit, une deuxième question suit. Jamais plus. Sa Majesté est indulgente pour les gaffes provoquées par le trac : une révérence ratée ou une main qui se tend vers elle au mauvais moment.

La plupart des titres nobiliaires et des décorations sont octroyés par Downing Street. Le palais doit accepter la liste sans ciller. La souveraine dispose toutefois de trois titres, dont elle choisit elle-même les bénéficiaires : l'ordre de la Jarretière, l'ordre du Mérite, l'Ordre royal victorien. En raison des scandales ayant entouré l'attribution des « honneurs » politiques au fil des ans, ces trois derniers ordres sont devenus les plus prestigieux du royaume. Particulièrement, celui de la Jarretière. Selon la légende, en 1348, au cours d'une réception donnée par Edward III, la comtesse de Salisbury perd l'une de ses jarretières en dansant avec le roi. Le monarque la ramasse en s'écriant « Honni soit qui mal y pense ! ». Il institue sur-le-champ l'ordre de la Jarretière qu'il destine au prince héritier et à vingt gentilshommes.

La cérémonie de Buckingham Palace dure une heure. Jamais la reine ne montre le moindre signe d'ennui, d'impatience ou de lassitude. « J'ai l'habitude d'être debout, c'est ce que j'ai fait, semble-t-il, toute ma vie », a-t-elle confié à un portraitiste lors d'une séance de pose. Évoquait-elle le vide de sa fonction ? Toujours est-il qu'elle a désormais sa technique, bien rodée : il faut garder les jambes parallèles et distribuer le poids du corps de manière égale.

Jambes parallèles et poids du corps distribué de manière égale : notre athlète royale a l'occasion d'appliquer ce principe lors de l'épreuve de la traditionnelle garden-party d'été. Devant elle, huit mille personnes endimanchées entassées sur la pelouse de Buckingham Palace. Dans le Bow Room, pièce en demi-lune à la moquette rose bonbon, décorée de porcelaines Wedgwood et de portraits de parents éloignés de la reine Victoria, entourée de sa famille, Elizabeth est dans les starting-blocks. 16 heures, elle apparaît sur le perron Nord. Silence. Hymne national. À la dernière note du *God Save the Queen*, elle se jette dans la foule, si on peut dire. Jouant des coudes et de la voix, les *beefeaters*, hallebardiers au chapeau plat Tudor, la pique à la main, créent des couloirs au milieu du public.

Pas question de se bousculer autour de la reine comme le font les invités du 14 juillet à l'Élysée autour du Président. Le protocole est très strict. Un maître de cérémonie présente à la reine des invités présélectionnés. Le thème abordé est naturellement neutre. Avec notre voisine, directrice d'un hôpital en province, elle s'enquiert de sa région d'origine, lui demande ce qu'elle fait et si ce n'est pas trop difficile. « Comme c'est intéressant ! Très bien », conclut l'hôtesse des lieux. L'interlocutrice boit ses paroles, bredouille quelque chose et remercie la souveraine d'un « Thank you, Ma'am » en exécutant une demi-révérence. La reine est déjà plusieurs mètres plus loin, recommençant l'exercice avec un métier qui force l'admiration.

Incroyable chorégraphie : empruntant des parcours différents, les cinq Windsor se retrouvent exactement à la même minute devant la tente royale, surmontée de son étendard et aux bordures décorées de têtes de Maures. La partie officielle est terminée. La reine retrouve l'intimité de sa caste pour prendre le thé. Les invités ne la verront plus.

Mais la garden-party continue : 27 000 tasses de thé, 6 000 verres de café glacé, 12 000 limonades, 20 000 sandwiches (concombre et fromage, pâté de foie et de poisson), 17 000 gâteaux sont consommés ce jour-là. Plus de 400 serveurs sont mobilisés. Les buffets sont couverts de bouquets, roses, glaïeuls, marguerites. Deux orchestres de grenadiers se relaient pour interpréter des airs légers. À 18 heures maximum, l'hymne national retentit, indiquant qu'il est temps de prendre congé. Comparé aux Windsor, les Ewing de Dallas reçoivent comme des « ploucs » du Texas.

* * *

La reine est très attachée aux signes extérieurs de la monarchie. S'il est un domaine dans lequel elle est irréprochable, c'est bien le respect de l'étiquette et du protocole. Il n'est jamais question de transiger avec ce qu'impose le rang. Ni accolade, ni poignée de main, encore moins de baisers, elle garde ses distances. À l'exception de sa famille et des autres souverains, personne ne l'appelle « Lilibet », le surnom que lui avaient donné ses parents. Même ses amis les plus proches l'appellent « Ma'am ». Lors des dîners privés, personne ne peut aller se coucher avant elle. Elle sort toujours la première. À Balmoral, résidence royale d'été en Écosse, elle est la seule à pouvoir s'asseoir dans le fauteuil préféré de la reine Victoria. Elle reste fidèle en tout point aux préceptes de Walter Bagehot, le journaliste qui a codifié la monarchie britannique au XIXe siècle : « Le respect mythique et l'allégeance religieuse sont les rouages essentiels d'une vraie monarchie. »

C'est la reine qui vient à vous, pas le contraire. Pas question de l'interpeller si elle ne vous a pas adressé la parole. « Nemo Me Impune Lacessit » (personne ne me touche avec impunité) est, après tout, le pendant en Écosse du « Honni soit qui mal y pense ». Quand il a eu l'audace de lui poser la main sur le dos, le Premier ministre australien Paul Keating a eu droit à un regard assassin. Il en est, dit-on, encore ébranlé. Dans ce genre de situation, la souveraine arbore alors la « Piggy Face », la tête de truie snobinarde du *Muppet Show*, ancêtre du *Bébête Show* français. « Miss Piggy » est en effet le sobriquet donné à Elizabeth par son personnel. « À l'instar des vieilles monarchies européennes, la reine a cette formidable capacité de regarder les gens dans les yeux et d'un seul regard leur signifier : vous allez trop loin », insiste l'ancien roi Constantin de Grèce, exilé à Londres depuis 1974, dont elle est très proche. Quand on lui propose quelque chose qui la contrarie, elle ne dit jamais non. Mais son « Pensez-vous que c'est une bonne chose ? » a pour ses conseillers valeur de veto.

La reine est en fait une personnalité à deux faces qu'elle ne montre jamais simultanément. L'une lointaine et froide ; l'autre attentionnée et drôle. Mais on ne sait jamais auquel des deux visages on a affaire. Un preneur de son raconte comment, après sa fameuse allocution la veille des funérailles de Diana, Elizabeth a visionné avec lui les images de son intervention. Visiblement satisfaite de sa prestation, la reine plaisante longuement. Quelques minutes plus tard, lorsqu'elle se trouve en public, elle feint de ne pas le reconnaître. Si elle « craque », ce fut le cas devant un cercle restreint d'amis aux pires heures de l'*annus horribilis* de 1992, elle se reprend rapidement, retrouve le sourire et fait comme si rien ne s'était passé. La reine ressemble par bien des côtés à une héroïne d'Anouilh, « inconsolable mais gaie », refusant de s'apitoyer sur les malheurs de l'existence. Cette carapace qu'elle s'est forgée renforce la solitude de la fonction.

Lors de l'incendie de Windsor, le 20 novembre 1992, désemparée devant les destructions, Elizabeth contemple les ruines de sa résidence favorite. Personne n'ose la réconforter. À aucun moment, le prince Andrew, pourtant à ses côtés, ne songera à l'étreindre.

« Toujours l'écran », explique Robert Lacey, auteur du best-seller *Majesty*, « c'est un mécanisme de protection ; elle s'est forgé une cuirasse. Elle connaît sa place, au sommet, représentant les intérêts supérieurs de la nation. Cet écran salutaire lui a permis de sortir indemne des crises. Diana n'avait pas compris qu'il faut maintenir ses distances avec le peuple ». La reine doit rester un mystère total pour préserver la mystique de l'institution. Faute de quoi, le trône risque de devenir une chaise.

* * *

Derrière la reine : la femme. Une femme qui n'est jamais aussi heureuse, souriante et détendue qu'à la campagne à l'abri des influences extérieures. Chaque vendredi après-midi, un hélicoptère marron Sikorski transporte la reine à Windsor. Travailler et résider à Londres la semaine, vivre à la campagne le week-end, c'est le rêve de tous les Anglais. Mais tout le monde n'a pas la chance d'avoir comme elle une immense résidence secondaire si proche de la capitale.

Sans l'avoir jamais dit, elle a laissé entendre que si elle avait eu le choix, elle aurait volontiers échangé son existence royale contre un type de vie rural. Si la monarque appartient à la grande aristocratie par sa mère, c'est aussi un parfait exemple de la *squirecracy*, la gentry des champs. La souveraine partage avec les hobereaux de province le goût du grand air, l'amour des chiens et des chevaux, la chasse au fusil, les pique-niques et les bouquets de fleurs champêtres. À Windsor, avant le dîner, les époux prennent un verre ensemble — souvent un gin tonic — dans les appartements privés. Après un repas simple, parfois amélioré d'un verre de vin blanc, elle remplit la grille des mots croisés du *Times* (en moins de quatre minutes), commence un puzzle ou regarde la télévision. Elle est très friande des feuilletons, en particulier *Eastenders*, évoquant certains aspects populaires de la société anglaise qui sont exotiques pour elle. Elle se couche tôt, rarement après 11 heures du soir.

Nourrie de la Bible, ayant lu et relu, dit-on, *Le Paradis perdu* de Milton, elle croit en l'Éden, symbole de l'innocence rurale au parfum d'enfance. Mais sa conception de la campagne n'est pas celle d'aujourd'hui : yuppies jouant aux aristocrates, relais-châteaux pour parties fines, 4 x 4 rutilants, exhibés comme signes extérieurs de richesse. Sa conception, ce sont les grandes demeures d'antan, leur nombreuse domesticité, la chasse à courre et les bals de débutantes. Un univers blanc, chrétien et anglo-saxon, fait de rites et de croyances. La seule association dont elle est membre est le Women's Institute, mouvement rural féminin fondé en 1915, « pour conserver une Angleterre verdoyante et aimable ». Un monde désuet où l'on échange des recettes de cuisine et de confitures, où l'on chante des cantiques tout en tricotant. À l'instar de sa mère, la souveraine assiste une fois par an à la réunion de la section locale du « W.I. » de West Newton, près de Sandringham, l'un de ses châteaux dans le Norfolk. Ici on appelle encore la châtelaine « Lady », l'épouse du médecin « Madame », et la fermière par son prénom.

« Monter à cheval dans la campagne, assister aux courses hippiques, promener les chiens et s'intéresser à la danse folklorique écossaise » : c'est ainsi que le site web de Buckingham Palace décrit les loisirs champêtres de Sa Majesté. Sa sécurité affective, la reine la trouverait-elle auprès des quadrupèdes ? Son amour des chevaux est particulièrement visible à l'hippodrome d'Ascot où je l'avais rencontrée, il y a quelques années, à l'occasion du Prix du roi George VI. Le chemin du paddock est bloqué par la foule. Je me retrouve tout à fait par hasard, totalement surpris, aux côtés de la reine, juste avant le signal du départ. « Bonjour. Êtes-vous venu ici par le chemin de fer ? » demande-t-elle sur le ton banal permettant d'exprimer de manière tacite la royale compréhension du calvaire des usagers du train. « Non, en voiture, Ma'am. » Elle fixe d'un regard désapprobateur mon costume de coupe italienne couleur moutarde qui détonne au milieu des blazers et des tweeds des hommes du monde. Un subtil pincement de narines indique la surprise royale. « Je crois que ce sera une belle course, Ma'am » : le visage serein se renfrogne comme si ses émotions hippiques ne regardaient qu'elle. C'est là, dans le paddock, qu'Elizabeth se révèle une experte équine. Elle comprend réellement les pedigrees et peut remarquer au premier coup d'œil le pied, les hanches, les épaules d'une bonne pouliche. Elle adore les hippodromes, le martèlement des sabots, le halètement des galopeurs et l'odeur du crottin.

Le 13 juin 1981, Elizabeth participe au « Trooping the Colour », la cérémonie annuelle du Salut au drapeau. Un déséquilibré de dix-sept ans, armé d'un pistolet, tire six balles à blanc sur la reine. En amazone sur sa jument noire birmane, la cavalière émérite maîtrise avec calme la monture piaffant d'effroi. « Ce ne sont pas les coups de feu qui l'ont terrorisée, mais ma propre cavalerie », dira la reine avec son flegme habituel. Le jeune homme, qui participait à un programme d'aide à la jeunesse, fut condamné à cinq ans de prison ferme en vertu d'une loi de 1842 sur les crimes de haute trahison.

La monarque doit à sa longue pratique de l'équitation son maintien altier à plus de quatre-vingts ans. Jusqu'à récemment, elle montait à cheval tous les week-ends et tous les jours pendant ses vacances. Cette avide turfiste suit à la télévision la retransmission des courses ou visionne des cassettes des épreuves qu'elle ne peut regarder en direct. Outre son secrétaire privé et son mari, le directeur de ses écuries, l'entraîneur des pur-sang et certains éleveurs sont les seuls à posséder son numéro de téléphone portable. Ils ont le droit de l'appeler à tout moment.

En plus d'un demi-siècle de règne, elle n'a passé ses vacances à l'étranger qu'à trois reprises. En Normandie et au Kentucky pour acheter des pur-sang destinés à ses écuries royales et dans le Wyoming pour rendre visite à son directeur des Haras royaux. « Si ce n'était pas pour mon archevêque de Canterbury, je serais à Longchamp chaque dimanche », a-t-elle ironisé.

Son premier cheval, Peggy, un poney shetland, lui fut offert en 1932 par son grand-père, George V. En 1947, l'Aga Khan donne à la princesse, comme cadeau de mariage, son premier pur-sang qu'elle appelle Astrakhan. S'inspirant de l'étendard royal, Elizabeth choisit également ses propres couleurs : casaque écarlate, manches bouffantes pourpres, toque noire. À la mort de son père, en 1952, la nouvelle reine hérite de ses écuries et d'une trentaine de chevaux de course. Au fil des ans, la propriétaire peut se targuer d'avoir remporté quatre des cinq classiques anglaises, seul le Derby d'Epsom lui manque pour réaliser le grand chelem hippique. En 1974, lors du Prix de Diane à Chantilly, elle assiste au triomphe de son cheval, Highclere, qui devance de deux longueurs le favori, Comtesse de Loir.

Contrairement à la princesse Anne, médaille d'or olympique, ou à sa petite-fille, Zara Phillips, championne du monde de concours complet, elle n'a jamais participé à une épreuve hippique après son couronnement. Charles II est le seul monarque à avoir remporté une course de chevaux. Sa victoire en 1671 lors de la traditionnelle Town Slate à Newmarket lui avait valu de recevoir… trois livres de saucisses.

Avec les chevaux, les chiens font partie intégrante de son univers. Elle « bichonne » personnellement ses neuf corgis et dorgis. Du matin au soir, ils la suivent partout. La lignée royale des corgis remonte à 1933, lors du croisement du fervent Dookie, originaire du Pembrookshire, et de la timide Jane. Quand elle ne voyage pas à l'étranger, la souveraine nourrit ses chiens. Elle se promène chaque jour en leur compagnie. Elle adore également ses chiens de chasse, des labradors noirs. Les chiens sont présents au cours des déjeuners organisés en petit comité avec des personnalités de tous horizons. L'hôtesse peut interrompre à plusieurs reprises sa conversation avec ses invités pour leur parler ou leur donner sous la table des morceaux de son petit pain. Après une séance d'essayage,

Elizabeth ramasse elle-même les épingles avec un aimant pour éviter que ses animaux chéris se blessent. L'animal n'est jamais fautif. Quand un corgi mord un valet ou un conseiller, c'est que la victime a fait peur aux bêtes. La reine est capable d'envoyer de longues lettres de condoléances écrites à la main à l'occasion de la mort d'un chien alors qu'elle a du mal à rédiger un mot de réconfort pour un filleul tombé gravement malade. Un ancien collaborateur en a fait l'expérience. La reine reste sourde aux lettres qu'il lui envoie pour lui exposer de graves problèmes familiaux. En revanche, elle prend longuement sa plume pour le consoler du décès de son labrador empoisonné à la mort-aux-rats. Même les chats, qu'elle est censée détester, ont droit à sa compassion. Pour ses seize ans, équivalent de cent ans pour un être humain, Flook, un birman, a reçu un télégramme de félicitations de Sa Majesté. Elizabeth est aussi une colombophile avertie, activité pourtant généralement associée aux milieux populaires du nord de l'Angleterre. Elle possède un élevage de pigeons voyageurs à Sandringham et est tenue constamment informée de leurs résultats lors des concours.

Elizabeth II peut dormir sur ses deux oreilles : ses animaux ne la trahiront jamais.

« Le rugby est un jeu de voyous joué par des gentilshommes, le foot un sport de gentilshommes joué par des voyous », dit un célèbre dicton. La reine préside la Welsh Rugby Union, la fédération du pays de Galles dont son petit-fils, William, autre amateur de rugby, est président adjoint. Son frère Harry a décroché un diplôme de moniteur de la Rugby Union pour enseigner le sport aux écoliers. Sans oublier le cousin Peter Phillips, fils de la princesse Anne, qui a été membre de l'équipe junior d'Écosse. Le monde du rugby, poli, courtois et respectueux d'autrui, convient parfaitement à Sa Majesté. Il s'agit d'une école de modestie comparé à la réussite sulfureuse du foot avec ses scandales mêlant drogue, viols, affaires financières et hooliganisme. Toutefois, il semblerait que la reine soit une admiratrice du club Arsenal, dont elle a reçu les joueurs et les dirigeants à Buckingham Palace en février 2007. « La reine paraissait savoir qui j'étais. Elle m'a entrepris sur le roi Juan Carlos... », a déclaré à une radio de son pays le milieu de terrain espagnol Cesc Fabregas. Les Windsor aiment les sports haut de gamme. Le prince Charles est un fan de polo et de cricket. Comme feu le duc de Windsor, Andrew est un fanatique de golf. Le duc de Kent, un adepte du tennis. Le prince Philip, lui, fait de la voile. Les femmes Windsor, c'est aussi la tradition, s'intéressent davantage aux activités en plein air de la campagne. Le cricket, jeu pourtant aristocratique, mais trop lent et aux règles trop compliquées aux yeux de la souveraine, n'est guère à son goût. Elle, qui n'a que mépris pour le ballon rond, s'est cependant fait un devoir de rendre visite à l'équipe nationale, de suivre certains matchs de Coupe du monde ou de recevoir, à Buckingham Palace, Thierry Henry et ses coéquipiers d'Arsenal.

Elizabeth II n'est pas une intellectuelle. Contrairement à sa sœur Margaret ou à sa mère, elle a peu d'intérêt pour les arts, exception faite de la photographie. Ses distractions sont plus prosaïques.

Chaque année, à l'occasion du Variety Show Performance, elle se rend au Dominion Theatre de Londres. Les plus grandes stars de variété s'y produisent au profit de causes humanitaires, dont la lutte contre le cancer. Les applaudissements qui saluent son arrivée dans la loge royale la mettent visiblement mal à l'aise. Un sourire, un geste de la main et elle s'assoit le plus rapidement possible. Son visage est impassible quand elle se rend dans les coulisses à la fin du spectacle pour serrer la main des comédiens de *Full Monty*, ce spectacle racontant l'histoire de chômeurs qui, à Sheffield, pour s'en sortir, montent un strip-tease masculin. Combien de fois a-t-elle subi le *Land of Hope and Glory* d'Elgar ou le pas de deux du *Lac des cygnes* ? N'aimant pas l'opéra et la musique classique, pourtant distractions favorites des classes supérieures, elle préfère les opérettes de Gilbert et Sullivan, équivalents anglais des compositions d'Offenbach. Cette fan de cinéma, en particulier des grands classiques américains, s'ennuie au théâtre. Bien qu'elles imbibent l'âme anglaise, les pièces de Shakespeare sont, pour elle, trop longues, trop obscures. La propriétaire de l'une des bibliothèques les plus riches de la planète ne lit que les documents officiels et les télégrammes du Foreign Office. À l'inverse de Victoria qui avait le philosophe Taine et l'historien Guizot comme livres de chevet, la littérature et la philosophie ne l'intéressent guère. Outre P.D. James et Agatha Christie, son auteur préféré est Dick Francis, auteur de romans policiers qui se déroulent dans les milieux hippiques. Elle ne lit que l'édition reliée, jamais celle de poche. Les grandes questions philosophiques ne passionnent guère cette personnalité terre à terre dont la philosophie de l'existence est simple : ne pas chercher d'explications compliquées à la vie.

En peinture, la propriétaire d'une des plus riches collections de tableaux au monde a reconnu publiquement sa prédilection pour Holbein et Rembrandt. Elle aime les aquarellistes, surtout Thomas Sandby (1721-1798), réputé pour ses œuvres mettant en scène Windsor et la Tamise. Si elle a un faible pour les porcelaines, ce n'est pas une collectionneuse dans l'âme. Elle aime les impressionnistes et a hérité un Monet de sa mère. Mais il n'est pas question de trouver à Sandringham ou à Balmoral un Bacon, un Hockney ou un Lucian Freud. Pour Elizabeth, l'art contemporain s'est arrêté au XIXe siècle.

* * *

Lorsqu'elle séjourne à Windsor, la reine préfère s'habiller sport, c'est dans cette tenue qu'elle se sent le mieux. Comme la majorité des gens en week-end, elle aime les tissus écossais, veste de toile imperméable Barbour, souliers plats, foulard invariablement Hermès, broche ou collier de perles discrets. Elle se maquille peu. Sur les photos de jeunesse, on la voit toujours vêtue de manière classique, confortable et bourgeoise. Mais au fil des ans, elle a adopté le style kitsch de sa mère : chapeaux de mousseline à fleurs et plumes, robe d'organdi vert tendre, rose ou bleu pâle. Ses couturiers aiment aussi les couleurs acidulées mais jamais criardes qui font ressortir son teint de pêche, le bleu de ses yeux. Elle apprécie ces tonalités, notamment parce que cela permet à la foule de la reconnaître plus facilement lors de ses visites. Seules couleurs prohibées, le noir, réservé au deuil royal, et le gris, jugé trop fade. Pour les apparitions publiques, son habilleuse Angela choisit des couleurs pastel en journée, le jaune ou le vert le soir.

Les robes, tailleurs et chapeaux d'Elizabeth II continuent de fasciner les foules du monde entier. Sa garde-robe est liée aux différentes époques de sa vie : formelle dans les années 50 de l'après-guerre, du rationnement et du conservatisme ambiant ; plus originale, plus jeune dans les années pop 60-70 ; retour à la tradition par opposition au style glamour adopté par sa belle-fille, Diana, dans les années 80, à nouveau audacieux sans être extravagant aujourd'hui. « Son style est de ne pas vraiment en avoir. Cette neutralité est aussi son image et sa force. La garde-robe de la reine est très prudente, toujours en phase avec l'événement, facile à porter », souligne Joanna Marschner, la conservatrice de l'organisme Historic Royal Palaces, à l'origine de plusieurs expositions de vêtements royaux à Kensington Palace.

Être ou ne pas être à la mode ? Cette question ne la préoccupe guère. Elle reste fidèle à une qualité bon ton. Ses pull-overs hors mode, hors saison, proviennent invariablement des honorables maisons Pringle of Scotland ou Ballantyne. Il y a aussi l'accessoire, le grand sac bouclier, la broche de famille, le collier de perles à trois rangs, les boucles d'oreilles. Les chaussures et escarpins du soir, tout comme les gants de la reine, sont faits sur mesure. Dans son grand sac, elle possède toujours plusieurs gants de rechange réalisés par Cornelia James.

Ces détails — judicieux mélange de touches personnelles mâtinées d'une certaine retenue — sont insignifiants d'apparence, mais le tout confère à l'ensemble un air de pesanteur, de respectabilité, de raison. C'est pourquoi elle ne porte presque jamais de pantalon.

Glamour se combine avec majesté, fusion réalisée avec brio par son premier grand couturier Norman Hartnell, designer de ses robes du soir jusqu'à sa mort, en 1979. Il avait été très influencé par Dior, le couturier favori de la princesse Margaret. Outre la robe du couronnement, sa plus célèbre création reste la tenue de gala portée le 8 avril 1957 par la reine à l'Opéra de Paris lors de sa première visite officielle en France en tant que souveraine. La robe de satin beige est brodée d'abeilles napoléoniennes et de marguerites en or en l'honneur de ses hôtes. « Dans cette robe, elle était resplendissante, remontant ainsi le moral des Français déprimés par la guerre d'Algérie », écrit, lyrique, le *Times*.

« La reine ne s'intéresse pas vraiment à la mode. Elle écoute toujours poliment mes conseils mais elle préférerait mettre des vêtements ordinaires parce qu'ils sont confortables. Je ne vais quand même pas faire d'elle ce que Givenchy a fait d'Audrey Hepburn, une poupée sophistiquée. » Elizabeth a pardonné à Hardy Amies, son autre designer favori, cette indiscrétion. Peut-être parce que ce dernier a dit tout haut ce qu'elle pensait tout bas. Finalement, les seules tenues qui intéressent vraiment la reine sont les robes du soir car elles participent, par essence, à son rôle de représentation. Là, c'est une femme en majesté, une vraie reine. Depuis la disparition d'Hartnell et d'Amies, elle n'a plus de couturier attitré. La monarque fait aujourd'hui appel à la jeune génération représentée par Stewart Parvin et Karl Rehse. Pour la soirée d'anniversaire de ses quatre-vingts ans, à l'Hôtel Ritz de Londres, Karl Rehse avait confectionné une robe de soirée violette, brodée de soie et de minuscules cristaux : « La reine adore les beaux tissus. C'est d'ailleurs le point de départ de nos créations pour elle. »

La *Windsor touch* évoque aussi les chapeaux, élément essentiel de la parure royale, toujours de la même couleur que le manteau. Pour le couvre-chef, elle fait également confiance à ses couturiers attitrés : Hartnell a utilisé Aege Thaarup, puis la Française Simone Mirman ; Amies a eu recours au chapelier Freddie Fox et à une autre Française, Marie O'Regan ; John Anderson a fait appel au modiste Philip Somerville cher à la princesse Diana. Le bibi, jamais large ou trop complexe, est conçu de manière à ne pas dissimuler son visage ou ne pas gêner ses mouvements.

La reine ne fait pas du lèche-vitrines. Cette tâche appartient à son habilleuse, Angela Kelly. Des années de bons et loyaux services, une affection réciproque et une discrétion à toute épreuve lient les deux femmes. L'habilleuse a accès à la souveraine plusieurs fois par jour, privilège exceptionnel. Elle est la seule à pénétrer dans la cabine d'essayage de Buckingham Palace. Mme Kelly dirige aussi l'atelier de couture. Les archives de la mode royale, où tout est écrit à l'encre, datent de la reine Mary dans les années 20. Elizabeth étant très attachée à ses vêtements, la garde-robe royale conserve tous ses modèles depuis un quart de siècle.

Qui dit reine d'Angleterre dit également bijoux de légende. En trente-cinq années de carrière, François Curiel, président pour l'Europe de la maison de ventes Christie's, a conduit les enchères des plus belles collections de bijoux au monde. Il a eu le privilège de disperser les joyaux de la princesse Margaret : « Quelle femme aujourd'hui ne rêverait de porter les bijoux de la Couronne ? Depuis son avènement, la reine Elizabeth II a varié tenues et joyaux. Mais elle ne s'est jamais trompée. Des extraordinaires parures portées pour les occasions d'État jusqu'à la moindre broche, les bijoux de Sa Majesté soulignent toujours sa distinction naturelle et symbolisent l'éclat de la famille royale. » Personne au monde ne peut rivaliser avec de telles merveilles...

François Curiel ne rêve que d'une chose, passer une journée à examiner cette collection unique enfermée dans la Jewel House de la Tour de Londres. Mais le joaillier de la Couronne, David Thomas, de la maison Garrard, est le seul autorisé, outre la souveraine, à toucher ces parures et joyaux, en particulier les neuf couronnes royales. Parmi ces trésors figurent les deux pierres les plus mythiques de l'histoire. Le légendaire Koh-I-Noor ou « Montagne de Lumière » de cent cinq carats trône au centre de la croix de Malte ornant la couronne de feu la reine mère. Le Cullinan, la pierre la plus exceptionnelle par sa grosseur, cadeau du gouvernement du Transvaal à Edward VII en 1908, fut taillé en deux diamants. Le Cullinan I est serti dans le sceptre royal, le II dans la couronne impériale. Mentionnons aussi le fameux diamant rose Williamson de vingt-trois carats, réputé l'un des plus beaux de cette couleur, monté en une broche « fleur » par Cartier et qui fut porté par la reine lors du mariage de Charles et de Diana, en 1981.

Mais, à côté de ces bijoux qui appartiennent à la nation, la reine possède à titre privé l'une des plus belles collections au monde enfermée dans les coffres-forts du palais. Elle a hérité des joyaux de sa grand-mère Mary et de sa mère auxquels il convient d'ajouter les cadeaux privés et les acquisitions personnelles aux enchères. Au moins seize tiares, dont huit de diamants, deux de saphirs, deux de perles, une d'émeraudes et une d'aigues-marines, une vingtaine de colliers, plus de deux cents broches. Parmi les gemmes figurent des pièces tels le diadème d'une grande-duchesse impériale, le Cambridge Emerald Necklace, un collier d'émeraudes, une paire de broches serties d'aigues-marines et de diamants signée Cartier offerte à Elizabeth par son père George VI pour ses dix-huit ans ou un bracelet Boucheron fait d'or, de saphirs, de diamants et de rubis, cadeau du prince Philip. Entre autres. L'indéfectible magie du diamant, ce magnétisme, qui semble se transmettre de génération en génération dans la famille royale anglaise, demeure un symbole de la pérennité de l'institution. « Diamonds are a girl's best friend », chantait l'inoubliable Marilyn Monroe dans *Les hommes préfèrent les blondes*. Les pierres précieuses ont surtout tendance à devenir les meilleures amies des reines.

* * *

D'une année à l'autre, jour après jour, la vie de la reine est réglée comme une horloge. Elle passe invariablement ses vacances dans ses terres, l'été à Balmoral, au milieu des landes écossaises, l'hiver à Sandringham, dans le plat Norfolk. Elle n'a jamais envisagé d'aller se dorer sur une plage des Antilles. Sa peau ne supporte pas le soleil. Elle ne plaisante pas avec l'heure du thé servi à 17 heures précises. Cette exactitude ne l'a pas empêchée d'anoblir le chanteur Mick Jagger qui avait eu l'audace de proclamer dans son tube *Live With Me* : « J'ai de sales habitudes, je prends le thé à 3 heures. » Le breuvage est obligatoirement accompagné de sandwiches, de cake et de crumpets confectionnés dans les cuisines du palais. Elle y touche à peine.

Quand elle voyage à l'étranger, ses bagages contiennent toujours une bouilloire électrique pour préparer son thé, un oreiller de plumes, des bouteilles d'eau Malvern, des pots de marmelade à l'orange et ses biscuits secs favoris, des sablés écossais. Elle aime les dîners en petit comité, « avec des gens agréables », pour reprendre l'expression de l'une de ses amies. Lors des pique-niques ou des dîners du dimanche, quand une partie du personnel est en congé, elle débarrasse elle-même la table. Les convives sont priés de rester à table. La seule chose qu'ils sont autorisés à faire est d'éteindre les bougies. Sa Majesté a la hantise de se brûler les doigts.

Le mode de vie royal, dans les courants d'air et l'inconfort, est plutôt dépouillé. L'austérité des deux châteaux qui lui appartiennent en nom propre contraste avec l'opulence des résidences des autres grandes familles du royaume. Comparé à des châteaux aristocratiques comme Chatsworth ou Blenheim, Sandringham, demeure royale du XIXᵉ siècle, fait franchement petit-bourgeois. Ouverts au public, les appartements du rez-de-chaussée permettent de saisir cet aspect conformiste et modeste de la personnalité d'Elizabeth II. Dans le salon, des pièces d'un grand puzzle en cours voisinent avec des numéros jaunis de *Country Living*, mensuel sélect consacré à la vie de la campagne, des photos de famille et des trophées hippiques. Dans la salle à manger, le couvert est mis. Les sets de table représentent les chevaux des écuries de Sa Majesté. Le menu est en français. La reine n'est jamais chef de table, mais s'assoit toujours au milieu de ses invités. Le gaspillage horripile l'une des femmes les plus fortunées du royaume. Dans ses châteaux, le chauffage est bas et les lumières sont souvent éteintes. Les invités sont priés de se munir de gros pulls. Le personnel est payé au SMIC, mais en échange, il est, selon la formule consacrée, nourri, logé et blanchi. La reine a le sens éminemment pratique. À ses ministres qui lui demandent le cadeau de la nation qu'elle aimerait recevoir pour son jubilé d'argent, en 1977, elle répond : « Une cafetière. »

* * *

Lorsqu'elle voyage, Elizabeth II a ses exigences. Ainsi, en visite officielle en Afrique du Sud, en novembre 1999, le palais avait envoyé aux deux hôtels où elle devait descendre une liste de recommandations : à bannir œillets, épices, télévision dans la chambre, couettes. Les draps doivent être rigoureusement en coton. Elle adore les roses blanches. Sa seule vraie phobie est la cigarette depuis que son père, grand fumeur, est mort d'un cancer du poumon. Ses malles — cent quarante-sept lors de sa visite de 1992 en France —, comprenant notamment huit ensembles de jour et quatre tenues de soirée, sont marquées d'une étiquette jaune, la couleur réservée à la reine et... au pape.

La monarque n'est pas vaniteuse, elle se regarde rarement dans un miroir. Surnommée « casque à la glu », sa coiffure démodée, un peu compassée, est la même depuis des lustres. Si le style n'a pas changé, ce n'est pas par conservatisme mais par souci utilitaire. Ses rouleaux lui permettent de maintenir couronne ou diadème en place. Elle ne s'est jamais teinte, comme la plupart des femmes de sa génération en Angleterre, où cheveux gris ou blancs sont la norme chez les personnes âgées. Sa seule coquetterie est de se remettre fréquemment du rouge à lèvres.

Autre caractéristique, sa solide constitution. Lors des réceptions, elle est capable de rester debout plusieurs heures sans vaciller. C'est un « animal au sang froid » qui ne transpire pas. Elle se soigne à l'homéopathie et n'a longtemps souffert que de sinusites. Récemment, ses problèmes de dos et de genoux l'ont contrainte à réduire ses activités. Son bon état physiologique ne la rend pas particulièrement sensible aux problèmes de santé des autres. Elle ignore les rhumes et ne discute jamais des petits bobos de la vieillesse. Lors des visites d'hôpitaux, qu'elle déteste, elle ne s'assoit jamais sur le bord du lit d'un patient. Par peur des intoxications alimentaires, elle ne mange jamais de crustacés ni de plats trop épicés ou trop exotiques.

Née avant-guerre, Elizabeth II est très prude, comme sa mère écossaise et peut-être sa grand-mère. George V et George VI étaient également plutôt « coincés ». On ne l'a jamais photographiée en maillot de bain. Elle n'a connu qu'un homme dans sa vie, Philip, qu'elle appelle toujours par son prénom, jamais « mon chéri ». Elle n'est pas affectueuse en public, ne lui prend jamais la main ou le bras. On dit que sa mère lui a transmis sa révulsion de l'univers libertin dans lequel vivait son oncle, Edward VIII. Longtemps, les divorcés seront bannis de la cour, comble d'hypocrisie quand on connaît les frasques amoureuses de sa sœur, la princesse Margaret, et des enfants royaux. Il faudra attendre les années 90, les scandales et les catastrophes en série, en particulier la mort de Diana, pour qu'Elizabeth accepte d'épouser son siècle en matière de mœurs et perde un peu de sa rigidité. Ces dernières années, elle a participé à la soirée costumée organisée à la fin de chaque été par le personnel de Balmoral, mais sans jamais revêtir un déguisement. Aucun des participants n'a encore osé s'accoutrer en reine en sa présence.

En 1980, lors d'une visite officielle en Belgique, la reine assiste au *Boléro* de Ravel, une production de Maurice Béjart, au Théâtre de la Monnaie. « Ce n'est pas très approprié », dira-t-elle à la sortie à son ambassadeur à propos de la tonalité homo-érotique se dégageant de ce ballet. Certes, il y a toujours eu à Buckingham Palace des valets ouvertement gay. Tant qu'ils remplissent leurs fonctions et qu'ils restent discrets pendant leurs loisirs, la reine n'y trouve rien à redire. Mais lorsqu'en 1984, le responsable de la sécurité royale est surpris au lit, à Buckingham Palace, avec un prostitué masculin, il est contraint à la démission. La reine fut, dit-on, très affectée par le départ de son policier favori, mais elle avait estimé que sa vie privée le rendait vulnérable à un éventuel chantage. Tant que l'évolution de la société ne heurte pas ses convictions religieuses les plus profondes, elle l'accepte. Pas toutefois jusqu'à admettre de bon cœur l'institution, en 2005, du mariage civil homosexuel.

Celle qui, en 1955, sous la pression du gouvernement conservateur, met son veto au mariage de sa sœur avec un divorcé, donne son accord de nos jours à ce que William

ramène ses petites amies à Clarence House. Elle adore
Zara Phillips, fille de la princesse Anne, adepte du
« piercing », qui partage sa vie avec un jockey et a même
posé pour *Hello,* fleuron de la presse people. Elle n'apprécie pas toujours ce qu'est devenu son royaume, elle n'est
pas toujours à l'aise avec l'Angleterre contemporaine.
Mais elle accepte le changement. A-t-elle le choix ?

Son rire est chevalin, un peu masculin. La reine ne
tolère ni l'humour agressif ni la vulgarité. La réalité est
plus forte que la fiction : Elizabeth est parfois contrainte
d'affronter des situations qu'aucun scénariste n'aurait
envisagées. Ainsi, un jour, une cliente d'un magasin du
village de Sandringham lui lance, poliment : « Excusez-
moi, mais vous ressemblez à la reine. » « C'est plutôt
rassurant », réplique la souveraine. Lors d'un dîner de
famille, elle a manqué tomber par terre par la faute d'un
majordome qui lui a trop rapidement retiré son fauteuil.
Elle a trouvé l'incident très drôle et a pris soin par la suite
de réconforter l'employé maladroit qui était dans tous ses
états. À un courtisan avec deux verres de vin à la main,
elle lance : « L'assistance n'est quand même pas si
ennuyeuse que cela ! » À un député qui lui fait remarquer
combien ce devait être fatigant de rencontrer tant de gens
inconnus, Sa Majesté, qui a de l'esprit, répond : « C'est
moins dur que cela ne paraît. Je ne dois pas me présenter.
Ils savent qui je suis. »

II

L'ÉDUCATION D'UNE REINE

Imaginons qu'Elizabeth ne soit pas devenue reine et faisons son portrait aujourd'hui. Tante du souverain, elle serait, à ce titre, un membre mineur de la famille royale. Invitée à Buckingham Palace mais pas à toutes les réceptions, sa tâche consisterait à inaugurer les chrysanthèmes et à représenter le chef de l'État, son neveu ou sa nièce, à des fonctions de second ordre. Ne bénéficiant pas de fonds publics, le palais couvrirait ses frais de représentation. Sa vie se partagerait entre Kensington Palace, où elle disposerait d'un large appartement de fonction, et son château de Sandringham. Jouer au bridge, déjeuner avec des amies, s'occuper des œuvres philanthropiques seraient l'essentiel de ses activités. La princesse Elizabeth prendrait ses vacances dans son château de Balmoral, en Écosse, avec ses petits-enfants. Une petite domesticité, dont une secrétaire et un chauffeur, serait à sa disposition.

Le destin en a décidé autrement. Elizabeth, reine d'Angleterre ? Aujourd'hui, c'est une évidence. Pourtant, jusqu'en 1936, elle n'était que la nièce de celui qui devait devenir Edward VIII. Princesse héritière par accident à l'âge de onze ans, elle sera sacrée reine inopinément à vingt-six ans à la mort prématurée de son père George VI. Rien ne l'avait préparée à cette charge.

Elizabeth Alexandra Mary Windsor naît à Londres, dans la maison de sa grand-mère maternelle, au 17 Bruton Street, dans l'élégant quartier de Mayfair, le 21 avril 1926. Comme le veut la tradition depuis le « complot de la bassinoire », en 1688, au cours duquel une dame de compagnie aurait échangé les bébés, le ministre de l'Intérieur assiste à l'accouchement d'Elizabeth comme de tout nouveau-né dans la ligne de succession. On n'est jamais trop prudent.

Un journal de l'époque fait remarquer qu'Elizabeth est née sous le signe du Taureau et que, par conséquent, elle sera organisée, sensuelle et opiniâtre. Rien alors ne prédestinait ce bébé de 3,6 kilos délivré par césarienne à monter sur le trône d'Angleterre. « Lilibet », comme l'appellent avec affection ses parents, n'était en effet que le premier enfant du duc et de la duchesse d'York. Le duc était le deuxième fils du roi George V auquel allait succéder tout naturellement, le 20 janvier 1936, le prince de Galles, Edward. Elizabeth est alors troisième dans l'ordre après son oncle et son père. Si tant est que le roi n'ait pas d'enfants et qu'elle-même n'ait pas de frère.

Sa mère, Elizabeth Angela Marguerite Bowes-Lyon, quatrième fille du XIVe comte de Strathmore, petit aristocrate écossais, était l'avant-dernière née d'une famille très unie de dix enfants. Sa jeunesse avait été celle des petites filles de son milieu social avant 1914 : précepteurs, gouvernantes, cours de musique, d'histoire, de maintien et de langue française. Au cours de la Première Guerre mondiale, le château familial de Glamis avait été transformé par ses parents en un hôpital pour les grands blessés de la bataille des Flandres. La paix revenue, Elizabeth Angela, très belle, devient une débutante du « Swinging London » des années 20. Au cours d'un bal, elle rencontre le prince Albert, duc d'York, second fils du roi George V, qu'elle épouse en 1923. Elle a hésité pour deux raisons. De constitution fragile, les jambes rachitiques, bégayant, d'une timidité maladive et réputé pour ses accès de rage, le jeune homme, surnommé Bertie dans la famille, n'est alors qu'un simple officier de marine. Il est totalement éclipsé dans l'affection du public par son frère aîné, le prince de Galles, dont Elizabeth, comme toutes les jeunes femmes de la bonne société de l'époque, était amoureuse. Cet amour contrarié explique peut-être son acharnement par la suite contre le couple Edward-Wallis Simpson. « Une Britannique jusqu'à la racine des cheveux », se félicite le *Times* à propos du mariage d'Elizabeth en oubliant de mentionner sa filiation hollandaise. Cette union est la première entre un prince royal et un membre de la haute noblesse britannique. La nouvelle duchesse d'York impose immédiatement sa personnalité chaleureuse à la cour empesée de l'austère George V. Un deuxième enfant, la princesse Margaret Rose, naît le 21 août 1930. Encore une fille. Elizabeth a décidément de la chance.

L'enfance de la future reine est idyllique, partagée entre Londres, Windsor et l'Écosse. C'est une gamine joueuse, qui laisse libre cours à ses pitreries. Lors d'une visite de l'archevêque de Canterbury à Buckingham, elle chevauche son grand-père, le roi George V, contraint de se mettre à quatre pattes sur le tapis. Elle lui tire la barbe et lui ébouriffe les cheveux en l'appelant « grand-père Angleterre ». Le souverain joue souvent avec elle, ce qu'il n'avait jamais fait avec ses propres enfants, élevés avec une distance et une sévérité tout aristocratiques. George V déteste son fils et successeur présumé, le prince de Galles, coureur de jupons invétéré, toujours célibataire. Le roi confie ses inquiétudes à un courtisan : « Je prie Dieu que mon fils aîné ne se marie jamais et n'ait jamais d'enfants, et que rien ne vienne se mettre entre le trône et Bertie et Lilibet. » Cette dernière est également la favorite de sa grand-mère, la reine Mary, qui lui enseigne les valeurs essentielles de la royauté façon fin du XIXe siècle, le sérieux, les bonnes manières et la patience.

« C'est une personnalité. Elle a le sens de l'autorité », s'exclame Churchill, alors ministre des Finances, après l'avoir rencontrée, en 1928. L'enfant modèle est toutefois un tantinet autoritaire avec sa sœur Margaret et ses compagnes de jeu. Elle a sa nurse attitrée et, à partir de 1930, une gouvernante, Marion Crawford. L'éducation que cette ancienne institutrice écossaise, femme à poigne, inculque aux deux princesses ne laisse guère de place à la spontanéité ou à l'extravagance. Ces principes, Elizabeth les observera tout au long de sa vie, ce qui ne sera pas le cas de Margaret. Une autre nurse, Margaret MacDonald, qui deviendra gouvernante avant de devenir habilleuse, joue également un rôle de premier plan dans son éducation.

Dans son livre de souvenirs intitulé *Les Deux Princesses*, Mme Crawford fait le portrait d'une fillette très en avance sur son âge dont le comportement sage décourageait toute réprimande. Elle n'allait pas dire le contraire même si la publication, moyennant espèces trébuchantes, de cette hagiographie non autorisée révélant des détails intimes de la vie de la famille avait fait scandale à l'époque. À la lecture de ce livre, si sa sœur cadette, Margaret, se distingue par sa fantaisie, Elizabeth se caractérise par son sérieux, son application et surtout sa méticulosité excessive. La fillette se lève pendant la nuit pour vérifier si elle a bien rangé ses vêtements pour le lendemain, si ses chaussures sont bien alignées. Toujours selon Mme Crawford, Elizabeth classe les bonbons au café que ses parents lui donnent après le déjeuner d'après leur grosseur, mangeant les plus petits en premier. Elle récupère le papier d'emballage de ses cadeaux. L'économie est une vertu de princesse d'Angleterre. Elizabeth est aussi timide et paralysée devant les inconnus. À sa décharge, elle vit déjà sous une cloche dorée. Lors de ses promenades ou sur le terrain de jeux d'Hamilton Gardens, il n'est pas question de jouer avec les autres enfants à la marelle, à cache-cache ou à la corde à sauter. « Margaret me rend joyeux, Elizabeth, fier. » Cette remarque de son père résume bien la différence de tempérament entre ses deux filles. La plus jeune est sa favorite. L'aînée, sérieuse, studieuse et tranquille, le déconcerte. « Elle est étrange », confie-t-il un jour. Son sens de l'ordre et du rangement tout comme son goût de la routine seront toutefois très utiles dans les épreuves qui l'attendent.

À la mort du roi George V, en janvier 1936, Edward VIII, toujours célibataire, monte sur le trône. Le 10 décembre 1936, le roi abdique après un règne de trois cent vingt-cinq jours pour pouvoir épouser Wallis Simpson, une Américaine, deux fois divorcée, et s'exile en France en prenant le titre de duc de Windsor. À la petite fille insouciante a succédé une très jeune princesse héritière. Le 12 mai 1937, son père est couronné sous le nom de George VI, avec à ses côtés sa femme, première épouse de monarque d'origine britannique depuis quatre siècles. Après avoir connu trois souverains en un an — George V pendant vingt jours, Edward VIII et George VI, les vingt derniers jours —, le royaume aspire à la stabilité.

Du jour au lendemain, la vie d'Elizabeth bascule. Âgée de dix ans, elle est désormais héritière de droit, prétendante à la couronne d'Angleterre. Quand elle rencontre ses parents pour la première fois dans la journée, elle est désormais tenue de leur faire la révérence. La famille a déménagé à Buckingham Palace. Elle a quitté le cocon d'un petit hôtel particulier pour un palais glacial de plus de six cents pièces, à la fois résidence et centre de pouvoir du plus grand empire de tous les temps. Elle n'est plus « Lilibet ». Si elle continue d'appeler ses amies par leur prénom, celles-ci doivent désormais lui donner du « Ma'am » (Madame) et faire la révérence. L'opinion découvre cette jeune fille qui met tant d'application à entrer dans son rôle de future reine. Auprès du bon peuple, la greffe prend. Les premières porcelaines à son effigie apparaissent dans les vitrines d'Oxford Street. Des salles d'hôpitaux portent son nom, son effigie de cire, assise sur un poney, entre au musée de cire Tussaud, sa

photographie fait même la une de l'hebdomadaire américain *Time*. Les premiers signes avant-coureurs de
l'« elizabethomania » à venir. Et la sympathie qu'inspire la
jeune princesse joue un rôle non négligeable dans l'acceptation du nouveau roi, George VI, pâle substitut du brillant
Edward VIII.

« L'entraînement est la clé de beaucoup de choses.
Vous pouvez tout réussir si vous êtes bien préparé », a
déclaré la reine, à propos de son rôle au producteur de la
BBC, Edward Mirzoeff, réalisateur d'*Elizabeth R*, diffusé
à l'occasion de la célébration de ses quarante ans de
règne, en 1992. Mais contrairement à ses enfants, Elizabeth n'a jamais fréquenté aucune école. Son éducation
est sommaire, c'est le moins que l'on puisse dire. Miss
Crawford l'initie à l'anglais et à l'histoire. Malgré toute sa
bonne volonté, cette jeune femme n'était qu'institutrice
d'école maternelle. Un peu léger pour former une élève
d'une dizaine d'années, future reine. Elizabeth n'étudie
que sept heures et demie par semaine. Une autre tutrice,
Mme Mautondon-Smith, lui enseigne des rudiments de
français. Suffisamment en tout cas pour permettre à la
princesse, alors âgée de treize ans, de prononcer son premier discours officiel dans notre langue à l'occasion de la
visite d'État à Londres du Président Lebrun, en 1939.
Un an auparavant, sa mère, sous la pression de la reine
Mary, inquiète des lacunes de son éducation, avait fait
ajouter à son programme deux leçons par semaine d'histoire constitutionnelle dispensées par Henry Marten,
proviseur adjoint du collège d'Eton. Cet érudit à la mise
irréprochable lui fait partager son admiration pour Victoria, la reine impératrice, et les grands explorateurs. Le

programme comprend aussi une classe de danse hebdomadaire. Elizabeth apprend également à monter à cheval, sport qui restera sa grande passion. C'est une éducation calquée sur celle des jeunes filles du XIXe siècle. « Elle ne devait pas régner. Ses parents estimaient que l'instruction poussée n'était pas nécessaire pour une fille de l'aristocratie, nièce d'un futur roi dont le destin se serait limité à faire un bon mariage et à avoir des enfants. Tout a basculé avec l'abdication d'Edward VIII », explique Michael Rose, journaliste et biographe de George V.

La vie de famille est calme, équilibrée, un peu guindée sous l'effet d'un protocole rigoureux. Les Windsor sont casaniers. « Notre famille, nous quatre », dit le roi. Après l'extravagance du court mais brillant règne d'Edward, c'est le retour au modèle familial style George V que souhaitent les Britanniques. On se divertit simplement en jouant aux charades et aux cartes, en faisant des imitations ou en chantant. Ces traditions, la souveraine y est toujours attachée. Un groupe de jeannettes, composé des enfants du personnel, fut constitué pour donner de la compagnie aux enfants royaux. George VI est un homme foncièrement bienveillant mais tourmenté par une charge qu'il n'a ni cherchée ni souhaitée. La cour est à son image, terne et ennuyeuse. Mais cela rassure les sujets alors que s'amoncellent les noirs nuages venus du vieux continent européen.

1940 : la guerre. Le roi George VI et la reine Elizabeth ont une conduite exemplaire. Lors du Blitz, bravant les dangers, ils visitent sans relâche les quartiers populaires détruits par les bombardements nazis pour remonter le moral de la population et galvaniser leur peuple assiégé.

Au nom de l'esprit civique, le roi trace autour des baignoires royales une ligne que l'eau chaude ne doit jamais dépasser. La reine apprend même à tirer au revolver chaque matin pour, dit-elle, défendre la Couronne. De Gaulle écrit dans ses *Mémoires* à propos de l'esprit de sacrifice des Windsor : « C'était un spectacle proprement admirable que de voir chaque Anglais se comporter comme si le salut du pays tenait à sa propre conduite. »

Quand Buckingham Palace est gravement endommagé le 8 septembre, la reine émet ce commentaire désormais célèbre : « Je suis contente que nous ayons été bombardés. Je vais pouvoir regarder les gens de l'East End dans les yeux. » Aux pires heures de la bataille d'Angleterre, elle rejette la demande de Churchill de faire évacuer les enfants royaux au Canada où séjournent déjà les familles royales de Norvège et du Danemark : « Les enfants ne peuvent pas partir sans moi, et moi je ne peux pas quitter le roi. Et le roi n'abandonnera jamais le pays. »

Les princesses, âgées respectivement de quatorze et douze ans, resteront au château de Windsor, à l'ouest de Londres, plutôt qu'à Buckingham Palace, jugé trop vulnérable. Les deux jeunes filles ont toujours adoré Windsor où elles ont passé tous leurs week-ends alors qu'elles ne se sont jamais senties à l'aise à Buckingham. Elles n'ont pas besoin d'un fil d'Ariane pour se retrouver dans le dédale de pièces qu'elles connaissent par cœur. Construite à l'initiative de Guillaume le Conquérant sur la seule colline surplombant la Tamise, la principale résidence des souverains est le plus ancien et le plus grand château du royaume. Cette immense forteresse de couleur uniformément grise se tapit au centre d'une toile d'araignée, le comté royal du Berkshire, d'où rayonnent tous ces lieux dont le nom est passé dans l'histoire de la monarchie anglaise : Windsor Great Park, ex-terrain de chasse des chefs saxons et des chevaliers du Moyen Âge, l'hippodrome d'Ascot, les régates d'Henley et le collège privé d'Eton. Chaucer et Shakespeare ont campé des personnages dans ce château déconcertant et émouvant. Le prince Albert, mari adoré de la reine Victoria, y est mort en 1861. Mais Windsor, c'est avant tout le nom de la dynastie. George V l'avait adopté en 1917 pour faire oublier à la population les origines allemandes de la lignée. L'imposant mémorial de brique beige érigé en 1937 à l'entrée de la petite ville le rappelle : « À George V, premier souverain de la maison de Windsor ». Enfin, c'est encore dans le bureau du château qu'Edward VIII a lu à la nation sa lettre d'abdication en raison de « la femme que j'aime ». C'est ce jour-là, rappelons-le, qu'Elizabeth II est devenue princesse héritière.

La vie au château est austère pendant la guerre. Les chambres des princesses, qu'elles partagent avec leurs nannies respectives, sont situées dans l'aile la plus solide du palais, la tour Brunswick, dénuée de chauffage. Les bagages sont prêts pour une évacuation d'urgence vers Liverpool et le Canada. Les joyaux de la Couronne, enveloppés dans du papier-journal, sont enfermés dans des malles. Les documents les plus importants sont empilés sur le sol de la chapelle St. George. Les tableaux ont été retirés de leurs cadres pour être cachés. Les alertes sont régulières et les nuits passées dans l'abri de fortune nombreuses. À sa manière, Elizabeth participe à l'effort de guerre. Le 13 octobre 1940, elle apparaît dans l'émission

Children's Hour (l'heure des enfants) pour relever le moral de la population : « Nous savons tous que cela se passera bien. » Et, malgré les raids aériens allemands, la famille royale veut démontrer que la vie continue. Ainsi, le 1er mars 1942, Elizabeth est confirmée par l'archevêque de Canterbury, Cosmo Lang, le même qui l'avait baptisée. Pas question de transiger avec la continuité. La silhouette élancée, l'héritière est mignonne dans sa robe de lainage blanc, toute simple, avec son petit voile de tulle.

Les princesses sont toutefois loin d'être des recluses. « Elles étaient entourées de toutes sortes de gens très agréables… L'atmosphère n'était ni funèbre ni mélancolique », affirme Antoinette de Bellaigue, une Française d'origine belge installée au Royaume-Uni, qui a servi de gouvernante aux deux princesses, de 1942 à 1948, leur enseignant le français et l'histoire européenne. « Elizabeth faisait ce qu'il fallait faire d'instinct. Elle était très naturelle et son caractère était un mélange de sens du devoir très prononcé et de joie de vivre. » Mme de Bellaigue restera une amie proche de la reine et de la princesse Margaret jusqu'à sa mort, en 1996.

En 1944, à dix-huit ans, la future Elizabeth II devient l'un des quatre cents membres du conseil privé. À la différence de la France, il ne s'agit pas d'un grand corps d'État mais d'une assemblée informelle d'anciens politiciens chargés d'épauler la cour. Son père en déplacement en Italie pour visiter les troupes britanniques, il incombe à la princesse de signer le sursis d'un criminel. C'est une épreuve pour une jeune fille compatissante mais qui a toujours vécu dans l'ouate : « Comment peut-on en arriver là ? Il faudrait qu'on sache pourquoi. Il y a sûrement moyen d'aider ces gens-là. J'ai encore tant à découvrir sur la nature humaine. » Le dur apprentissage du métier de reine ne fait que commencer. Elle multiplie les apparitions publiques, en uniforme de grenadier de la Garde ou en ambulancière alors qu'elle apprend à conduire au camp militaire d'Aldershot. Plusieurs fois, elle s'adresse à la radio à ses futurs sujets.

Fin 1944, à dix-neuf ans, munie de son permis, Elizabeth Alexandra Mary Windsor, numéro de matricule 230873 du centre de formation en transport mécanique du service auxiliaire de transport 1, rejoint l'armée de réserve comme conductrice de camion. « Pendant tout le dîner, hier soir, elle nous a parlé de bougies », raconte la reine à propos de l'enthousiasme de sa fille pour l'entretien des automobiles. C'est bien la seule époque de sa vie où Elizabeth mettra les mains dans le cambouis...

Le 8 mai 1945, la guerre est terminée en Europe. Devant une foule en délire qui les rappelle à huit reprises, le couple royal et leurs deux filles apparaissent sur le balcon de Buckingham Palace, aux côtés du Premier ministre, Winston Churchill. Si les dégâts causés à la façade par les bombardements ont été réparés, les fenêtres sont toujours barricadées. Le roi autorise ses filles à sortir pour participer aux réjouissances avec un groupe d'amis sous la direction de leur oncle, David Bowes-Lyon, et d'Antoinette de Bellaigue. Personne ne les reconnaît si ce n'est un soldat néerlandais qui se joint à la joyeuse bande avant de s'éclipser discrètement en déclarant : « Ce fut un grand honneur. » Elizabeth dit à sa mère qui a préparé elle-même une collation : « Ce fut la soirée la plus mémorable de ma vie. » C'est en effet la première fois et sans doute la dernière qu'elle mène le temps de quelques heures une vie normale, sans garde du corps, sans dame de compagnie, au beau milieu de la foule.

La paix revenue, Elizabeth accompagne ses parents lors de leurs voyages, en province comme dans le Commonwealth. Le 21 avril 1947, en Afrique du Sud, à l'occasion de ses vingt et un ans, elle prononce un discours historique retransmis dans le monde entier, dans lequel elle promet de dédier sa vie au devoir, engagement dont elle ne se départira jamais.

Le 10 juillet 1947, la princesse héritière Elizabeth est officiellement fiancée au lieutenant Philip Mountbatten, instructeur dans la Royal Navy. La nouvelle n'a rien de bien surprenant : depuis longtemps le public avait suivi dans la presse le développement de cette idylle. Les actualités cinématographiques avaient montré pour la première fois le couple lors du mariage de la fille de Mountbatten, l'oncle de Philip. Ce jeune prince, blond et séduisant, elle l'a rencontré la première fois le 22 juillet 1939 alors qu'il faisait ses études au collège naval de Darmouth. Elizabeth accompagnait ses parents venus passer en revue les cadets. Le commandant de l'établissement avait demandé au prince, cousin au troisième degré d'Elizabeth, de distraire les deux princesses. Elle avait treize ans, lui dix-huit. Ils avaient joué au croquet et au train électrique dans la salle de jeux. « J'ai trouvé qu'il faisait un peu le paon mais je dois avouer qu'il a fait une grande impression sur les petites filles », se souvient Marion Crawford, la gouvernante. Elizabeth était tombée éperdument amoureuse de l'athlétique jeune officier aux cheveux blond-blanc, ainsi va l'histoire officielle. La déclaration de guerre, sept semaines plus tard, happe Philippe de Grèce.

Il prend une part active à la Seconde Guerre mondiale, d'abord en Méditerranée où il se distingue lors de la bataille de Matapan, au large du Péloponnèse, en 1941. À l'issue de l'affrontement qui détruit la marine italienne, l'officier du HMS *Vaillant* fut cité à l'ordre de la Navy. Ensuite le jeune lieutenant pourchasse les sous-marins ennemis à bord d'un destroyer au large de la côte sud avant de participer au débarquement de Sicile, en 1943. Philip passe sa permission de Noël 43 à Windsor en compagnie de la famille royale. Il applaudit à tout rompre les pantomimes consternantes montées par les deux princesses. Elizabeth et Philip se mettent à correspondre. L'idylle aurait commencé lors de l'été 1944 à Balmoral mais avait été interrompue quand son navire, HSM *Whelp*, est dépêché en Extrême-Orient pour rejoindre l'escadre commandée par son oncle, Mountbatten.

Deux ans plus tard, le jeune capitaine de frégate demande Elizabeth en mariage sur une colline romantique dominant les landes écossaises. Elle donne son accord sans avoir demandé la permission au roi. C'est là le premier et seul acte de rébellion d'Elizabeth contre ses parents qui se rangent à la volonté de leur fille aînée. Pour épouser la future reine d'Angleterre et de l'Empire, il renonce à sa nationalité grecque et à ses anciens titres nobiliaires. Philippe de Grèce prend le nom de Philip Mountbatten et embrasse l'anglicanisme, la religion d'État, de toute manière très proche de la confession orthodoxe. La date de son anniversaire a changé avec le passage du calendrier géorgien au calendrier julien.

La nouvelle du mariage est bien accueillie dans le pays. Seule l'aile gauche du parti travailliste au pouvoir critique les liens de Philip avec la famille royale grecque en lutte contre les communistes commandés par le général Markos pour le contrôle du pays. Mais même aux yeux des plus fervents antifascistes, les impeccables états de service de Philip dans la Royal Navy pendant la guerre conjugués à l'aura de son oncle, le héros de la Birmanie et des Indes, font oublier les compromissions d'une partie de la famille allemande de Philip avec les nazis.

En raison des mesures d'austérité en vigueur, seuls les chefs d'État apparentés à l'un des époux sont invités au mariage de la princesse Elizabeth, le 20 novembre 1947, à l'abbaye de Westminster. La France est représentée par son illustre ambassadeur à Londres, René Massigli, l'ancien commissaire aux Affaires étrangères de la France libre. Au moment où les restrictions de toutes sortes frappent le peuple britannique, ce mariage royal lui permet d'échapper aux difficultés de l'heure. Bon nombre d'Anglaises ont envoyé des coupons de rationnement de vêtements pour confectionner la robe de la mariée. Ils seront retournés, avec remerciements, à leurs expéditeurs. En effet, le gouvernement a alloué cent de ces précieux coupons supplémentaires à la mariée pour la constitution de son trousseau. La robe, œuvre du couturier de la reine, Norman Hartnell, est en épais satin ivoire, ultime volupté en ces temps de pénurie. Elle est brodée de perles et de cristaux, de même que la traîne. Les motifs sont inspirés du *Printemps* de Botticelli. Le double voile en tulle fin, qui, selon la coutume royale, ne doit pas recouvrir le visage, est maintenu en place par une tiare en perles et en diamants. Autour de son poignet gauche, elle porte en bracelet le ruban bleu de l'ordre de la Jarretière dont elle a été faite chevalière dix jours avant les noces. Ainsi, elle rejoint les trois seuls membres de sexe féminin de cet ordre prestigieux, sa mère, sa grand-mère et la reine Wilhelmine des Pays-Bas. Accompagné de son garçon d'honneur, le marquis de Milford Haven, son cousin et meilleur ami, Philip, en grand uniforme de la Navy, attend au pied de l'autel sa fiancée qui pénètre dans l'abbaye appuyée au bras de son père. Philip et Elizabeth s'agenouillent sur des coussins à l'endroit même où Guillaume le Conquérant a été couronné en 1066. Après les questions rituelles de l'archevêque de Canterbury aux deux jeunes gens, Philip met l'anneau d'or écossais au doigt d'Elizabeth. En tant qu'épouse et fidèle de l'Église anglicane, elle promet obéissance à son mari, une tradition que refusera Diana trente-quatre ans plus tard. La femme prête allégeance à son mari qui doit toutefois s'effacer devant la reine.

Le visage de la mariée est grave, mais en son for intérieur, elle sait qu'elle a fait le bon choix. Et puis elle est tout simplement amoureuse du premier homme de sa vie. Et à ceux qui pensent qu'il s'agissait alors d'un mariage arrangé, je rapporterai les propos prêtés au prince Philip selon lesquels son épouse était dotée au lit d'un tempérament de feu.

Après le repas de noces, le jeune couple part en lune de miel, à Broadlands, le domaine de Mountbatten, avec Susan, le corgi préféré de la princesse, et deux bouillottes. L'hiver 1947 est l'un des plus froids de ce siècle et les aristocrates ne sont pas prodigues en chauffage. Mais curieux et journalistes du monde entier se bousculent aux grilles du château et le couple est contraint de quitter le Hampshire pour Balmoral, en Écosse. Jusque-là protégée, Elizabeth affronte pour la première fois l'intrusion du public et des médias dans sa vie privée.

Les cadeaux de mariage, 2 583 au total, remplissent quatre salons du palais de St. James. Le gouvernement français a offert un service de Sèvres ; le général de Gaulle a fait remettre une gerbe de fleurs à titre personnel. Gandhi envoie un pagne coupé dans une étoffe qu'il a lui-même tissée. Mlle Betty While, une jeune étudiante de Winnipeg, au Canada, a eu l'idée d'envoyer une paire de bas nylon, à l'époque un grand luxe en Angleterre. Ce geste lui a valu de recevoir une invitation à la cérémonie. En revanche, son oncle, l'ex-roi Edward VIII, devenu duc de Windsor, n'a pas été invité à l'abbaye de Westminster. Interrogé à New York pour savoir s'il a adressé à sa nièce ses vœux de bonheur, l'ex-souverain répond par la négative : « Nous pensons qu'il s'agit strictement d'une affaire de famille. »

Le couple s'installe à Clarence House, face au palais de St. James. Trois mois après son mariage, Elizabeth est enceinte de Charles. Pudiquement, les médecins royaux parlent d'un « alitement » plutôt que d'une grossesse.

Seul hic : le couple est fauché. Car l'immense patrimoine Windsor est totalement aux mains de ses parents. Et Philip ne touche qu'une maigre solde d'officier de marine. George VI accepte de subvenir aux besoins des jeunes mariés. L'homme le plus riche d'Angleterre, et peut-être du monde, déclare toutefois que ses économies ne lui permettraient pas d'assumer indéfiniment cette charge. La générosité de Sa Majesté a des limites. Heureusement, la dotation de l'État au profit de la princesse et de son mari est adoptée par la Chambre des communes, le 19 décembre 1947.

La veille du mariage, le roi a décerné à Philip le titre de duc d'Édimbourg, ce qui fait de lui une altesse royale, comte de Merioneth, baron Greenwich.

Le lieutenant Philip Mountbatten accède d'un seul coup aux honneurs que la reine Victoria mit dix-sept ans à accorder au prince Albert. Philip poursuit sa carrière de marin à Malte où la princesse le rejoint. C'est sans doute la période la plus heureuse de sa vie durant laquelle la future reine joue à la simple femme d'officier. Elle évoquera plus tard avec émotion ces moments passés dans l'île en compagnie des autres épouses, en particulier sa première visite chez la coiffeuse.

Cette union est paradoxale. Philip, membre de la famille royale grecque, est de rang royal. Elizabeth, future souveraine, est à demi royale. En effet, seul son père est apparenté aux grandes monarchies européennes tandis que sa mère est une aristocrate écossaise. Or, jusque-là, produit d'alliance entre les cours du Vieux Continent, les souverains avaient tous une double ascendance royale. Mais la tourmente de la Première Guerre mondiale a emporté ces grandes pourvoyeuses de consorts qu'avaient été les monarchies allemande, autrichienne ou russe. Là-dessus vient se greffer un autre paradoxe, la mère d'Elizabeth est écossaise et pas anglaise. Certes, l'aristocratie écossaise est très intégrée. La future épouse de George VI n'a pas l'accent rocailleux écossais, elle habite à Londres, sa résidence secondaire est en Angleterre, dans la campa-

gne des *shires* et elle ne se rend en Écosse que pour chas-
ser. Cependant ces nobles écossais étaient « snobés » par
les grandes familles anglaises ou étrangères établies
outre-Manche. Ainsi, la princesse Marina, liée à la famille
du tsar, avait coutume de qualifier de « simple fille
écossaise » la femme de George VI.

* * *

Hiver 1952. George VI est atteint d'un cancer. Depuis
longtemps, le roi souffre de troubles circulatoires. La
bronchite de ce gros fumeur semble inguérissable. Quand
il inaugure le 3 mai 1951 le Festival de Grande-Bretagne
à Londres, le souverain est visiblement souffrant. Le
24 septembre, il a subi une grave intervention, l'ablation
d'un morceau de son poumon gauche. Sa santé s'est
aggravée depuis Noël. Au pied levé, la princesse Elizabeth, alors âgée de vingt-six ans, et son époux remplacent
le monarque pour une visite officielle au Kenya, première
étape d'une tournée royale dans les pays du Commonwealth. Le 31 janvier, la princesse voit son père, l'air
hagard, les traits tirés, pour la dernière fois. Debout sur la
piste, tête nue, il agite la main avant de se rendre à Sandringham. Là, le 6 février, il meurt dans son sommeil.

Le jeune couple princier loge à Treetops, l'auberge
construite dans les branches d'un figuier à l'ombre du
mont Kenya avec vue imprenable sur la faune de l'Est
africain. Loin du palais, Philip et Elizabeth goûtent aux
charmes d'un safari africain. Dans l'après-midi du
6 février, la princesse fait la sieste avec son mari. Le
palais n'a pas téléphoné. Elle n'a donc pas de raisons de
s'inquiéter. Mais elle ignore qu'un orage tropical a

endommagé les liaisons téléphoniques entre la métropole et sa colonie. Dans l'hôtel adjacent, un journaliste de Reuters est informé par sa rédaction de la mort du roi. Philip l'apprend par son écuyer, l'Australien Mike Parker. « Il n'est pas du genre à montrer ses émotions. Mais je n'oublierai jamais son visage à ce moment-là. On aurait dit que la moitié du monde lui était tombée sur la tête », se souviendra Parker à propos de la réaction du prince. Il apprend la terrible nouvelle à sa femme. Elizabeth réagit avec calme : « Je suis tellement désolée. Cela veut dire que nous devons tous rentrer en Angleterre. Cela bouleverse les plans de tout le monde », dit-elle à sa dame de compagnie. Cœur de pierre ? Retenue britannique portée à l'extrême ? La froideur apparente de sa réaction au décès d'un père adoré frappe les témoins de la scène. Elle a monté l'échelle de Treetops princesse, elle en est redescendue reine. Par respect, les photographes qui couvrent la visite royale déposent par terre leurs appareils photo, un respect de la presse bien éphémère pour la famille royale. « Pas une larme, le buste droit, les joues légèrement colorées, elle attendait son destin », écrira par la suite son secrétaire privé, Martin Charteris. Dans l'avion du retour, elle est murée dans son chagrin. Mais dans sa cabine privée, à l'abri des regards de sa suite, elle pleure longuement autant la disparition de son père que la fin de sa liberté.

À l'aéroport de Londres, le 7 février 1952, en milieu d'après-midi, les dirigeants politiques, Winston Churchill, soixante-dix-huit ans, en tête, alignés sur la piste revêtue d'un tapis noir, sont venus accueillir la nouvelle souveraine. La fine et frêle silhouette en vêtements de deuil, portant un chapeau à plume et une broche de dia-

mant sur le revers de son manteau, apparaît, très pâle, à
la porte de l'appareil et s'arrête une seconde avant de descendre lentement la passerelle. L'œil sec, elle dit au Vieux
Lion : « Ce retour est bien tragique. » Elle a vingt-six ans.
Elle n'est pas prête à régner.

À Buckingham, dans l'enveloppe contenant le document d'accession au trône, le grand chambellan doit
écrire le nom du successeur. La future reine aurait pu
choisir Mary III plutôt que de risquer une éventuelle con-
fusion avec sa mère qui porte le même nom mais n'était
que l'épouse d'un souverain. Elle choisit, pourtant, son
premier prénom. Le 8 février, à 11 h 15 du matin,
Elizabeth II est proclamée chef de l'État, de l'Église anglicane et du Commonwealth. Les hérauts d'armes en costumes médiévaux et les trompettes d'argent au son clair
inaugurent le nouveau règne. Le titre officiel de son père
était GRI (George Rex Imperator). Elle doit se contenter
des initiales ER (Elizabeth Regina) après l'indépendance
de l'Inde, du Pakistan et de Ceylan, qui la privent du titre
impérial. La nouvelle monarque préside son premier conseil privé regroupant les principales personnalités politiques de son royaume.

« Dieu m'aide à remplir dignement cette lourde tâche
qui m'échoit si tôt dans ma vie », déclare-t-elle de sa voix
un tantinet stridente mais toujours égale. Une photo
mémorable montre les deux reines consorts — Mary et
Elizabeth, reine mère — et la reine, en deuil, portant de
longs voiles noirs autour du catafalque de George VI à
Westminster Hall. Avec ce cliché, le pays se sent immortel.
La jeune reine est un nouveau maillon de la chaîne nationale à travers les âges, d'Egbert de Wessex à Windsor.

Le 15 février, le roi George VI est enterré dans la chapelle St. George de Windsor. Voilée de noir, la reine jette une poignée de terre sur la dépouille de son père qui s'enfonce lentement dans le caveau des rois. À quoi pense-t-elle alors que les orgues entonnent la *Marche des morts* de Haendel ? Tout d'abord au stoïcisme du défunt dans sa lutte contre la douleur, sa ténacité face aux épreuves de l'abdication de son frère, de la guerre, de la reconstruction, de la dislocation de l'Empire, enfin sa discrétion. Ces grandes vertus, sa fille aînée s'efforcera d'en être digne au cours de son règne. L'ambassadeur de France, René Massigli, écrira dans son télégramme diplomatique : « George VI a laissé le trône le plus stable que l'Angleterre a connu de son histoire. »

Le 27 février, Elizabeth II remet sa première décoration, une Victoria Cross, à un soldat pour acte de bravoure pendant la guerre de Corée. Elle commence son métier de reine.

Parmi les monarchies européennes, l'anglaise est la seule où existe un sacre digne de ce nom. Le couronnement d'Elizabeth II, une cérémonie grandiose en l'abbaye de Westminster, a lieu le 2 juin 1953. La coutume veut qu'on laisse une période de deuil entre la mort du souverain et le couronnement de son descendant. Il pleut ce jour-là, symbole par excellence de cet univers familier du peuple britannique au même titre que l'imperméable, le parapluie et l'odeur du gazon mouillé.

Dans la galerie de l'abbaye, bien en évidence, le Premier ministre, Winston Churchill, portant l'uniforme de gardien des « cinq ports » de la Manche, est drapé dans sa tunique bleu foncé de chevalier de l'ordre de la Jarretière.

De part et d'autre du chœur, les délégations étrangères ont pris place. La France est représentée par Maurice Schumann, secrétaire d'État aux Affaires étrangères, et le maréchal Juin. Seule note discordante, la République d'Irlande boycotte le couronnement. Le chef du gouvernement, Eamon de Valera, héros de la guerre d'indépendance, refuse même de se rendre à la garden-party organisée à Dublin par l'ambassade de Grande-Bretagne. Les cicatrices de la lutte contre le colonisateur anglais n'ont pas disparu.

Sous un dais doré, la reine, drapée dans une tunique d'or, est proclamée « l'oint du Seigneur, le Christus Domini ». Après le serment, elle reçoit le globe que dominent une croix et un anneau, sceaux de la foi.

Sa tenue d'apparat laisse entrevoir la munificence de sa robe décorée de milliers de perles, de pierres précieuses, de gemmes, brodée des emblèmes des nations dont elle est désormais la souveraine. La rose anglaise cohabite avec le trèfle d'Irlande, le chardon d'Écosse, le poireau gallois, la feuille d'érable du Canada, le mimosa australien. La longue traîne de velours couverte d'hermine et de broderies d'or s'étale comme un tapis majestueux. Tous les yeux sont fixés sur la couronne de St. Edward, rehaussée du rubis du Prince Noir. L'archevêque de Canterbury, Mgr Fisher, la dépose pour la première et la dernière fois sur le front de la jeune reine qui devient ainsi le quarantième monarque depuis Guillaume le Conquérant. L'archevêque place dans sa main droite le sceptre surmonté de la croix, symbole de la puissance et de la justice, tandis que la main gauche empoigne le « bâton d'équité et de miséricorde », emblème du Saint-Esprit.

Le prélat s'agenouille devant Elizabeth II assise sur le trône pour lui jurer fidélité. C'est ensuite au duc d'Édimbourg de s'incliner sur les marches du trône, de placer ses mains jointes entre celles de sa femme pour prononcer le serment d'être à jamais son époux : « Moi, Philip, duc d'Édimbourg, fais le vœu de devenir votre fidèle vassal, corps et âme, et vous porte adoration sur la terre. Je promets de vous défendre, à la vie, à la mort, contre toute espèce de gens… » Puis, il l'embrasse sur la joue. Tout autour de la nef et dans les galeries, huit mille invités s'écrient que « Dieu protège la reine » avant l'exécution de l'hymne national. Aux quarante et un coups de canon réglementaires partis de St. James Park répondent les soixante-deux détonations de la Tour de Londres.

Évoquez le sacre, et lady Soames en a presque les larmes aux yeux. Présente ce jour-là aux premières loges, à l'abbaye, la fille de Winston Churchill se souvient surtout de la sortie de la reine par une porte latérale : « En regardant cette toute petite silhouette, la lourde hermine, la couronne pesante, on pouvait sentir toute la lourdeur de la charge à venir. C'était très émouvant. »

L'envoyé spécial du quotidien *Le Monde*, Olivier Merlin, placé dans une des tribunes qui ceignent l'esplanade de Buckingham, se sent ce jour-là un peu de la famille Windsor : « Quand, à 10 h 30, enfin, le carrosse peint comme un plafond de Versailles et surmonté de la couronne, encadré par les premiers dignitaires et les derniers hallebardiers de la Tour de Londres, passe devant mes yeux en route pour le sacre de Westminster, quand cette minute extraordinaire fut venue de retenir la vision trop fugitive d'une jeune reine drapée de sa robe pourpre du

Parlement, si belle, si sereine en cette éclatante journée, souriant aux côtés d'un splendide amiral en grande tenue, prince charmant du royaume, il n'y eut personne, pas même un Français perdu dans la multitude, qui ne se sentît ému jusqu'à l'âme et presque gracieux sujet. » Le grand quotidien du soir n'a pas lésiné sur les moyens pour couvrir cet événement avec, outre Olivier Merlin, deux autres poids lourds de la rédaction, Christine de Rivoyre et Michel Droit, éblouis à leur tour par les fastes de la monarchie. Chez les Français, on sent le besoin d'échapper, ne serait-ce que pour quelques heures, aux préoccupations du présent, en particulier les difficultés du nouveau président du Conseil, Pierre Mendès France, assailli par les problèmes de l'Indochine, la Communauté européenne de défense, la Tunisie. Sous le titre « La jeunesse et la gloire », l'éditorial du *Monde* ne manque pas de faire une comparaison entre le délire londonien et la grisaille parisienne. « La France, plongée aujourd'hui encore dans une de ces crises ministérielles qui font la joie condescendante de ses adversaires et le désespoir de ses amis, ne saurait contempler sans une ombre d'envie le témoignage de fierté et de continuité nationale qui lui vient aujourd'hui de Londres. »

Le couronnement d'Elizabeth II est aussi l'une des premières fêtes cathodiques. Au départ, la cour, soutenue par Churchill et l'archevêché, refuse l'accès aux caméras de télévision. La nouvelle reine veut une rupture : sa première décision est d'imposer la retransmission télévisée de son couronnement. Seul l'octroi de l'onction, qu'elle considère comme une affaire privée, restera à l'abri des regards. D'un seul coup, elle résiste à deux des plus puissants hommes d'Angleterre, Churchill et l'archevêque de Canterbury.

Le Premier ministre espérait au passage que le faste du sacre occulte l'éclat du Festival de Grande-Bretagne organisé par le gouvernement précédent travailliste. Il comptait également sur cet événement grandiose pour faire oublier l'austérité et les restrictions de l'après-guerre. Ce premier reportage télévisé en direct de la BBC, à l'époque l'unique chaîne nationale, marquera la mémoire collective. Le royaume ne compte que deux millions de récepteurs. On estime à 277 millions le nombre de personnes ayant suivi de par le monde la manifestation, à la télévision ou au cinéma. Le succès des journalistes et des techniciens de la BBC s'est prolongé sur le continent où cinq chaînes nationales retransmettent l'événement en direct grâce aux relais hertziens. Il s'agit aussi, pour les téléspectateurs français, du premier grand reportage de Léon Zitrone, spécialiste pendant trois décennies des têtes couronnées à l'ORTF puis à Antenne 2. Un grand journaliste de *France-Soir* se souvient de l'énorme impact du couronnement sur la vie de ses compatriotes, dont beaucoup ont acheté leur premier téléviseur pour suivre cet événement. « Grâce à cette occasion, les Français ont découvert la télévision. Plus de cent mille postes ont été vendus en prévision de cet événement. Le directeur Pierre Lazareff a acheté spécialement un téléviseur qui avait été placé dans la salle de rédaction. » À Paris, le duc de Windsor, que la reine n'a pas osé inviter à son sacre, a suivi devant les écrans de la télévision française les différentes phases de la cérémonie.

« À l'heure où cette journée tire à sa fin, je sais que l'inoubliable souvenir que j'en ai sera non seulement celui de la solennité et de la beauté, mais aussi celui qui m'est inspiré par votre loyauté et votre affection », conclut la nouvelle souveraine dans son message au pays. Le même jour, sous la direction de John Hunt, le Néo-Zélandais Edmund Hillary et son guide népalais, Tenzing, placent le drapeau britannique sur le sommet de l'Everest, la plus haute montagne du monde. « Tout cela et l'Everest », se gausse le *Daily Express* au lendemain du glorieux couronnement.

Le Premier ministre, Winston Churchill, laisse présager une seconde époque élisabéthaine. Elizabeth Ire, qui avait hérité d'un royaume désuni et faible au XVIe siècle, avait légué une nation riche et redoutée qui a donné au monde Shakespeare et Drake. L'hôte de Downing Street songe également à l'ère de Victoria. Victoria, la fille du duc de Kent, a dix-huit ans quand elle ceint la couronne. En raison d'une succession de monarques déconsidérés, la monarchie est toutefois impopulaire. « Ils ne veulent que perpétuer la lie de leur morne race », s'exclame Shelley.

Une autre comparaison s'impose entre cette deuxième ère élisabéthaine et l'époque victorienne. On peut diviser leur règne, grosso modo, en trois parties d'un match de football. La première mi-temps est celle du bonheur, une jeune reine, heureuse dans un mariage qui lui apporte l'équilibre nécessaire à l'exécution des tâches de souveraine. La descendance est assurée. La seconde mi-temps, celle des épreuves qui ébranlent l'institution prise de langueur. Enfin, les prolongations qui prennent la forme d'un matriarcat marqué par des grands spectacles (baptêmes, noces et funérailles, jubilés en tout genre).

Ère élisabéthaine ? Dans son message de Noël 1953 diffusé depuis la Nouvelle-Zélande, la reine prend toutefois ses distances avec son ancêtre, Elizabeth Ire, montée au même âge qu'elle sur le trône d'Angleterre : « Je ne sens aucun point commun avec mon ancêtre Tudor, qui était célibataire, sans enfants, qui a régné en despote et n'a jamais quitté son royaume. » Le ton est grave, solennel, même si le débit n'est pas sans rappeler celui d'une écolière aux lèvres pincées.

Le roi est mort, vive la reine ! Elle est désormais souveraine. Par son éducation, elle connaît les devoirs de sa charge, même si elle n'y est pas du tout préparée. Elizabeth II veut rester à Clarence House pour y élever ses deux enfants, Charles né en 1948 et Anne, en 1950, dans la tranquillité, quitte à utiliser Buckingham Palace comme bureau. Churchill refuse. La famille déménage à regret dans la résidence officielle.

III

LA REINE ET SA FAMILLE

« Dans la famille royale, il n'y a pas de désaccords profonds. Rien que de petites querelles de temps en temps » : il faut tout le culot de la princesse Margaret pour oser à ce point nier l'évidence. Le règne d'Elizabeth II est émaillé de crises, de féroces batailles d'intérêts, d'inimitiés, même de haine. Ce n'est pas les Borgia, mais presque.

Le jour du couronnement, le 2 juin 1953, le célèbre photographe Cecil Beaton fait le portrait en noir et blanc de la jeune souveraine. Elizabeth II tient à la main le sceptre et l'orbe et porte la couronne impériale. Elle paraît à la fois fragile et sereine, mais elle semble manquer d'autorité et de charisme. Une toute jeune femme facile à manipuler. C'est du moins l'impression qu'elle donne. Les faits prouveront vite le contraire. Il lui fallait un trait de caractère indispensable : la détermination. Elle n'a ni le sévère chignon ni les austères principes de la reine Victoria, mais elle a la même autorité feutrée.

Elle en aura besoin face aux épreuves familiales qui l'attendent. Avec une habileté redoutable, Elizabeth va neutraliser les velléités de rébellion des membres du clan Windsor, ne leur laissant le choix qu'entre le ralliement ou la disgrâce. Ceux qui étaient persuadés qu'ils arriveraient à la dominer en sont pour leurs frais. La jeune reine s'est révélée plus agile que Diane chasseresse. Son tableau de chasse est impressionnant. À la façon d'un bon politique, elle sait aussi « tuer » ses adversaires quand il le faut. Tour à tour, Mountbatten, Peter Townsend et Snowdon, le capitaine Mark Phillips, Diana ou Sarah Ferguson seront écartés. Tous ceux qui à des degrés divers avaient refusé ou étaient incapables d'entrer dans le moule royal classique sont éliminés. Du grand art hérité de la reine Victoria. Même ses enfants subiront la loi d'airain de la raison d'État. Seuls Philip, son époux, et sa mère y échapperont.

* * *

Philip. — De tous les membres de sa famille, son époux est tout naturellement le plus proche.

Windsor, 2002. Octogénaire alerte, la voussure à peine perceptible, le duc d'Édimbourg assiste à la réception en l'honneur des médias offerte par la souveraine dans le cadre de la célébration de son jubilé. Affabilité du prince, fébrilité des invités. Enjoint par le maître de cérémonie, un francophile bon teint, le duc se dirige vers les trois journalistes français invités, un peu perdus au milieu de sept cents confrères britanniques. Le cheveu rare, les yeux bleus, le regard malicieux, le sourcil abondant toujours à demi levé, il jouerait à merveille l'aristocrate charmeur et distingué dans une adaptation télévisée d'Agatha Christie. La conversation tourne autour de l'élection présidentielle française et de la présence de Jean-Marie Le Pen au deuxième tour. Le duc impressionne. Et puis soudain, une petite lumière s'allume : « Ah, les Français ! Ils s'abstiennent et manifestent ensuite pour critiquer les résultats », s'écrie-t-il en se tapant le front en signe d'incompréhension. Le ton est péremptoire, d'une voix enrouée de basse, et interdit toute contradiction.

S'il paraît aujourd'hui très à l'aise dans les limites de son rôle, ce ne fut pas le cas dans les premières années du règne. Cet homme autoritaire a eu du mal à s'effacer derrière sa femme, contraint à marcher deux pas derrière elle. Confronté à un triumvirat féminin, la reine, la princesse Margaret et la reine mère, Philip est coupé du jour au lendemain de ses vieux amis de la marine. Lui qui, commandant de frégate, était parti pour devenir premier lord de l'Amirauté, le poste le plus élevé de la Royal Navy, n'a plus rien à commander, si ce n'est les valets. Ce bourlingueur ne parvient pas à masquer en début de règne sa frustration lorsque les officiels de Buckingham Palace, qu'il compare à « une bande de chemises amidonnées », rétifs aux idées neuves, lui barrent l'accès au bureau royal. Parlant français et allemand depuis son plus jeune âge, l'ex-officier se considère plutôt comme un Européen cosmopolite que comme un gentleman anglais. Il n'est pas passé par Eton et le régiment des gardes. La description, apparemment élogieuse, qu'en fait un courtisan, « très allemand, bosseur, organisé, incroyablement documenté et intelligent », est en réalité une vacherie. Le prince détonne dans le « cercle magique » de l'establishment dont les valeurs sont totalement imperméables à tout ce qui n'est pas cent pour cent anglais. Un exemple : le duc préfère les costumes à rayures bleues ou rouges plutôt que blanches. Le mouchoir blanc est droit dans sa pochette au lieu d'y être nonchalamment placé. Deux fautes de goût impardonnables. C'est un fonceur qui se moque des conventions dans un univers rétif à tout changement.

Bien qu'écarté des décisions, Philip est, avec l'accord de la reine, le chef de famille. Après tout, il avait assuré ce rôle pendant quatre ans et demi avant que sa femme n'accède au trône. Avant son mariage, la reine a confié qu'elle souhaitait avoir quatre enfants. Ses vœux ont été exaucés. La succession est assurée. L'éducation des enfants est dans le périmètre de Philip.

Il veut épouser son époque. Au lieu de les confier à des précepteurs, Charles, Anne, Andrew et Edward iront à l'école, une première dans l'histoire de la royauté. Ce père autoritaire et cassant est persuadé qu'une formation à la dure qui enseigne l'obéissance et le sens du commandement forme le caractère. Ce comportement distant envers ses enfants s'explique par l'éducation stricte qu'a reçue Philip, laissé à lui-même depuis son plus jeune âge et qui a dû apprendre à se débrouiller seul. Arrière-arrière-petit-fils de la reine Victoria, descendant de Charlemagne, de souche allemande et russe, Philip est né, prince de Grèce et du Danemark, le 10 juin 1921, sur l'île de Corfou. Il est le cinquième enfant, mais le seul fils, du prince André de Grèce et de la princesse Alice de Battenberg. À la suite de l'exil, un an plus tard, de ses parents, il est ballotté de pensionnat en pensionnat dans toute l'Europe, notamment à Saint-Cloud, en France, et en Allemagne. Le ménage princier se désintègre. Son père s'installe à Monte-Carlo où il trouve consolation dans les femmes, le jeu et l'alcool. Sa mère, sœur de Mountbatten, sourde depuis l'âge de quatre ans, entre dans un ordre religieux orthodoxe, en Grèce. Entre l'âge de huit et quinze ans, il n'a pas vu sa mère, schizophrène, ne recevant même pas de courrier de sa part. Son père ignore son fils. Philip se renferme sur lui-même, d'où sa difficulté à communiquer et sa hantise de tout contact physique. Si oncles et tantes se relaient pour le soutenir financièrement, le jeune garçon manque cruellement d'affection. Durant les cinq années passées au collège de Gordonstoun, le futur époux de la souveraine ne recevra aucune visite. Tiraillé entre sa famille anglaise et allemande, grâce au « piston » de son oncle Mountbatten, l'aristocrate de nationalité grecque rejoint la marine, famille de substitution par excellence.

L'éthique de l'aristocratie, qu'elle soit d'ailleurs britannique ou française, veut que les enfants ne soient pas élevés dans du coton. Au risque de paraître sans cœur. Et la tendresse que ce père distant refuse à ses enfants, la reine, trop occupée, était incapable de la leur donner.

La décision de dépêcher le prince Charles dans son ancien collège, Gordonstoun, un pensionnat écossais dont le régime spartiate dominé par l'exercice physique, les douches froides en hiver et la maîtrise de soi, ressemble à celui d'une prison, laissera des traces. Arraché si jeune à sa gouvernante, Charles, enfant sensible, plus intéressé par les arts et la musique que le sport, fait le rude apprentissage du système de pensionnat anglais, alors cruel et sadique. Le petit prince est la victime du harcèlement de ses condisciples, trop heureux de rosser un futur monarque moqué pour ses oreilles décollées, son caractère introverti et son air balourd. Lors d'une excursion, le jeune pensionnaire se réfugie au bar d'un hôtel pour échapper à la foule des curieux. Il commande un cherry-brandy. Pas de chance, un journaliste le surprend en train de boire de l'alcool, interdit aux moins de quatorze ans. « Je n'étais jamais allé dans un pub. La seule chose que je savais, c'est qu'il fallait commander à boire. J'ai demandé un cherry », dira-t-il par la suite. Paradoxalement, à la fin de ses études, le prince rend hommage à Gordonstoun : « L'enseignement du contrôle de soi et de l'autodiscipline a su donner à ma vie un cadre, une forme et de l'ordre. » Il n'en gardera pas moins toute sa vie une rancune envers son père pour une éducation marquée par de sévères carences humaines. Philip réagit à ses accusations en traitant l'héritier au trône de mauviette en public. Des confidents de substitution, l'oncle Mountbatten, l'ex-ministre conservateur Rab Butler, président du Trinity College de Cambridge, puis le gourou sud-africain Laurens van der Post aident l'héritier au trône, en mal de soutien moral, à trouver ses marques. À la disparition de ce dernier, grâce à ses activités philanthropiques et au soutien de Camilla, Charles peut se passer durablement de béquilles.

Le prince Philip eut également son mot à dire dans les affaires familiales au sens large. Il porte une part de responsabilité dans le veto royal, opposé en 1955, au projet de mariage de la princesse Margaret, sa belle-sœur, et du *group captain* Peter Townsend, un divorcé de vingt ans son aîné. Il peut se montrer mufle envers ses brus. Visitant, en 1986, la demeure d'Andrew et de Sarah, dont la décoration ostentatoire lui déplaît, il déclare à la cantonade : « On se croirait dans un bordel. »

Outre la responsabilité de l'éducation des enfants, la reine demande à son époux de l'épauler pour mener sa tâche à bien. Le prince a ainsi joué un rôle important de majordome suprême en réformant le fonctionnement archaïque de l'administration royale.

Le mariage d'Elizabeth et de Philip est union des contraires. Elle est introvertie, il est extraverti. Là où elle se montre prudente, il fait preuve d'audace. Elle s'avoue casanière, il adore l'aventure et les voyages. Mais le couple n'aurait pas duré aussi longtemps s'il ne partageait pas profondément des valeurs communes et le même sens du devoir.

Philip a marqué son époque par une personnalité pour le moins complexe. D'un côté, mû par une ouverture d'esprit sans doute liée à ses origines étrangères, le prince aura su apporter un souffle de modernité à une institution compassée. En 1969, il ouvre la royauté à la télévision en laissant une équipe de la BBC filmer sa vie quotidienne dans le reportage *Royal Family*, qui remporte un vif succès. C'est également lui qui a contraint la reine, jusque-là mal à l'aise en présence d'inconnus, à pratiquer un ersatz du bain de foule, la promenade royale. La première tentative, lors d'une tournée en Nouvelle-Zélande et en Australie, en 1970, est une réussite. Ce contact populaire déclenche l'hystérie médiatique. A-t-il eu raison d'encourager la curiosité de la presse ? La question divise encore les Windsor. Mais au regard des dégâts causés à l'image de la royauté par ses enfants, un peu plus de distance leur aurait peut-être épargné bien des déconfitures. Le Duke of Edinburgh's Awards Scheme, son grand projet d'aide à la jeunesse en difficulté, s'est avéré un grand succès. S'intéressant depuis longtemps à la défense de l'environnement, Philip a dirigé le World Wildlife Fund (WWF), le Fonds mondial de préservation de la nature. C'est notamment grâce à lui que la Loire est restée le dernier fleuve sauvage d'Europe. En 1986, maire de Tours, Jean Royer, président de l'Établissement public d'aménagement de la Loire, avait obtenu l'aval du gouvernement socialiste pour mettre en œuvre son vaste dessein, la domestication du grand fleuve au moyen de quatre barrages géants. Face à son refus de dialoguer, les grandes associations françaises de protection de la nature sollicitent l'aide du WWF. Philip leur apporte son concours en faisant publiquement part de son hostilité à ce projet qui sera abandonné.

D'un autre côté, le prince passe pour un réactionnaire bon teint, réputé pour son mauvais caractère, son machisme, ses blagues de caserne. Pour ses détracteurs, c'est un homme incontrôlable, têtu, habitué à n'en faire qu'à sa tête, désagréable avec ses subordonnés. Le duc d'Édimbourg cultive un humour décapant, dérapant parfois vers le mauvais goût, voire le racisme. Représentant son épouse lors des cérémonies d'indépendance du Kenya en 1963, il choque son voisin en désignant la foule et en lâchant : « Êtes-vous sûr de vouloir gouverner ces gens-là ! » En 1986, lors d'une visite à Pékin, il déclare à des étudiants anglais qu'ils auront des yeux bridés s'ils restent longtemps en Chine. Le Foreign Office est contraint de rattraper cette gaffe par de plates excuses. Titulaire du duché d'Édimbourg, il n'épargne pas pour autant les Écossais. À un moniteur d'auto-école de Glasgow, le prince, qui ne manie jamais la langue de bois, demande comment il compte empêcher les autochtones de boire du whisky lorsqu'ils sont au volant ? Un peu plus tard, il choque le Royaume-Uni en déclarant qu'il n'y a plus de vrais pauvres en Grande-Bretagne. Patriote invétéré, l'ancien lieutenant de la Royal Navy, qui s'était distingué lors de la Seconde Guerre mondiale en Extrême-Orient par son courage, a la dent dure. Se faisant le porte-parole des vétérans de la guerre contre le Japon, en particulier des survivants des atrocités du camp de la rivière Kwaï, il s'était opposé, mais en vain, à son épouse et au gouvernement à propos de l'octroi de l'ordre de la Jarretière à l'empereur Akihito.

Malgré les outrances verbales de son mari, la reine n'a jamais émis la moindre critique. Elizabeth II est entourée de flagorneurs, c'est la règle du genre, qui ne la contredisent jamais. Philip est le seul, en privé, à pouvoir lui parler franchement, sans prendre de gants. Et puis, il reste irrésistible. Il la fait rire et il l'éblouit avec sa voix qui enveloppe la reine comme un châle en tweed. Après soixante ans de mariage, la reine est encore sous le charme !

Les Windsor, en général, ont dû accepter d'assouvir une curiosité de plus en plus irrévérencieuse de la presse au point de devenir otages du culte de la célébrité. Pourtant, Philip a échappé à l'inquisition permanente des médias britanniques. Les tabloïds sont toujours restés très discrets sur la vie privée du couple par souci, sans doute, de protéger le chef de l'État qui symbolise la nation. Les inévitables rumeurs de maîtresses qu'ont tenté de répandre les valets indélicats ou les femmes de chambre indiscrètes n'ont jamais trouvé preneur dans les journaux britanniques. Quand, le 9 juillet 1984, à 7 heures du matin, un chômeur déséquilibré, Michael Fagan, pénètre dans la chambre à coucher royale au premier étage de Buckingham Palace, les Britanniques apprennent que le couple fait chambre à part. La nation détourne les yeux.

En revanche, la presse étrangère s'en donne à cœur joie. *France Dimanche* a ainsi annoncé la fin du mariage entre Philip et Elizabeth un nombre incalculable de fois, allant jusqu'à prétendre que la reine avait été « larguée » parce qu'elle avait la varicelle.

Le prince aime les femmes, ce n'est un secret pour personne. Mais il n'est pas attiré par les femmes intellos comme le sont parfois les hommes politiques français. Sa séduction opère plutôt sur les dames de la haute société, subjuguées par sa prestance. On l'a souvent vu longuement danser, parfois flirter en public, jamais plus. En privé, c'est peut-être une autre affaire.

Mais lorsqu'un journaliste, en 1996, ose l'interroger sur ses prétendues aventures extraconjugales, le duc répond, imperturbable : « Pendant près d'un demi-siècle, je n'ai pas pu faire un pas sans avoir un garde du corps à mes trousses. Comment aurais-je fait pour cacher une liaison extraconjugale ? » Le duc emportera ses secrets d'alcôve dans sa tombe.

La reine a réagi à ces ragots en bonne Anglaise... en les ignorant. Est-ce par conviction religieuse (« Il n'y a aucun doute que le divorce et la séparation sont responsables de certains des fléaux les plus sombres de notre société », dit-elle en 1949 sur le caractère sacré du mariage), par convenance ou tout simplement par amour ? Sans doute un mélange des trois qui la conduit à accepter son époux comme il est. Les rumeurs des infidélités de son père ont-elles influencé le prince Charles qui s'est senti autorisé à suivre cet exemple en menant une double vie entre son épouse Diana et sa maîtresse Camilla ? Sans doute. La princesse de Galles, malgré ses origines, a refusé de jouer le jeu aristocratique. Autres temps, autres mœurs.

« La plus grande leçon que nous avons apprise est la tolérance, élément essentiel d'un mariage heureux. Cela n'est peut-être pas si important quand les choses vont bien, mais c'est essentiel quand il y a des problèmes. Je peux vous garantir que la reine dispose en abondance de cette vertu », a déclaré, en rougissant un peu, Philip lors de la célébration de ses noces d'or, en 1997. Le couple a connu des hauts et des bas mais a tenu. En 2007, ce sont ses noces de diamant. Pas mal pour un mariage que certains disaient arrangé ou en crise.

Le roi Constantin de Grèce, qui a été son équipier de voile, et qui lui est très lié, rend hommage à Philip : « Il exerce l'un des métiers les plus difficiles. Ses origines royales l'ont aidé à exercer brillamment sa tâche et à seconder la reine dans ses fonctions. Sa forte personnalité — il dit ce qu'il pense, sans jamais outrepasser les limites de son rôle au détriment de la reine — a été un atout. Elizabeth a fait le bon choix. Et en plus ils s'aiment profondément. »

Philip semble avoir en tout cas mieux résisté aux affres de sa position que ses alter ego européens. Ainsi, en

1976, le prince Bernhard des Pays-Bas, époux de la reine Juliana, avait été soupçonné d'avoir reçu un million de dollars en pots-de-vin de l'avionneur américain Lockheed dans le cadre d'un appel d'offres de l'aviation néerlandaise. Très affectée, la souveraine abdique en 1980 au profit de sa fille Beatrix. Le mari de cette dernière, le prince Claus, sera dépressif toute sa vie. Quant au prince consort Henrik du Danemark, ex-Henri de Monpezat, il a eu du mal à concilier les pompes très codifiées de la royauté et les simplicités de la démocratie scandinave. L'ancien diplomate du Quai d'Orsay n'a pas convaincu son peuple. Philip, lui, y est parvenu.

* * *

La reine mère. — Dans le cercle rapproché d'Elizabeth II, sa mère a tenu une place essentielle jusqu'à sa mort, le 30 mars 2002 à l'âge de cent un ans.

La poignée de main rapide et élusive m'avait frappé lors de cette brève rencontre dans le paddock d'Ascot, avant le Prix du roi George VI et de la reine Elizabeth. La vieille dame frêle, d'une taille que n'avaient pas allongée les ans, très voûtée, se déplaçant difficilement avec une canne, faisait son devoir. Le sourire était accroché à un visage vif, enjoué, puis soudain grave à l'exemple des soudains nuages d'un ciel anglais. « Merci… Merci ! » m'avait-elle dit d'une voix voilée, cherchant avec agacement mon nom qui se dérobait, la main gauche sagement posée à plat sur sa robe laissant admirer une énorme bague. Elle est décédée quelques mois plus tard.

Il est toujours fascinant de voir une légende de près, même une dizaine de secondes. La reine mère Elizabeth incarnait toute l'odyssée du Royaume-Uni au XXe siècle. Dans un décor fastueux où se mêlaient la joie et le tragique, le flegme et la violence, l'arrogance et le doute, elle avait connu six souverains, seize Premiers ministres, deux guerres mondiales, l'apogée puis l'effondrement du plus grand empire de tous les temps, le retour de l'Angleterre en Europe. À sa naissance à Londres, le 4 août 1900, la reine Victoria régnait depuis plus de soixante ans ! Mais une légende, par définition, et pour garder sa portée symbolique, se doit de conserver sa part d'inconnu, de mystère ou d'incompréhensible. Elle ne s'était jamais laissé saisir. Sa seule et unique interview datait de 1922. « Une résolution d'acier, des opinions tranchées, un sens de l'humour espiègle », avait jugé, laconique, le *Daily Telegraph*. Telle mère, telle fille, pourrait-on dire à lire ce portrait élogieux, publié à l'occasion de son centième anniversaire.

En février 1952, dix jours après le décès de George VI, sa veuve fait savoir qu'elle voulait désormais être appelée « reine Elizabeth, reine mère ». Elle adresse à la nation un message d'affection, à l'époque peu protocolaire : « Je vous recommande notre chère fille : accordez-lui loyauté et dévouement. » Après le couronnement, la reine mère quitte Buckingham Palace pour Clarence House. Elle poursuit sans relâche ses fonctions de représentation et ses activités caritatives. Abandonner Buckingham Palace est pourtant un véritable traumatisme pour la veuve de George VI, alors âgée de cinquante et un ans. Du jour au lendemain, elle a perdu son mari, sa position, ses châteaux. Elle décrit Clarence House, la vaste demeure où elle vivra jusqu'à sa mort, comme une

« horrible petite maison ». Désormais, lorsqu'elle rencontre sa fille en public, elle doit lui faire la révérence. Dur revers pour une ex-impératrice des Indes.

Sa popularité auprès des Britanniques, toutes classes confondues, n'a jamais faibli. Si Elizabeth II inspire admiration et respect à son peuple, c'était la reine mère qui bénéficiait de toute son affection. Elle était jugée moins distante que sa fille aînée, moins scandaleuse que Margaret, plus classe que ses petits-enfants tombés au rang des Grimaldi. Elle a la trempe d'une Thatcher. Au fil des ans, la « Queen Mum » était devenue la grand-mère favorite du royaume, une figure à la fois maternelle et dure qui répondait à quelque chose de profond chez les Anglais. Pétrie de nostalgie, Albion a toujours été friande de ce monde de mamies suspendues à une tasse de thé et à un verre de sherry, aux mots croisés, aux matous et aux échanges sur la météo. Tous les soirs, elle ouvrait une bouteille de champagne rosé, en buvait trois verres et laissait le reste à son personnel. Images indissociables de l'avant-guerre, avec ce côté kitsch des films aigres-doux tournés dans les studios d'Ealing.

Jamais la reine mère n'a essayé de jouer un autre rôle que celui de ses fonctions de représentation souvent ingrates et auxquelles elle ne s'est jamais dérobée. À ses yeux, la royauté était « la profession la plus ardue dont les membres ne peuvent échapper à leur destin ». Gare, dès lors, à ceux qui renâclent contre les charges et refusent les sacrifices attachés ! Elle avait poursuivi d'une haine implacable son beau-frère, le duc de Windsor, qui avait sacrifié le devoir sur l'autel de l'amour et provoqué la plus grave crise de la dynastie anglaise depuis le XVIIe siècle.

Les bruits répandus sur son goût pour le gin and tonic bien tassé, sa garde-robe extravagante et sa langue de vipère avaient plutôt accru sa popularité. Comparé au mode de vie étriqué de sa fille, cette vieille Anglaise a toujours mené grand train. Ses déjeuners, auxquels étaient conviés des artistes réputés, comme le dramaturge Noel Coward, le chorégraphe Frederick Ashton ou le photographe Cecil Beaton, et des journalistes éminents, étaient légendaires. Arrosé de grands millésimes, l'esprit volait haut à cette table. Elle ne se préoccupait jamais de l'addition d'autant qu'Elizabeth II payait sans ciller ses découverts bancaires légendaires de l'ordre de plusieurs millions de livres. C'est que les pur-sang coûtent cher. Mais surtout, en un demi-siècle de veuvage, rien n'avait jamais transpiré de sa vie privée. En aurait-elle eu une ?

La reine douairière a exercé une grande influence sur sa fille aînée qui ne manquait jamais de dire : « Je dois d'abord consulter Mummy à ce sujet » lorsque ses conseillers lui soumettaient un problème. En 1992, dans le cadre de la réduction des frais généraux, le palais veut supprimer l'Ascot Office, un service dont le seul rôle est d'envoyer les billets d'entrée dans la tribune royale de l'hippodrome. La reine accepte, la reine mère refuse. L'Ascot Office a été fermé après son décès. Les deux femmes se téléphonaient tous les jours sur une ligne protégée des écoutes téléphoniques. « Mummy » a façonné bon nombre des valeurs traditionnelles de la souveraine.

La mère de la monarque n'a toutefois pas eu que des qualités. Conservatrice dans l'âme, elle s'est opposée à toute modernisation de l'institution dynastique. Elle était foncièrement hostile au paiement de l'impôt, à l'ouverture de Buckingham Palace au public, au tournage de documentaires sur le clan Windsor, à l'engagement prioritaire de représentants des minorités raciales dans la garde royale. Le « politiquement correct » n'était pas sa tasse de thé, question, sans doute, de génération. La sienne appartenait à la société édouardienne, celle de l'aristocratie. Ainsi, jusqu'à ce que la presse révèle leur existence en 1987, deux de ses nièces ont vécu dans l'oubli le plus total dans un asile pour handicapés mentaux. L'histoire fit scandale car la reine mère présidait alors la principale organisation charitable pour handicapés mentaux. Ce désintérêt royal s'explique par un héritage victorien passant sous silence l'existence d'enfants anormaux. Elle a la dent dure, refusant d'assister aux funérailles de Mountbatten, en 1979, qu'elle n'appréciait guère. Elizabeth II accorde des obsèques nationales à son oncle, mais par déférence préfère rester en compagnie de sa mère à Balmoral.

La reine a été « profondément émue » par la ferveur du salut de son peuple lors des obsèques de la reine mère, le 9 avril 2002. Le glas de l'abbaye de Westminster a résonné pendant cent une minutes, pour marquer l'âge de la défunte, « à la joie de vivre si contagieuse ».

Si la disparition de sa mère a laissé un grand vide, elle a aussi probablement libéré la reine. Depuis, Elizabeth II se montre plus détendue, plus souriante, plus sereine. À vrai dire, la souveraine est devenue une sorte de reine mère *bis*.

* * *

Le duc de Windsor. — En mai 1936, le roi Edward VIII amène une amie américaine, une certaine Mme Ernest Simpson, à un thé à la Royal Lodge de Windsor pour la présenter aux York. La princesse, âgée de dix ans, nourrissait une affection profonde pour son oncle. Par ailleurs, celui qu'on surnommait « David » était proche du père d'Elizabeth. Les deux frères, que seul un an sépare, avaient été élevés ensemble.

Ce personnage flamboyant, considéré comme l'arbitre de la mode avec ses célèbres pantalons à carreaux, le nœud insolite de ses cravates ou ses casquettes plates de golf, était arrivé dans sa nouvelle voiture américaine. Rien n'a jamais transpiré de cette rencontre familiale, à l'exception du témoignage de Wallis Simpson dans son autobiographie, *The Heart Has its Reasons* (Le cœur a ses raisons) : « Je suis partie avec la nette impression que le duc était gagné à la cause de la voiture américaine, mais que la duchesse, elle, n'était pas gagnée à la seconde cause de David. »

Lorsqu'il était monté sur le trône du Royaume-Uni, le 20 janvier 1936, il semble bien qu'Edward VIII connaissait depuis longtemps celle qui allait être à l'origine de la crise d'abdication : Mme Simpson qui vit à Londres avec son second mari. Ils s'étaient rencontrés lors d'une chasse au renard, en 1931. Le coup de foudre, entre le jeune homme timide et cette jolie femme, élégante et intelligente, est immédiat. «Wallis, écrit Edward, avait le sens inné des forces et des idées qui travaillent la société. Elle était au courant de tout et lisait les journaux anglais les plus sérieux. Sa conversation était vive et amusante. Mais j'admirais par-dessus tout sa spontanéité. Si elle ne partageait pas une opinion, elle ne manquait jamais d'exprimer la sienne avec vigueur et esprit. Cela m'enchantait. Un homme dans ma situation a rarement ce plaisir avec son interlocuteur. » Edward était un soupirant transi et trompé, ignorant que son amie entretenait en même temps une liaison avec un vendeur de voitures Ford. Leur relation était complexe. Wallis l'aurait initié au sado-masochisme.

En août, le couple fait une croisière en Méditerranée. Wallis est alors séparée de son époux. En septembre, comme le veut la tradition, le roi est à Balmoral en compagnie de Mme Simpson qui s'évertue à introduire le hamburger à trois étages au menu. Le divorce de cette dernière, au mois d'octobre, déchaîne la presse outre-Atlantique qui aussitôt fait d'une Américaine une future reine d'Angleterre. La presse britannique garde le silence, mais pas pour longtemps. Car les événements se précipitent. Le Premier ministre Stanley Baldwyn et l'archevêque de Canterbury mobilisent l'Angleterre traditionnelle et conservatrice, hostile au projet du roi, chef de l'Église d'Angleterre et protecteur de la foi, d'épouser une femme deux fois divorcée. Le gouvernement lui refuse même un mariage morganatique, une union qui aurait évité à Wallis de devenir reine. Le 10 décembre, Edward VIII signe l'acte d'abdication et, après la fameuse allocation radiodiffusée qui bouleverse le royaume et le monde, prend le chemin de l'exil.

L'abdication de son oncle Edward VIII est un moment déterminant dans la vie d'Elizabeth. Elle avait alors dix ans. Comment a-t-elle vécu ce drame qui faisait d'elle la princesse héritière ? Rien n'est venu assombrir les vacances passées dans le château familial de Birkhall, en Écosse. Les deux filles ne sont au courant de rien. Au retour à Londres, l'aînée se rend compte que quelque chose ne va pas. Sa mère est clouée au lit par une grippe qui n'en finit pas. Son père est constamment en discussion avec les principaux protagonistes de la crise. C'est le va-et-vient des dignitaires au 145 Piccadilly. La reine Mary a pris en main son éducation, améliorant son programme scolaire. La veuve de George V partage les appréhensions de son ancien époux à l'égard de son fils aîné. Dès l'annonce de l'abdication, à 13 h 52, c'est l'hallali devant le domicile des York. Les acclamations de la foule fusent. La princesse s'enquiert de cette agitation auprès d'un valet de pied qui lui annonce que son père est roi. « Est-ce que cela signifie que tu seras la prochaine reine ? » demande Margaret. « Oui, un jour », répond-elle. « T'as pas de chance ! » s'apitoie la petite sœur.

Mais après l'abdication, la reine Elizabeth s'oppose à toute réconciliation avec son beau-frère et Wallis, devenus duc et duchesse de Windsor. Dès 1937, par peur qu'ils ne fassent de l'ombre au couple royal, elle incite son mari à interdire le retour du duc et de la duchesse de Windsor exilés en France. L'imprudence de David et de Wallis qui, en voyage de noces, se font photographier en compagnie d'Hitler à Berchtesgaden, favorise leur éloignement.

En 1940, réfugié à Madrid après l'invasion nazie de la France, le duc confie à l'ambassadeur américain : « La guerre doit prendre fin avant que des milliers d'autres personnes soient tuées ou blessées pour sauver la réputation de quelques hommes politiques. » Ces propos pacifistes rebondissent à Londres et provoquent la rupture de sa longue amitié avec Churchill, devenu Premier ministre. C'est sur la base de ses sentiments pacifistes que les nazis l'approchent à Madrid et lui proposent un pacte fou : remplacer George VI sur le trône du Royaume-Uni et de l'Empire après l'invasion de l'Angleterre par le IIIe Reich. Le gauleiter pressenti avait-il été tenté d'accepter la proposition du ministre des Affaires étrangère du Reich, Joachim von Ribbentrop, par amertume envers ces Windsor qui l'ont détrôné ? Toujours est-il que le duc ne rejette pas la proposition de l'ancien ambassadeur d'Hitler à Londres. La veuve de von Ribbentrop songeait-elle au duc de Windsor et à sa clique d'aristocrates pronazis, « la Clivenden Set », lorsque, après la pendaison de son mari, en 1946, pour crimes de guerre et crime contre l'humanité, elle confie : « Je m'attendais à une grâce des Alliés. Joachim connaissait toute l'aristocratie anglaise et des membres de la famille royale » ?

À l'origine partisan d'Edward VIII, Churchill se rétractera plus tard en reconnaissant que les sympathies pro-hitlériennes du duc de Windsor auraient, de toute façon, rendu impossible son maintien sur le trône en 1940. Ce dernier aurait été le seul souverain britannique depuis le début du XIXe siècle à s'intéresser davantage à l'Allemagne et aux États-Unis qu'à la France.

Au nom de leur ancienne amitié, Churchill, qui a eu vent du complot, le nomme gouverneur aux Bahamas. « C'est cela ou le conseil de guerre », lui fait savoir le Premier ministre. Planqué dans la colonie, Edward vit un exil doré et oisif avec la colonie de riches Britanniques qui ont préféré les douceurs des Caraïbes aux rigueurs du Blitz. Alors que ses anciens sujets subsistent grâce à de maigres tickets de rationnement, Monsieur le Gouverneur s'adonne au trafic de devises. Un acte de trahison passible en période de guerre du peloton d'exécution sur lequel Churchill ferme les yeux. Pendant ce temps, George VI, qui mène une vie familiale exemplaire, fait l'admiration du monde entier en se soumettant aux mêmes restrictions et aux mêmes dangers que son peuple.

Le comportement peu glorieux du duc et de la duchesse pendant la guerre a rompu définitivement les liens avec la famille royale. Ils s'installent à nouveau à Paris. L'ex-Edward VIII ne reverra son frère, gravement malade, qu'une fois en septembre 1951 à Windsor.

Les obsèques de George VI, en février 1952, permettent au duc de revoir, pour la première fois depuis seize ans, sa nièce, désormais reine. « Les qualités de George VI, j'en suis certain, se retrouveront dans sa fille », fait-il remarquer. Mais ces retrouvailles n'auront pas de suite. La jeune souveraine n'ose pas braver l'interdit maternel et renouer des relations avec son oncle en allant plus loin dans le rapprochement. L'Américaine libérée aux antipodes des conventions de la cour d'Angleterre ne comprend pas cet ostracisme royal. « Mon mari est puni comme un petit garçon qui recevrait quotidiennement une fessée pendant toute sa vie pour avoir désobéi une seule fois », déclare-t-elle dans un article publié en 1961 dans le magazine *Mc Call's,* montrant ainsi l'ampleur du ressentiment mutuel. Il faudra attendre 1965 pour que la duchesse rencontre, pour la première fois, pendant une demi-heure, la reine Elizabeth II à la clinique londonienne où le duc a été opéré d'un décollement de la rétine. Une seconde ébauche de réconciliation officielle a lieu deux ans plus tard quand le duc et la duchesse participent à la cérémonie officielle d'inauguration d'une plaque à la mémoire de la reine Mary, première apparition de la duchesse en compagnie des membres de la famille royale. Enfin, le 18 mai 1972, alors que le duc est à l'agonie, Elizabeth II profite de sa visite d'État en France pour rendre visite au couple dans leur résidence de Neuilly. En tête à tête, elle retrouve son oncle, âgé de soixante-dix-sept ans, dans un salon du premier étage car il n'a plus la force de descendre l'accueillir au rez-de-chaussée, comme l'aurait exigé le protocole. Le prince Charles et le prince Philip prennent le thé avec Wallis dans la bibliothèque du rez-de-chaussée.

Le duc a menacé de se faire inhumer en France si Elizabeth II ne s'engageait pas à offrir à sa femme des obsèques similaires aux siennes. Elizabeth accepte à une condition : la duchesse doit remettre aux archives royales du château de Windsor les documents privés ayant appartenu au duc.

Le 5 juin, lors des funérailles du duc à Londres, Wallis Simpson est invitée par Elizabeth II à résider à Windsor. L'ambiance est glaciale, soulignera la duchesse de Windsor. « Ils étaient polis, polis et gentils avec moi, en particulier la reine. La royauté est toujours polie et gentille. Mais ils étaient froids. David m'avait toujours affirmé qu'ils étaient froids. » La reine mère lui adresse à peine la parole. Après la cérémonie, Wallis quitte le palais sans prendre le thé et rentre par avion spécial à Paris.

La vindicte royale poursuivra la duchesse jusqu'à sa mort. Wallis s'éteindra à Paris, seule et infirme en 1986. Elle est inhumée, aux côtés de son époux, dans le mausolée royal de Frogmore, au milieu du parc du château de Windsor, et, ironie du sort, à quelques mètres de la tombe de la reine Victoria, la sévère impératrice.

Mais la reine refusera d'accorder à Wallis à titre posthume les initiales HRH, Son Altesse royale, qu'a réclamées toute sa vie l'ancien roi pour son épouse. Le prétexte invoqué, le titre est uniquement réservé aux membres de la famille se trouvant dans la ligne de succession directe au trône et à leurs consorts, ne tient pas. En effet, rien n'empêchait la reine, par décision unilatérale, de lui accorder cet honneur. Si elle ne l'a pas fait, c'est par respect de la mémoire de son père et obéissance à sa mère, qui n'avaient jamais pardonné à Wallis d'avoir provoqué l'abdication d'Edward.

* * *

Margaret. — Outre Philip et la reine mère, le troisième pilier familial de la souveraine a été sa sœur Margaret. Mal aimée du public, la princesse Margaret a toujours vécu à l'ombre de sa sœur aînée. Le 9 février 2002 à 6 h 30, le grand chambellan fait réveiller la reine pour lui annoncer la nouvelle du décès de Margaret dans un hôpital de Londres. Personne n'a rien pu lire ce matin-là sur le visage de la monarque. Impassible, Elizabeth II a calmement appelé Philip pour le charger d'annoncer la nouvelle à la reine mère, alors âgée de cent un ans. Le prince Charles, lui, délivre le message à la nation dans une allocation radiotélévisée : « C'est un jour terrible pour ma famille. Ma chère tante a connu un enfer au cours de ces dernières années, elle qui aimait tant la vie. » Étrangement, la souveraine n'appelle pas au téléphone sa nièce et son neveu, Sarah Chatto et David Linley. Elle leur fait parvenir deux lettres de condoléances. Et dire que la reine les aime bien ! Mais elle n'a pas su trouver les mots ou le courage pour s'adresser à eux de vive voix. Selon les vœux de la défunte, pour la première fois un membre de la famille royale est incinéré. Des funérailles privées ont lieu dans la chapelle de Windsor. Une nouvelle fois, le devoir monarchique passe avant la peine familiale. Les voyages officiels en Jamaïque et en Australie, prévus dans le cadre des célébrations du jubilé royal, sont maintenus malgré le deuil.

Pourtant, on peut imaginer l'épreuve qu'a dû subir la reine. Margaret a été sa petite sœur adorée qu'elle a toujours protégée. Avec la reine mère, Margaret constituait sa garde rapprochée. Elizabeth II déplorait certes un mode de vie fait d'excès, ses goûts de luxe, ses soixante cigarettes quotidiennes et ses jeunes amants. Mais ces derniers temps, la princesse, victime de deux attaques cérébrales, n'était plus que l'ombre d'elle-même, quasi aveugle, impotente, très déprimée.

« Malheureusement pour elle, la princesse était née trop tôt. Aujourd'hui, les divorces et les batifolages extra-conjugaux font partie de l'histoire quotidienne des Windsor. Cela rend les ruptures de Margaret finalement banales » : le tabloïd *News of the World*, dont elle fut longtemps l'une des têtes de Turc favorites et qui l'avait pourchassée sans merci, résume bien le sentiment ambigu de la nation à son encontre. Le journal à sensation évoque également le « courage », le caractère « solide et terre à terre » de celle qui était sixième dans la ligne de succession.

Margaret Rose était une Windsor qui ne se souciait guère du « qu'en-dira-t-on » et qui faisait exactement ce dont elle avait envie. Merveilleusement royale, avec ses grands yeux violets, les lèvres généreuses, un teint de pêche très anglais, Her Royal Highness symbolisait le faste, la gloire et collectionnait les soupirants. Son comportement volage était la conséquence des deux grands ratages de sa vie sentimentale.

Tout d'abord, son idylle avec le *group captain* Peter Townsend. L'ancien écuyer du roi, héros de la bataille d'Angleterre, est devenu chef de la maison de la reine mère et de la princesse Margaret, à Clarence House. De belle apparence, fin, vif, le fringant officier de la RAF est irrésistible aux yeux d'une princesse alors traumatisée par la disparition d'un père dont elle était la favorite. Mais Townsend est divorcé, une tare dans l'Angleterre du début des années 50. La liaison défraye la chronique à la fin 1953, juste après le couronnement. La reine est tiraillée entre l'amour pour sa sœur et la loi canon interdisant le divorce. Par ailleurs, l'Acte de 1772 sur les mariages royaux exige l'accord du souverain et du Parlement, donc du gouvernement, à l'union d'un membre de la famille royale présent dans la ligne de succession. Peu sûre d'elle, hésitante, soumise à la pression de ses conseillers hostiles à Townsend, la jeune souveraine tergiverse. Tour à tour, Winston Churchill et son successeur, Anthony Eden, pourtant favorables à la princesse, doivent se ranger à l'opposition d'une majorité de ministres. Townsend est exilé comme attaché de l'air à Bruxelles. La princesse a le choix : soit l'épouser et abandonner le statut royal, soit sacrifier son bonheur sur l'autel de la raison d'État et du bon déroulement du règne d'Elizabeth II. Margaret choisit de ne pas épouser Townsend en 1955. Elle ne se remettra jamais de son chagrin d'amour.

Quelques années plus tard, par dépit, elle épouse le photographe Anthony Armstrong Jones. Ils se sont rencontrés dans le *Swinging London*, de la fin des années 50, l'univers de la libération des mœurs mais aussi un monde de privilèges, de snobisme, de bigoterie et d'inégalités. La princesse représentait le meilleur et le pire d'une certaine Angleterre, en noir et blanc.

La reine, qui désapprouvait ce mariage célébré en mai 1960 avec un photographe jugé décadent, n'avait pas osé s'opposer une deuxième fois au choix de sa sœur. Peut-être aurait-elle mieux fait. Car après une union chaotique et mouvementée, parsemée de multiples aventures pour chacun des deux époux, Margaret et Tony divorcent en 1978. C'est la première séparation au sein de la famille royale depuis... les divorces à répétition d'Henry VIII. Depuis, la princesse figurait sur la « liste B » des personnalités royales à inviter, celles à qui on fait appel quand il n'y a pas mieux. Cela ne la gênait guère. Elle avait toujours refusé l'aide d'un conseiller en communication, même lors des heures les plus noires. Margaret restait distante et seuls quelques amis proches la connaissaient vraiment. Elle avait aussi la réputation d'être impolie et de ne pas souffrir la contradiction. Mais personne ne mettait en doute ses qualités de mère et de grand-mère.

* * *

Charles. — Soudain un frémissement, les invités se raidissent, ajustent le nœud de cravate et vérifient leur mise.

En costume prince-de-galles (!), protégé par un garde du corps et un courtisan, la silhouette sportive, le prince Charles me rejoint dans le salon d'accueil de son château d'Highgrove. L'objet de ma visite a été longuement négocié avec le service de presse. Interdiction de parler des grandes affaires du monde ou des petits problèmes de la royauté, je suis là pour parler jardinage, et exclusivement jardinage… « J'ai beaucoup de conseillers. Mais en ce qui concerne ce jardin, je n'en fais qu'à ma tête. C'est vrai qu'il vaudrait mieux partager ce chef-d'œuvre du jardinage, un travail d'amour. Les visiteurs le saccageront », me dit l'héritier au trône, la voix légèrement enrouée, les mains serrées derrière le dos, comme à son habitude. Quelle est l'importance du domaine d'Highgrove pour le futur Charles III ? « C'est le seul endroit où l'on me laisse en paix. Personne ne peut venir me déranger », répond-il avec un clin d'œil. À l'écouter, Son Altesse royale passe de longues heures à observer la nature dans ses terres, le chêne bicentenaire et la vue imprenable sur le clocher de Tedbury.

Le futur roi est un esprit singulier, comme seule sait, parfois, engendrer la délicieuse Angleterre. Niché dans le paysage bucolique du Gloucestershire, situé à deux cents kilomètres à l'ouest de la capitale, le jardin associe le banal au magnifique, le révolutionnaire au classique, l'ordre au désordre. Ce repaire illustre à merveille l'essence même de sa philosophie : le paradoxe. Typiquement anglais, par exemple, ces rhododendrons, topiaires et grands hêtres. Les cyprès, mosaïques et caryatides, eux, sont empruntés au style hispano-mauresque. Le pont de bois, la pièce d'eau et les plantes naines font penser au Japon ; les tapis de roses blanches et de tulipes roses à la Hollande. Les mauvaises herbes, fleurs sauvages et plantes de rocaille laissées au hasard, quant à elles, évoquent l'Irlande. Le prince est un adepte des engrais naturels.

Dans les allées, des bustes de monarques rappellent la lignée royale du propriétaire. Mais à côté de son grand-père, George VI, et de son oncle, Mountbatten, figure Laurens van der Post, le défunt philosophe sud-africain devenu son gourou qui lui a fait découvrir les peuples premiers ! La sculpture *Les Filles d'Odessa* représentant les filles de Nicolas II, le dernier tsar de Russie, lié à la famille d'Angleterre, assassinées par les bolcheviques, est couverte d'excréments de pigeons. Près du labyrinthe comme il en existe dans de nombreux jardins anglais, la tombe de Tigger, son Jack Russel préféré, témoigne de l'attachement du prince pour les animaux.

On peut être pionnier de l'écologie, appliquer avec rigueur les préceptes de l'agriculture bio, on n'en est pas moins proche de ses sous. Le jardin de Highgrove est parrainé par de généreux donateurs. Les herbes aromatiques sont un don d'une association de femmes et les sièges sont offerts par le groupement des fournisseurs agréés de la maison princière. Un magasin vend, à prix d'or, les produits du duché de Cornouailles, l'un de ses autres titres — pots de confiture, marmelade d'orange, biscuits, vinaigre... La firme du prince de Galles est rentable, ses produits estampillés « Duchy » sont désormais disponibles non seulement dans les épiceries fines mais dans les supermarchés.

Même teintée d'esprit d'entreprise, la nature bucolique écolo de son fils déplaît fortement à Elizabeth II. Elle qui n'aime que les jardins à l'anglaise coupés au cordeau trouve grotesque la nombreuse domesticité nécessaire à l'entretien du savant désordre de Highgrove. Contrairement à son aîné, l'architecture n'est pas sa passion. Le seul domaine en dehors du devoir où ils se rejoignent est leur intérêt commun pour les médecines parallèles, notamment l'homéopathie.

S'ils aiment tous les deux la vie rurale, au fond, Elizabeth et Charles vivent sur deux planètes différentes. Elle s'alarme quand son fils aîné se présente comme « un dissident politique » au lieu de se tenir à l'écart des sujets controversés, comme l'exige la tradition royale. Elle déplore que Charles, grand partisan du Dalaï-lama, compare les dirigeants chinois à des « momies de cire » lors de la rétrocession de Hong-Kong, en 1997. Elle s'inquiète lorsqu'il critique implicitement le gouvernement conservateur en prenant fait et cause, en 1985, pour les populations les plus déshéritées du royaume. Aux yeux d'Elizabeth II, Charles a le tort de n'écouter que son cœur et de n'en faire qu'à sa tête. Il affiche des convictions écologiques tranchées et inonde le gouvernement de lettres prônant des positions parfois controversées sur la marche du pays. L'examen de ses trusts humanitaires, de ses fondations en faveur des laissés-pour-compte révèle un homme idéaliste mais pratique, traditionnel mais radical. Dans sa propriété de Highgrove, il a bâti *The Sanctuary,* petit temple bouddhiste décoré de cloches tibétaines, un lieu de retraite où les bougies brûlent en permanence. On a du mal à transposer pareil caravansérail à Buckingham Palace.

Avec son père, les rapports ont été difficiles depuis la plus tendre enfance. Rien ne s'est arrangé avec le temps, au contraire. Ils ont certes en commun une éducation à la dure dans un pensionnat écossais et la Royal Navy. Comme « papa », Charles n'est pas du genre à exprimer ses sentiments. Mais là s'arrête la comparaison. Le prince Charles a besoin d'être rassuré, il est trop vulnérable, trop émotionnel, trop obsédé par sa propre personne : le duc d'Édimbourg méprise ces traits de caractère. Ombrageux, rigide et autoritaire, le mari de la souveraine considère son aîné comme « précieux, extravagant et manquant du dévouement et de la discipline pour être un bon roi », estime un ancien conseiller de la cour. De plus, Philip n'a jamais pardonné au prince Charles la publication, en 1994, de sa biographie « autorisée », grosse de six cents pages sur sa morne vie, signée Jonathan Dimbleby, dans laquelle il avait publiquement critiqué le manque d'amour paternel, présentant le duc comme cruel, rude et injuste. Plus grave, Charles accuse son père, inquiet de le voir célibataire à trente ans passés, de l'avoir contraint à épouser Diana en 1981. S'ajoute l'effet désastreux de sa révélation à la télévision sur l'adultère commis avec Camilla Parker-Bowles « à partir du moment où le mariage était irrémédiablement condamné ». Un adulte qui se plaint que son père l'a contraint à se marier, c'est absurde, réplique Philip.

* * *

Anne. — À côté de Charles, Anne, l'électron libre, est un long fleuve tranquille. C'est sans doute pourquoi Elizabeth a des relations plus apaisées avec sa fille qu'avec son fils aîné. Anne a le caractère de son père, tranchant, voire distant, d'où les liens étroits qui l'unissent à Philip.

Je la suis dans une école londonienne d'ostéopathie pour la remise des diplômes. Elle dégage une impression de froideur contrôlée et refuse de serrer les mains que lui tendent les étudiants. Les tentatives des étudiants les plus téméraires pour la dérider tombent à plat. Anne n'a pas beaucoup d'humour. Ses goûts vestimentaires sont sans élégance. Comme sa mère, elle préfère des vêtements pratiques.

« Embrasser les bébés, ce n'est pas mon genre », a-t-elle dit un jour en ironisant sur son ancienne belle-sœur, Diana. Ce qui ne l'empêche pas d'avoir mené une action philanthropique faisant l'admiration générale à la tête du Save the Children Fund, le Fonds d'aide à l'enfance, et d'une centaine d'autres associations caritatives.

Elle est remariée depuis 1992 au commandant Timothy Laurence, fringant officier de la Royal Navy, cinq ans de moins qu'elle, après son divorce avec le capitaine Mark Phillips. C'est là le seul écart d'Anne qui, dans ses attitudes, ressemble beaucoup à sa mère. Comme Elizabeth II, elle a le devoir chevillé au corps. Ses vues sont volontiers conservatrices, que ce soit en matière de comportement sexuel, des droits des femmes ou de l'avortement. Ce n'est pas une grande oratrice, loin de là. Ni une intellectuelle : musique légère, romans d'espionnage, télévision sont ses distractions favorites. La princesse ne fume pas et ne boit pas, se lève invariablement à 6 heures du matin pour faire une randonnée à cheval, à Londres comme dans le Berkshire où elle mène la vie paisible de la gentry campagnarde. Dans sa jeu-

nesse, les journaux, qu'elle ne lit jamais, s'en sont donné
à cœur joie en la traitant de garçon manqué, dépourvu
de sex-appeal, adorant les animaux. Sa grande passion,
qu'elle partage avec sa mère, demeure les chevaux qui
sont à l'origine de son premier mariage, avec le capitaine
Mark Phillips, un roturier. Elle a été d'ailleurs présidente
de la Fédération hippique internationale et a siégé à ce
titre au COI. Elle tient un rôle de premier plan dans la
préparation des JO de Londres, en 2012. Son père a ironisé à propos de son enfant préférée : « Tout ce qui ne
pète pas ou ne mange pas de foin ne l'intéresse pas ! »
Anne est en fait l'une de ces Anglaises « au cœur
d'homme » qu'admirent les Britanniques.

La princesse Anne passe pour une bonne mère. Pour
donner à ses enfants un cadre de vie normal, elle a refusé
les titres princiers qui lui étaient proposés pour eux.
« Mes enfants ne sont pas des princes, la reine n'est que
leur grand-mère. » Dans ce pays où le sport tient une
place éminente, son fils, Peter, rugbyman, et sa fille,
Zara, championne du monde d'équitation, représentent
l'une des plus belles réussites de la dernière génération
Windsor. Au contraire de Charles, Anne n'est pas du
genre à se plaindre du manque d'affection maternelle.
Elle a même pris la défense de sa mère, critiquée pour ne
pas avoir consacré suffisamment de temps à ses enfants.

Célèbre pour son franc-parler, la fille d'Elizabeth II
est aujourd'hui l'un des membres les plus populaires de la
famille Windsor. Raison pour laquelle Anne Windsor
figure dans le peloton de tête des noms les plus couram-

ment cités pour occuper la présidence en cas d'avènement d'une république.

* * *

Andrew. — C'est le fils préféré, dit-on, d'Elizabeth II. L'attachement maternel de la souveraine apparaît dans le regard affectueux qu'elle offre au prince dans les nombreuses photos qu'il a prises d'elle. Jamais la reine n'apparaît aussi tendre. Son deuxième fils est un bel homme ostensiblement viril, et ça ne laisse pas la reine indifférente. « Randy Andy », Andy le tombeur, est aimable, simple, et a du succès auprès des starlettes et des reines de beauté. Il a eu une liaison torride avec Koo Stark, actrice de films porno hautement médiatisée. « Nous avons été les premiers à découvrir le pot aux roses. Mais cela a posé des problèmes à notre service photo car nous n'avions d'elle que des photos qui étaient impubliables pour une manchette », se souvient Richard Stott, directeur à l'époque de la rédaction du *Daily Mirror*. Malgré un curriculum vitae s'écartant des normes royales, la reine tolérait pourtant l'existence de Koo Stark. La jeune actrice rendait son fils heureux. Au fond, en matière de sexe, Elizabeth n'est pas aussi bégueule qu'on le dit.

L'aspect naturel d'Andrew, son élégance sportive ont pour beaucoup contribué à sa popularité. Sa participation en tant que pilote d'hélicoptère à la guerre des Malouines, en 1982, lui a donné une image à la *Top Gun*, son film fétiche.

En 1986, il épouse Sarah Ferguson, dite « Fergie », jeune femme de vingt-six ans, rousse, ronde, vivace jusqu'à l'extraversion. Elle a un passé sentimental agité.

Par ailleurs, son beau-père, joueur de polo argentin, est officier de l'armée du dictateur Galtieri. Heureusement, son père, le major Ron Ferguson, est ex-écuyer de la reine. Elle n'est pas la belle-fille idéale, mais elle est « acceptable » pour la reine qui consent au mariage. L'union tombe un peu trop dans le populaire : le landau royal qui emmène les jeunes mariés vers leur lune de miel est transformé en char de carnaval, avec un énorme nou-nours sur le siège avant et à l'arrière de l'attelage, portant la légende « N'oubliez pas de téléphoner ». Les Windsor s'amusent follement et font des pitreries sous l'œil des caméras et des quatre cents millions de téléspectateurs. La liste des invités sous la nef de Westminster contraste avec la pompe et l'apparat des précédents mariages : moins de têtes couronnées, plus de stars, acteurs, chan-teurs et sportifs. Une pente dangereuse pour une monar-chie séculaire...

En août 1992, le couple se sépare à la demande de Fergie, qui invoque un « mariage ennuyeux », le poids de l'étiquette et la hargne de la presse populaire. La reine est « très attristée ». Ainsi va la vie. Quatre mois plus tard, un énorme scandale révèle a posteriori la crise du couple : la presse publie des photos de la duchesse à la crinière de braise en topless, suçant l'orteil de son amant, le million-naire texan Johnny Bryan au bord de la piscine d'une villa près de Saint-Tropez. Le duc est ridiculisé. Pourtant la reine ne fait rien pour pousser son fils à un divorce rapide. Elizabeth, qui ne pouvait plus supporter la duchesse — train de vie somptuaire, pingrerie, mépris des servitudes attachées à la fonction royale —, préfère que la séparation soit menée avec discrétion, tact et dignité. Ils divorceront finalement en 1996. Et les deux anciens époux restent très liés.

Quand il prend sa retraite de la Navy en 2001, sa mère nomme le duc d'York à la tête de l'organisme de promotion du commerce britannique à l'étranger. Certains ont vu là la volonté de la reine de « caser » un fils apparemment soucieux d'exister par lui-même après avoir quitté l'uniforme. Avec ce titre ronflant, Andrew pensait « pantoufler ». Mais dépourvu de toute expérience de la vie des affaires, l'ancien officier n'a pas d'atomes crochus avec les patrons. Sa sortie en privé contre ces « PDG faux-cul qui méritent des claques » fait le plus mauvais effet dans la City. On l'accuse de courir les golfs les plus prestigieux de la planète aux frais du contribuable en utilisant à des fins personnelles des avions de la RAF comme s'il s'agissait de taxis. À ses détracteurs, le prince répond qu'il bénéficie seulement de sa maigre retraite de la marine et de la générosité de sa mère.

« Sa plus grande utilité est son nom. La monarchie fait vendre dans le Commonwealth et au Proche-Orient. Il effectue sa mission avec sérieux, intérêt et sans jamais se plaindre », notait, pourtant, le *Financial Times* dans un récent portrait plutôt flatteur. Malgré cet hommage tardif du grand quotidien économique, la reine a engagé les services de Digby Jones, ancien chef du patronat britannique, pour l'épauler dans sa tâche.

* * *

Edward. — Le petit dernier de la famille n'a ni l'aura de Charles, ni le physique avantageux d'Andrew, ni la superbe indifférence d'Anne. Edward a suivi un parcours

typique dans la famille Windsor : internat de Gordonstoun en Écosse, études d'histoire à Cambridge et les
commandos de marines. Mais répudiant la tradition
selon laquelle les principaux membres de la famille royale
s'engagent dans les forces armées, le candidat officier
démissionne de manière fracassante en 1987. Cet abandon rend furieux le duc d'Édimbourg pour qui Edward
est trop dans les jupes de sa mère. Parce que c'est le petit
dernier, la reine l'a toujours protégé. Son départ
déchaîne les spéculations de la presse : Edward est-il
homosexuel ? On ne lui connaît pas de petite amie. Il se
lance dans la production théâtrale et le show-business, un
monde bienveillant envers les gays. Quand il se rend à
New York pour applaudir l'un de ses amis comédiens, la
presse laisse entendre que tous deux ont une liaison.
Assiégé par les caméras à la sortie du théâtre, il est obligé
de déclarer publiquement : « Je ne suis pas gay. Comment
ose-t-on dire une chose pareille ? » En l'absence de confirmation, raisonnons par l'absurde. Si Edward avait été
homosexuel ? Ses parents l'auraient sans doute accepté.
Les gays ne manquent pas à Buckingham Palace. Mais un
événement soudain et totalement imprévu clôt officiellement le débat : en 1999, Edward épouse Sophie Rhys-
Jones, fille d'un ancien vendeur de voitures devenu expor-
tateur de pneus en Europe de l'Est.

Autrement plus difficile que de remettre une distinction à l'un de ses sujets est le choix d'un titre nobiliaire à
sa propre famille. Quel titre donner au prince Edward et
à son épouse ? Duc de Cumberland ? Trop allemand
puisque ce titre a disparu au cours de la Première Guerre
mondiale pour punir la maison de Hanovre d'avoir com-

battu dans l'armée du Kaiser. Connaught ? Inacceptable car ce comté de la République d'Irlande passe pour un repaire de sympathisants de l'Armée républicaine irlandaise. Clarence ? Trop macabre, le dernier duc étant soupçonné d'avoir été Jack l'Éventreur, l'assassin des prostituées de Whitechapel. Cambridge, le sanctuaire de l'enseignement supérieur où le prince Edward a fait des études d'histoire ? Trop snob par les temps qui courent. Sussex enfin ? Trop nouveau riche.

Restait le titre de Wessex, exhumé des archives, qui a l'avantage d'avoir été immortalisé par le grand romancier du XIXe siècle, Thomas Hardy. Seul problème : le comté de Wessex a disparu depuis neuf cents ans. Un peu comme l'évêché de Parthénia, en Afrique du Nord, inventé par le Vatican pour se débarrasser de Mgr Gaillot, évêque rebelle d'Évreux. Edward a reçu une coquille vide. Il s'en est plaint. La reine, bonne mère, lui promet alors le titre de duc d'Édimbourg, détenu par son mari. Mais il faudra attendre la mort de ce dernier.

À la surprise générale, le couple, qui a eu un enfant, a tenu. L'honneur est sauf. Paradoxe : Edward pourrait tordre le cou à la malédiction du divorce qui s'attache aux enfants royaux.

Sa carrière de producteur, en revanche, est un désastre. Le jeu télévisé, *It's a Knockout,* une sorte d'*Intervilles* de célébrités auquel participent Anne, Fergie, Andrew, John Travolta et Christopher Reeves, fait un bide. On accuse Edward d'avoir transformé sa famille en fonds de commerce. Sa propre société de production télévisuelle connaît rapidement des difficultés financières. Et l'opinion s'insurge à l'idée que des fonds publics puissent renflouer la firme. Il revend son entreprise. La carrière professionnelle du prince est terminée. Dorénavant il représente sa mère dans des événements mineurs et vit aux crochets de la caisse royale. La reine a démontré une fois de plus qu'elle n'est pas totalement indifférente au sort de ses enfants, comme les critiques ont bien voulu le dire.

* * *

William. — Autant les rapports d'Elizabeth étaient distants avec ses propres enfants, autant la reine se révèle une grand-mère aimante pour ses petits-enfants. Si elle ne se lève pas la nuit pour changer les couches ou donner le biberon (il y a des gouvernantes pour cela), elle les voit beaucoup.

Au lendemain de la mort de Diana, en 1997, Elizabeth II porte toute son attention à la formation de William, deuxième dans l'ordre de succession au trône. Grand (1,90 mètre), athlétique, beau mec, très courtisé par les jeunes filles, il a de nombreux points communs avec sa grand-mère : le goût de la campagne, l'amour des sports de plein air comme la chasse, la réserve. Avec un sens inné de la fonction royale, William accepte sans broncher les servitudes de sa future charge. Discutant avec la reine lors de leur traditionnel tête-à-tête dominical quand il était pensionnaire à Eton, le sujet de sa carrière est abordé autour d'une tasse de thé. Le prince souhaite s'inscrire dans un collège agricole pour apprendre la gestion du duché de Cornouailles, domaine du prince de Galles, son père. Mais se rendant à l'opinion de sa grand-mère, il choisit la carrière des armes en passant le concours d'élève-officier à Sandhurst. Sorti du moule d'Eton, il a le sens du commandement, des relations humaines et a fait l'apprentissage de la vie en communauté. Aux yeux de la reine, il a l'étoffe pour régner.

Elle en a eu la confirmation en ce terrible 31 août 1997, quelques heures après l'annonce de la tragique disparition de Diana. Au milieu du mois d'août, William et Harry avaient été invités par la reine à Balmoral, en Écosse, pour passer des vacances en compagnie de leur père. Et c'est dans cette grisaille des Highlands qu'ils ont appris l'accident dont avait été victime leur mère. S'il est une image de cette journée qui restera gravée dans les esprits, c'est bien celle du jeune prince, impassible, imperturbable, parfaitement maître de lui dans l'épreuve durant le service religieux dans la petite chapelle de Crathie, à deux pas du château. Les yeux brillants, à peine humides, une émotion contenue et une certaine raideur du maintien : dans le malheur, William réagit avec la même retenue maintes fois démontrée par Elizabeth II.

Depuis la disparition de sa mère, le futur William V a une véritable phobie des journalistes. La reine comprend son petit-fils mais est consciente qu'il est impossible de nos jours d'échapper à l'attention des médias. L'exercice est difficile pour William, un grand timide. Dès qu'il voit un reporter, il se referme comme une huître. Cela aurait pu être l'un des motifs de sa réticence à jouer le rôle public que souhaite lui voir endosser la reine. Il n'en est rien. Sur les conseils de la souveraine, il s'ouvre progressivement aux médias. Aux côtés de son père ou de son frère il accorde ses premières interviews. À l'injonction de la reine, il exige qu'on ne l'appelle plus «Wills», trop familier, mais Son Altesse royale. Il entre dans son rôle.

William est la prunelle de ses yeux. La personnalité de son petit-fils est double. Sérieux comme son père, il cultive les bonnes vieilles valeurs traditionnelles de sa caste et croit dans les fastes de la royauté. En privé, c'est un autre garçon qui apparaît, beaucoup plus détendu, l'esquisse de son sourire dissimule une grande sensibilité, adaptée à notre époque. Royal et aristocrate, il est doté d'une éducation à la fois anglaise (Eton), écossaise (St. Andrews) et internationale (Sandhurst). Le prince joue un rôle de premier plan dans le rugby gallois.

* * *

« Quelles erreurs avons-nous commises ? » La reine a dû souvent se poser la question au vu des drames conjugaux de ses enfants. Même les plus chauds partisans d'Elizabeth II reconnaissent que l'éducation de sa progéniture n'aura pas été son plus grand succès. Indirectement, disent-ils, la reine et son mari portent une lourde part de responsabilité dans l'incapacité de leurs enfants à réussir leur vie de couple. La rigueur des convenances les a privés des démonstrations d'affection auxquelles tout enfant est normalement accoutumé. De sorte que chacun d'entre eux a été incapable de nouer des relations sentimentales durables.

L'explication vaut ce qu'elle vaut. À la décharge de la souveraine, la vie de cour ne laisse aucune place à la tendresse familiale. Tout est minuté, prévu et obéit à un protocole très strict. Pas question dès lors, même pour les membres de sa propre famille, de passer la tête par la porte du bureau de la reine en lui disant : « Bonjour, Maman, comment ça va aujourd'hui ? » Lorsqu'ils veulent voir leur mère, les enfants doivent en faire la demande par écrit pour obtenir un rendez-vous en bonne et due forme. Lorsque le prince Charles rencontre sa mère, il l'embrasse sur les deux joues, puis fait le baisemain. Sa fille, Anne, lui fait toujours la révérence. Par habitude, elle incline le buste et plie le genou par marque de respect même quand elle lui parle au téléphone. Si elle veut inviter ses enfants à partager un repas, Elizabeth dépêche un page porteur d'un message signé « Mummy ». Ce n'est sans doute pas très différent de ce qui se passe dans les autres cours européennes ou les grandes familles. Mais à Buckingham, ce protocole développé au fil des siècles a valeur de religion. Dans sa biographie *La Couronne et la famille : Elizabeth II*, Elizabeth Longford donne une description de la chambre d'enfants de Buckingham Palace à faire frémir d'effroi les parents d'aujourd'hui : « Aucune excentricité n'était tolérée, comme les caprices ou la gourmandise. On mangeait du pain et du beurre plutôt que des gâteaux, les assiettes devaient être vidées avant de recevoir le plat suivant, et les vêtements usés normalement avant d'être jetés. » Quand le prince Charles perd la laisse de son chien, la reine le renvoie dehors pour la chercher, en lui disant : « Ne reviens pas sans elle. Les laisses coûtent cher. » La nourriture est à ce point frugale que celle du pensionnat de Gordonstoun, roborative, donne des maux d'estomac au prince Charles.

Les défenseurs de la reine soulignent que, durant les quatre années précédant son accession au trône, elle est dévouée à ses deux enfants, « passant une demi-heure le matin et une heure le soir avec eux dans la chambre des enfants royaux ». Certes, mais elle passe plus de temps en compagnie de ses chiens et de ses chevaux.

Devenue reine, le fardeau de sa charge et le sens du devoir l'ont accaparée. Pour preuve, après Charles et Anne, nés juste avant son couronnement, il faudra attendre sept ans pour qu'elle retombe enceinte. Cette période correspond à son apprentissage de reine.

Malgré l'excuse de la charge, Elizabeth a fait preuve de beaucoup de maladresse. Au retour d'une tournée de six mois de la reine et du duc dans le Commonwealth, entre 1953 et 1954, Charles, cinq ans, les attend en bas de la passerelle. Ses parents passent devant lui, sans même un regard. Bouleversé, l'enfant se jette en pleurant dans les jupes de sa grand-mère. Et quand l'héritier au trône, âgé de dix-sept ans et encore impressionnable, passe un an dans un hameau perdu de la grande forêt d'eucalyptus australienne, sa mère n'aurait, dit-on, jamais pris de ses nouvelles auprès de sa logeuse.

Elizabeth II est montée sur le trône à l'âge de vingt-six ans, pas du tout préparée à assumer cette fonction. Les enfants ont été sacrifiés sur l'autel du devoir.

Le résultat est une famille déséquilibrée dont les membres ont peu en commun. Leurs liens sont distants, en partie parce qu'ils sont très différents. Qu'y a-t-il de semblable entre Charles, sensible, hésitant et progressiste dans l'âme et sa sœur Anne, imperméable au doute, hostile à toute mutation de l'institution ? Ou entre Andrew, le hâbleur qui ne s'intéresse qu'au golf et aux jolies filles et Edward, coincé et pompeux ? Pas grand-chose si ce n'est une solide dose d'arrogance, d'égoïsme et le comportement d'enfants gâtés à qui tout est dû.

La reine est incapable de comprendre ses enfants. Par pudeur ou par désintérêt, elle préfère fermer les yeux sur leurs frasques. Elle est au courant de leurs aventures extraconjugales mais refuse d'intervenir, avec les conséquences désastreuses que l'on sait.

Le prince Philip, qui n'a pas d'états d'âme sur la question de l'éducation de ses rejetons, déclare : « Nous avons fait de notre mieux. »

Portrait de la famille royale lors du baptême d'Elizabeth Alexandra Mary Windsor, le 29 mai 1926.

Elizabeth, âgée de quatre ans, avec ses parents, le duc et la duchesse d'York (1930).

De gauche à droite : la princesse Elizabeth et lady Helen Graham, la princesse Margaret et Marion Crawford à Londres (1939).

L'éducation musicale d'une future reine.

La princesse Elizabeth, numéro de matricule 230873, au Centre de formation mécanique du transport numéro 1, dans le sud de l'Angleterre (1944).

La princesse Elizabeth jouant à chat à bord du HMS *Vanguard* (1947). © BETTMANN/CORBIS.

Mariage de la princesse Elizabeth et de lord Mountbatten, duc d'Édimbourg, à l'abbaye de Westminster, le 20 novembre 1947.

La famille royale dans sa résidence de Balmoral. De gauche à droite : le prince Charles (âgé de trois ans), la reine Elizabeth, la princesse Margaret, le duc d'Édimbourg, le roi George VI, la princesse Elizabeth et la princesse Anne (âgée d'un an) (1951).

Elizabeth et le prince Charles à Balmoral (1952).

Couronnement de la reine Elizabeth II, entourée du prince Philip, de la reine mère et de ses deux enfants, Charles et Anne, le 2 juin 1953.

Le Premier ministre Winston Churchill et la reine Elizabeth II sortant d'un dîner au 10 Downing Street (1955).

La reine Elizabeth II reçoit Jacqueline Kennedy au palais de Buckingham (1961).

Charles de Gaulle et Elizabeth II, à Londres (avril 1960).

La reine Elizabeth II arrive à Aberdeen avec ses corgys, pour passer l'été dans sa résidence de Balmoral (1974).

Valéry Giscard d'Estaing en visite officielle en Grande-Bretagne (1976).

Diana Spencer et Camilla Parker-Bowles aux courses (1980).

IV
LES QUATRE COLONNES
DU POUVOIR

Dans l'imagerie populaire, l'accession au trône d'Elizabeth II marque une cassure entre deux mondes. L'ancien représenté par le défunt, George VI, et le nouveau symbolisé par une jeune souveraine, épaulée d'un beau prince consort. Effet d'image. Dans la réalité, Elizabeth II reproduit le schéma du règne de son père. « À son avènement, Elizabeth II est une figure du XIXe siècle qui a présidé au transfert au XXIe siècle. Contrainte et forcée, la reine a "dévictorianisé" la monarchie pour mettre progressivement l'institution au goût du jour », souligne l'historien David Cannadine. Elle l'a fait en s'appuyant sur les mêmes piliers que Victoria : le palais, l'armée, la religion et la haute noblesse.

***

Le palais. — Buckingham Palace. Près de sept cents pièces, dix-neuf salles de réception, cinquante-deux chambres à coucher royales, cent quatre-vingt-huit autres réservées au personnel, soixante-dix-huit salles de bains, quatre-vingt-douze bureaux, plusieurs kilomètres de couloirs, vingt hectares de parc, deux hectares d'étang et ses six cents employés. Une forteresse terrifiante à la façade en pierre de Portland au cœur de Londres, construite par le premier duc de Buckingham, en 1705, achetée pour la minuscule couronne par George III en 1762 et agrandie par le célèbre architecte Nash, en 1821. C'est une ville dans la ville, avec ses cuisines, ses restaurants, ses celliers, son dispensaire médical, sa chapelle, son fleuriste et son bureau de poste. Le temps s'est arrêté. En uniforme datant de Waterloo, les gardes à bonnet à poils sont en permanence figés dans une impressionnante immobilité d'automate. Dans les salons immenses, le mobilier victorien et les toiles de maître écrasent de leur masse les hôtes des lieux. Il y a aussi le célèbre balcon auquel on accède par un petit salon aux motifs chinois, seule interface entre la monarchie et son peuple, là où la famille Windsor met en scène sa représentation idéale devant ses sujets. Occupant les côtés sud et est du bâtiment, les appartements d'honneur comprennent les salons, la salle de musique, la galerie des portraits et la salle de bal. L'administration de la maison royale est également nichée au rez-de-chaussée. Situés le long du couloir des rois, les appartements privés se trouvent au premier étage de l'aile droite : suite du prince Philip, dressing-room de la reine, bureau de la reine, salle à manger de la reine. Ils ne sont pas très spacieux, ce qui paraît paradoxal dans un palais de cette taille. C'est le vrai cocon de la reine et du prince Philip. Même son secrétaire particulier n'y pénètre qu'en cas de grave crise. Le personnel est logé sous les combles au deuxième étage dans de minuscules chambres de bonnes au confort spartiate.

Le palais, tout comme l'Élysée, est le symbole du pouvoir du chef de l'État. Quand la reine est présente, l'étendard de la dynastie, le Royal Standard rouge et or, flotte au mât. C'est le symbole de la continuité monarchique.

C'est dans cet univers d'ors et de pompes, surnommé « BP » par les employés, que la nouvelle reine et sa jeune famille s'installent en 1952. Même si elle a vécu là entre 1936 et 1947, c'est à contrecœur qu'Elizabeth quitte Clarence House.

Comme on l'a vu, la reine n'est pas du tout préparée à sa tâche. Elle n'avait jamais imaginé que son père meure aussi jeune, à cinquante-six ans. Elle pensait avoir tout le temps d'apprendre les rouages de la monarchie, les ficelles politiques, diplomatiques, les arcanes de la machine royale, les questions d'argent. Princesse héritière, elle se voyait élever ses enfants en leur offrant l'attention et l'affection d'une mère « normale », pas le détachement lointain d'une souveraine.

La reine doit immédiatement affronter deux problèmes : la position de son époux, la symbolique du nouveau règne.

Que faire de Philip, un homme intelligent et résolu qui n'entend pas se satisfaire d'un rôle de potiche ? Le casse-tête. Quand un roi est couronné, son épouse devient automatiquement reine consort. Dans le cas d'une reine régnante, l'époux devrait normalement s'appeler roi consort. La reine Victoria avait voulu décerner ce titre à son cher Albert. Face à l'opposition de son gouvernement, il avait été nommé prince consort. Elizabeth II aurait pu suivre cet exemple. Sauf qu'ayant ainsi accès aux documents officiels et aux télégrammes diplomatiques, Albert était devenu de facto le directeur de cabinet de la reine au fil des ans. En raison des grossesses à répétition de son épouse, il avait joué un rôle de premier plan dans la modernisation du pays, organisant en particulier en 1851 la Grande Exposition de Crystal Palace, restée dans toutes les mémoires comme le symbole de la grandeur britannique. Mais, du même coup, Albert était sorti de son rôle, il s'était arrogé certaines prérogatives royales au détriment de sa femme, dévouée à son mari et à ses neuf enfants.

Un scénario qu'Elizabeth II veut éviter à tout prix. Le goût du pouvoir pointe chez cette jeune femme que l'on croyait effacée et distante des affaires du royaume. Au nom de sa fonction et non de sa personne, la reine refuse d'octroyer à son mari le titre de prince consort, qui aurait officialisé sa position de numéro deux.

L'histoire a aussi joué son rôle dans cette décision. Sept ans seulement après la victoire sur le nazisme, le sentiment anti-allemand est encore vivace outre-Manche. Contrairement à ce qui s'est passé alors entre la France et l'Allemagne, il n'y a jamais eu de vraie réconciliation anglo-allemande. On peut le constater encore aujourd'hui lors des matchs de foot opposant les deux pays. Le souvenir des bombes du Blitz lancées par un ennemi invisible a sans doute pénalisé la fraternisation après le conflit. Or, Philip, prince grec d'ascendance germano-danoise, issu de parents exilés, traîne comme un boulet le mariage de trois de ses sœurs avec des officiers SS. Pas question donc d'entrouvrir les portes du pouvoir royal « au Boche de la famille », expression en vogue à l'époque. D'autant plus que la reine veut faire oublier les égarements de ses parents avant guerre. George VI et sa femme avaient soutenu la politique d'apaisement de Chamberlain envers Hitler. Les accords de Munich, en 1938, avaient été très populaires au palais animé d'une véritable hantise du bolchevisme et du souvenir de l'horreur des tranchées, en particulier de la boucherie de la Somme. La présence de Chamberlain auprès du roi et de la reine au balcon de Buckingham Palace à son retour de Munich est restée dans tous les esprits. De surcroît, en 1940, le roi et sa femme ne sont pas favorables à la désignation au 10 Downing Street de Winston Churchill, partisan d'une politique musclée envers le Reich. Le couple royal préférait de loin la politique neutraliste de lord Halifax, l'autre prétendant au poste de Premier ministre, héritier spirituel de Chamberlain. Le film de James Ivory, *Les Vestiges du jour*, immortalise à l'écran les sympathies pronazies d'une frange de l'aristocratie britannique.

Autre handicap pour Philip, et il est de taille : la même reine mère voit derrière lui l'influence machiavélique de Mountbatten qu'elle n'a jamais aimé. Le prince Philip est en effet le protégé de ce personnage snob, pontifiant mais fin manœuvrier. Le dernier vice-roi des Indes, arrière-petit-fils de Victoria, rêve en effet d'obtenir le retour du nom Mountbatten dans l'appellation de la dynastie Windsor. Il avait été enlevé en 1917 lors de l'opération de « dégermanisation » de la lignée Saxe-Cobourg, rebaptisée Windsor. À la mort de George VI, il se croit arrivé, lançant devant quelques proches à propos du nom de son neveu Philip : « Désormais, c'est la maison Mountbatten qui règne ! » Il avait pris ses désirs pour des réalités, provoquant la colère de la reine Elizabeth. Et commis une terrible erreur en affirmant que le beau mariage d'amour entre son neveu et la princesse était en fait arrangé. Imprudemment, il s'est même vanté d'avoir poussé son neveu, un peu contre son gré, dans les bras d'Elizabeth.

Enfin, Philip, le play-boy moderne au sourire sardonique, a effrayé les courtisans hérités de George VI ancrés dans leurs habitudes. Derrière son dos, ces derniers le surnomment « le Hun » (le Boche). Quand il lance l'idée du Duke of Edinburgh's Awards Scheme au profit des adolescents en difficulté, un ministre lui lance : « Alors, vous voulez recréer des sortes de jeunesses hitlériennes ! » Humilié, Philip se plaint alors à Mountbatten qui lui dit : « Souviens-toi, ce ne sont que des serviteurs. Toi, tu fais partie de la famille royale. »

Par ailleurs, Churchill, redevenu Premier ministre en 1951, ne fait aucune confiance à Philip, à qui il reproche ses origines allemandes. Il se méfie aussi de Mountbatten, responsable à ses yeux pêle-mêle de l'échec du raid anglo-canadien sur Dieppe en 1942, des tiraillements avec les Américains en Extrême-Orient en 1945 et de la perte précipitée des Indes trois ans plus tard. Or, Elizabeth II est subjuguée par le « Vieux Lion ».

Face au refus de sa femme d'intégrer son nom à celui de la dynastie, Philip explose : « Suis-je le seul homme dans ce pays qui ne puisse pas donner son nom à ses enfants ? » Il faudra attendre avril 1960 pour que la reine, sûre de son autorité, lui fasse une concession : les descendants qui ne sont pas « altesses royales », c'est-à-dire pas prétendants à la succession, pourront s'ils le souhaitent se faire appeler « Mountbatten-Windsor ».

L'autre tâche urgente est de définir le style de son règne. Pour comprendre cette mission, remontons le temps d'un demi-siècle. De quelle Angleterre a hérité Elizabeth II ? Au début de son règne, la puissance d'Albion peut encore faire illusion. En 1952, la Grande-Bretagne accède au rang de puissance nucléaire. Le titre d'impératrice des Indes n'a disparu que depuis cinq ans. Et encore le Premier ministre issu de l'indépendance, Nehru, est un anglophile, ex-amant de surcroît d'Edwina Mountbatten, l'épouse du dernier vice-roi. Malgré l'éclatement de la Palestine, Albion contrôle toujours le canal de Suez, la moitié de l'Afrique et les Proche et Moyen-Orient. On est bien loin de la triste mère d'un empire mort, comme disait Byron de l'Italie. La Chambre des lords, sous la coupe des pairs héréditaires issus de la haute aristocratie, fait jeu égal avec celle des Communes. Malgré le choc de la Seconde Guerre mondiale, le pays est profondément cloisonné en classes sociales hermétiques. La classe moyenne est écrasée par les deux vrais pôles du pouvoir, d'un côté la noblesse, de l'autre les syndicats. La nouvelle souveraine illustre par excellence cette dualité. Elle ne connaît que la noblesse, son milieu d'origine au sein duquel sont recrutés les courtisans, et la classe ouvrière représentée par ses domestiques. Elizabeth II ignore alors tout de la petite-bourgeoisie qui émergera dans les années 60. La société est orgueilleusement figée comme au crépuscule du règne de sa trisaïeule la reine Victoria, morte en 1901.

C'est d'ailleurs de Victoria qu'Elizabeth va s'inspirer. Dans les années 1870, quand sa trisaïeule sortait de Buckingham, il n'était pas rare que son carrosse essuie des jets de tomates. La reine émergeait alors difficilement d'un long veuvage. Ses conseillers eurent l'idée du siècle : donner du faste à une monarchie qui brillait jusqu'alors par sa discrétion. De cette époque date cette pompe si typiquement anglaise et que l'on croit multiséculaire : la relève de la Garde, le balcon au fronton du palais et l'aménagement du parvis afin que le peuple puisse s'y masser plus commodément pour applaudir les monarques. Son Premier ministre, Benjamin Disraeli, visionnaire de génie, codifie la conception impériale en la couronnant impératrice des Indes en 1877, flattant ainsi l'orgueil d'une nation persuadée que le globe tourne autour d'elle comme la Terre autour du Soleil. La cote de popularité de Victoria en a été transformée.

Ses successeurs suivent ce bon exemple. Edward VII invente la remise de décorations au peuple. Il se promène seul en voiture et à cheval à Windsor. George V lance la cérémonie annuelle du Cénotaphe à la mémoire des soldats britanniques et de l'Empire morts lors de la Première Guerre mondiale et le message de Noël. George VI et sa femme remontent le moral de la population en visitant les quartiers populaires dévastés par le Blitz. Après avoir autorisé personnellement la retransmission télévisée de son couronnement en 1953, Elizabeth II dépoussière à son tour la monarchie du poids d'usages appartenant à une époque révolue. Les traditionnelles présentations des débutantes à la cour sont abolies. Les représentants de l'industrie, du sport, de l'Église ou des arts sont invités à déjeuner au palais. La « galerie de la reine » est transformée en musée. Le premier message télévisé en direct est diffusé depuis le château de Sandringham. Le premier « bain de foule » au cours du voyage de la reine en Nouvelle-Zélande, le 23 mars 1970, constitue l'une des innovations les plus populaires du règne. Le concert du gotha du rock britannique réuni le 3 juin 2002 à Buckingham Palace pour célébrer les cinquante ans de son règne témoigne de la continuité en la matière.

* * *

L'armée. — 15 décembre 2006. Par un froid vif, la reine passe en revue la dernière promotion de deux cent soixante-dix-sept élèves officiers de l'École royale militaire de Sandhurst, le Saint-Cyr anglais. Vêtue d'un manteau grenat avec chapeau assorti, elle, commandant en chef des armées, s'arrête quelques instants devant son petit-fils William, sanglé dans le bel uniforme bleu foncé des élèves-officiers de Sandhurst, au garde-à-vous et fusil d'assaut à l'épaule. La parade est organisée selon le modèle napoléonien, en carré. Le défilé est réglé au millimètre. Au fil des ans, la souveraine est devenue experte des mouvements de militaires au rythme des tambours. Elle apprécie, en connaisseuse, les évolutions de « Winston », le cheval blanc du commandant qui, comme le veut la tradition, gravit les marches menant au vaste préau de l'académie. S'ennuie-t-elle ? Non. Elizabeth adore ce type de cérémonial militaire qu'elle connaît sur le bout des doigts. Elle est d'ailleurs colonel en chef de vingt régiments de l'armée de terre et de l'aviation, et parraine de nombreux bateaux de la Royal Navy. La reine ne trouve rien de mieux pour fêter son anniversaire que de passer en revue ses troupes, les gardes royaux.

« Vous devez être courageux, mais désintéressés ; des chefs tout en restant humains ; sûrs de vous mais attentionnés envers les autres » : dans la bouche d'Elizabeth II les qualités d'un officier ressemblent à celles exigées d'un monarque.

Secrètement sans doute, elle aurait préféré que William et son cadet, Harry, suivent les traces de leur arrière-grand-père, de leur grand-père, de leur père et de leur oncle qui avaient choisi la Royal Navy. La reine n'a pas compris pourquoi ses deux petits-fils ont choisi l'armée de terre. La rumeur veut que les deux jeunes gens soient fascinés par les exploits du corps d'élite SAS qui leur ont appris à conduire et leur ont enseigné des rudiments d'arts martiaux. La souveraine a dû se rendre à l'évidence, l'époque se prête à ce choix. L'armée de terre, engagée en Irak et en Afghanistan ou chargée d'une mission de maintien de la paix à Chypre, au Kosovo, en Bosnie ou en Sierra Leone, fascine aujourd'hui les aspirants officiers. Les souverains du Proche-Orient, Jordanie et golfe Persique, envoient d'ailleurs tous leurs enfants poursuivre une formation militaire de quarante-quatre semaines à Sandhurst, pour y apprendre le sens du leadership. Jadis chère aux Windsor, la marine ne fait plus autant recette, victime des changements de l'environnement stratégique.

Seule consolation, les deux princes ont été versés dans l'un des régiments préférés de leur grand-mère, la cavalerie royale appelée Blues and Royals, fondée en 1662. De tous les régiments de l'armée britannique, c'est incontestablement le plus connu à l'étranger avec ses bonnets à poil que viennent admirer les touristes du monde entier. Gardiens de tous les châteaux royaux, les grenadiers et cavaliers participent au défilé militaire organisé chaque année à l'occasion de l'anniversaire de la reine, le Trooping the Colour. Soldats, sous-officiers et officiers de ces régiments d'apparat, qui glissent d'un pas lent devant la souveraine, sont bâtis sur le même modèle : grands (au moins 1,80 mètre) et minces. La discipline est très stricte et l'on s'ennuie ferme à cirer ses bottes, nettoyer l'armure, repasser l'uniforme. Quand le régiment est en service d'active, affecté essentiellement à des missions de reconnaissance à l'étranger à bord de blindés légers, la reine se sent orpheline. D'autres corps montent la garde devant Buckingham Palace, mais ce n'est pas pareil...

L'attachement de la souveraine aux grenadiers est légendaire. Malgré les pressions de son mari et de son fils, tous deux écologistes, elle refuse d'envisager le remplacement de la peau d'ours du Canada, dans laquelle sont fabriqués les fameux bonnets, par de la fibre synthétique. « Il n'est pas question que je fasse Sandhurst pour ensuite rester les fesses au chaud pendant que mes gars se battent pour leur pays. » L'envoi en Irak du prince Harry, « Cornet Wales » (sous-lieutenant Wales), officier de cavalerie, troisième dans l'ordre de succession, s'inscrit dans une tradition familiale bien établie. Son grand-père Philip a combattu dans la marine lors de la Seconde Guerre mondiale, son père a passé cinq ans dans la Royal Navy mais sans se battre. Son oncle Andrew a servi lors des Malouines, en 1982.

« Avoir la reine comme chef suprême met une distance mutuellement bénéfique entre les militaires et le pouvoir politique. Quand ils ont obtenu leurs galons d'officier, les cadets servent Sa Majesté. Nous sommes ses soldats », confie le commandant de Sandhurst, Peter Pearson, général deux étoiles, un brin d'émotion dans la voix. *Queen and Country !* : ce cri de bataille exprime le lien sacré entre la Couronne et l'armée. Les Premiers ministres passent mais la reine demeure à son poste, impassible, comme le montrent les deux grands portraits d'elle exposés à la grande entrée de l'école militaire.

Le Bill of Rights, que Guillaume d'Orange avait dû accepter comme condition de son couronnement, réserve au Parlement le droit de lever et entretenir une armée en temps de paix. En temps de guerre, la nomination des généraux, la stratégie, la signature de la paix relèvent du gouvernement.

Le souverain est le chef des armées, mais il s'agit, assure-t-on aujourd'hui, d'une fonction essentiellement honorifique. Le dernier roi à mener personnellement les troupes au feu fut George II lors de la guerre de succession d'Autriche au XVIIIe siècle. Les interventions des monarques sont ponctuelles. Au XXe siècle, George V avait obtenu en 1915 le remplacement du maréchal French comme commandant du front occidental par Douglas Haig, son favori. George VI avait personnellement interdit à Churchill de participer au débarquement de Normandie comme il en avait fait la demande.

Quant à elle, la reine Elizabeth n'aurait pu se permettre une telle autorité au cours de son règne, pourtant émaillé de conflits, tels Suez en 1956, les Malouines en

1982 et l'Irak en 2003. Son rôle est de soutenir le moral des troupes, pas de jouer à Superwoman en déclenchant toutes les foudres d'Albion en Irak ou en Afghanistan. Elle n'a, bien sûr, pas le pouvoir d'appuyer sur le bouton atomique.

Le parrainage de régiments est destiné à assurer la continuité historique. Ce lien a une portée symbolique mais aussi pratique. Si l'Angleterre n'est pas le Pakistan de 1999, le Chili de 1973 ou la Grèce de 1967, les mauvaises langues affirment que le lien entre l'armée et la Couronne est un gage de tranquillité pour la dynastie. Elizabeth II n'a pas oublié comment des officiers supérieurs d'extrême droite avaient comploté à la mi-70 pour tenter de faire tomber Harold Wilson qu'ils soupçonnaient, à tort, d'être un agent communiste ! Les conjurés avaient même suggéré de démettre la souveraine, jugée trop proche du Premier ministre, pour la remplacer par son propre oncle, Mountbatten. L'affaire avait été étouffée pour protéger la réputation de neutralité politique des armées. Le Royaume-Uni est une démocratie exemplaire, mais si elle le voulait, au niveau constitutionnel, la souveraine pourrait provoquer un coup d'État, avec l'appui de l'armée. C'est une vue de l'esprit mais qui doit être mentionnée.

* * *

L'Église. — « FD » (Fidei Defensor) : comme l'indiquent ces deux lettres figurant sur son titre officiel, Elizabeth II a été sacrée Protectrice de la foi universelle. Dans la monarchie britannique, le sabre va de pair avec le goupillon. À l'inverse de ce qui se passe dans les pays du

Nord, qui débattent aujourd'hui de la séparation de l'Église et de l'État, au Royaume-Uni, la reine est le gouverneur suprême de l'Église d'Angleterre, la religion officielle. A priori, il s'agit d'une position pour le moins surprenante dans un pays largement déchristianisé, dans une société multiculturelle englobant protestants, catholiques, mais aussi juifs, musulmans, hindous et bouddhistes, dans une nation ouverte aux vents de la mondialisation comprenant bon nombre d'agnostiques.

La reine est une femme profondément croyante, une pratiquante régulière nourrie de la Bible, des hymnes et des sermons. Les événements royaux ont une constante : la présence d'un pasteur responsable de l'une des chapelles royales, Windsor, Hampton Court, Westminster ou St. James, ses diocèses personnels. « Où est mon prélat ? » lance à plusieurs reprises la souveraine au cours d'une réception à laquelle j'ai assisté à Buckingham Palace pour ses sujets les plus méritants. Elizabeth est très liée à ses conseillers spirituels qu'elle choisit elle-même. Ayant accès à sa sphère la plus intime, ces derniers ont pour règle de ne jamais parler à des journalistes. Elle exige d'eux qu'ils soient directs, sans être moralisateurs. Elle exerce une tendre tyrannie à leur encontre.

La reine est habitée de certitudes intérieures qui guident son comportement envers les autres. L'humilité est l'une des valeurs, dit-on, qu'elle trouve dans sa foi, tout comme le devoir et la bienséance. Les références religieuses sont une constante de son message de Noël.

L'évêque de Winchester, Michael Scott-Joynt, est chargé des relations entre l'Église d'Angleterre et la cour. Il doit ce titre à l'ancienneté de son diocèse, l'un des plus

vieux du pays. Il est aussi le pasteur du très noble ordre
de la Jarretière, l'ordre de chevalerie le plus prestigieux
parmi ceux décernés par Sa Majesté. Winchester, une
vraie carte postale, avec ses rues proprettes, ses prestigieux vestiges, ses boutiques de souvenirs, est un con-
densé de l'Angleterre du Sud-Est, traditionnelle, pros-
père, à l'abri des brassages raciaux. Il y a du vent, des
arbres et du gazon. La devise du Winchester College, le
vénérable pensionnat, résume la philosophie des ouailles
de l'évêque Michael Scott-Joynt : *Manners make a Man*
(La conduite fait l'homme).

Le prélat habite Wolseley Palace, une grande maison
de briques grises, tapie à l'ombre de la cathédrale. L'objet
de ma visite l'enchante car trop de biographes britanniques, dit-il, se sont désintéressés de cet aspect-là de la vie
de la reine. « Sa piété est primordiale pour la comprendre. Elle n'a pas changé, mais la société s'est laïcisée,
d'où un certain décalage », insiste le porte-parole de
l'Église d'État pour les affaires constitutionnelles.

Il est difficile de se faire une idée quelque peu précise
de ce que représente aujourd'hui l'Église anglicane dans
la société ou d'évaluer son influence sur vingt-cinq à
trente millions de fidèles au Royaume-Uni et quatre-
vingts millions de par le monde. Depuis quelques
années, il n'est question que de crise au sein de cette
dénomination chrétienne : effondrement de la pratique,
chute des vocations, sécularisation de la société, divi-
sions profondes sur les questions de société. En même
temps, aller au service est désormais l'expression d'une
démarche personnelle, libre. La proportion des sujets
qui se définissent « Church of England » quand on les

interroge sur leur identité religieuse est stable, autour de
50 % de la population.

Dans ces circonstances, comment définit-on la foi de la
gouvernante suprême de l'Église anglicane ? Si l'atmosphère de sacristie invite aux confidences, la prudence de
Michael Scott-Joynt est de règle : « Comme en toutes choses, la souveraine est partisane du juste milieu face aux
multiples courants qui s'affrontent au sein de notre
Église. » Cela s'appelle la *broad church*, l'Église aux idées
larges. La reine ne se reconnaît pas dans la « haute Église »
qui maintient la tradition catholique romaine fondée sur le
symbolisme et le cérémonial. Elle récuse la vision sociale
de ce courant de l'Église. Pour elle, la religion se limite au
spirituel. Quant à la « basse Église », plus proche des protestants réformés, elle est trop dominée, à ses yeux, par le
mouvement évangélique, voire charismatique. Pendant le
service religieux, Elizabeth n'est pas du style à tenir sa voisine par la main en psalmodiant les offices.

« La reine n'exprime pas d'opinions religieuses profondes, mais elle est, comme la majorité des chrétiens de
son royaume, attachée aux grands préceptes de la doc-
trine. Les détails ne l'intéressent pas » : l'évêque de Winchester souligne qu'il est impossible de se faire une idée
précise des positions de la Protectrice de la foi sur les
grands dossiers qui divisent les fidèles.

Ainsi, la question de l'homosexualité de certains
membres du clergé qui menace l'Église d'Henry VIII
d'implosion. La reine ne considère pas l'homosexualité
comme un péché, à l'inverse des évangéliques qu'elle
estime intolérants. Mais elle ne suit pas non plus l'aile
libérale pour qui être gay relève de la nature et non d'un

choix personnel. Pour la chef suprême de l'Église d'Angleterre, l'orientation sexuelle dépend de chacun sous réserve du respect du prochain. Elle accepte le grand principe protestant du libre arbitre, ce qui ne signifie pas, loin de là, qu'il n'existe aucune règle morale. En matière de liturgie, elle est traditionnelle. Sa position sur l'ordination sacerdotale des femmes, décidée en 1992, reste un mystère, mais elle ne devrait pas y être favorable. Une chose est claire, elle n'aime pas les zélotes religieux. En cela, elle suit la trace de la reine Victoria qui préférait de loin, parmi ses Premiers ministres, Benjamin Disraeli, juif converti, et lord Melbourne, agnostique, au prêcheur William Gladstone.

Le maître à penser d'Elizabeth II serait Thomas Cranmer (1489-1556), fidèle d'Henry VIII, nommé archevêque de Canterbury qui avait invalidé en 1533 le mariage du roi avec Catherine d'Aragon pour lui permettre d'épouser Ann Boleyn. Il fut exécuté lors du retour des catholiques au pouvoir sous Marie Tudor — dont le goût du sang — Bloody Mary (la Sanglante) — donna son nom au cocktail à base de vodka et de jus de tomate.

Cranmer a défini le caractère sacré de la monarchie auquel elle souscrit. De la lecture de son livre de prières proviendrait sa méfiance envers les catholiques. Comme tous ses prédécesseurs, elle a toujours soutenu la loi de 1701 selon laquelle le souverain ne peut être catholique, pas plus qu'il ne doit épouser un ou une catholique. La reine ne mentionne pas Cranmer à tort et à travers mais est profondément marquée par son influence.

Le titre de gouverneur suprême de l'Église d'Angleterre a valeur de symbole. Le vrai pouvoir, spirituel

comme exécutif, est exercé par l'archevêque de Canterbury, épaulé par les quarante-quatre évêques diocésains.
Le Primat de la religion, issue du schisme de 1534 entre
l'Église d'Angleterre et le Saint-Siège, et les évêques sont
désignés par le Premier ministre sur proposition d'une
commission ecclésiastique. C'est donc une affaire interne
à l'Église. Par ailleurs, les prérogatives du souverain du
Royaume-Uni en matière religieuse sont limitées à
l'Église d'Angleterre au sens strict. En Écosse, elle n'est
que membre de l'Église nationale, presbytérienne. Quant
au pays de Galles depuis 1920 et à l'Irlande du Nord
depuis 1869, ils échappent totalement à son contrôle.

Même si beaucoup d'eau a passé sous le pont de Westminster, la reine s'est toujours refusée à accepter la
réforme préconisée par son fils, le prince Charles, favorable à la défense de « toutes les croyances ». En 1994, la
polémique sur la séparation de l'Église d'Angleterre et de
l'État a tourné court après un vote négatif du Synode
général, l'instance suprême de l'anglicanisme. L'évêque
de Winchester défend l'attitude la reine : « Le prince
Charles a été mal conseillé. Je ne pense pas que la notion
de foi existe dans le vide. On croit en Dieu dans le cadre
d'une structure religieuse particulière. Pour être respectueux des autres religions, il faut d'abord pleinement
vivre la sienne. » Deux ans plus tard, la reine avait elle-
même commandé un rapport à une commission spéciale
sur les liens entre la religion d'État et l'institution monarchique. Un dossier vite enterré. Les catholiques britanniques, qui ne représentent que 10 % de la population,
n'ont jamais eu le poids électoral pour imposer ce boule-
versement. De plus, beaucoup soupçonnaient alors le

prince Charles d'être partisan de la séparation de l'Église et de l'État pour faire accepter plus facilement son divorce de la princesse Diana en vue d'épouser Camilla.

Lors de son couronnement, Elizabeth II a prêté serment de « maintenir dans le Royaume-Uni la religion protestante réformée établie par la loi » et de gouverner « par permission divine ». C'est pourquoi la souveraine s'est rangée derrière les partisans du statu quo. Ce groupe comprend non seulement les prélats anglicans, mais les francs-maçons. Longtemps présidées par son cousin, le duc de Kent, membre de la famille royale, les loges britanniques, très marquées à droite, farouchement antipapistes, sont restées influentes dans la magistrature, la police et l'armée. Il faut aussi considérer l'hostilité des protestants ultras nord-irlandais et des presbytériens écossais envers les catholiques. « Il vaut mieux avoir à la tête du pays une personne croyante que non croyante » : comme l'a indiqué un grand rabbin du Royaume-Uni, une partie de la communauté juive est également opposée à toute réforme de ce lien fondamental qui, estime-t-elle, l'a protégée des persécutions catholiques après l'expulsion des juifs d'Espagne, au XVe siècle.

Ces préjugés anti-Rome étaient profondément ancrés dans l'entourage royal. En 1935, le roi George V renvoie un message de félicitations du primat catholique d'Angleterre et du pays de Galles à l'occasion de son jubilé d'argent. En 1947, le chef de l'Église catholique n'est pas invité au mariage princier. Ce n'est qu'en 1961, lors d'une visite officielle en Italie, que la reine est reçue par Jean XXIII.

Son père n'avait jamais visité le Vatican tout au long de son règne. Il faut attendre 1982 pour que Rome nomme un nonce apostolique à Londres et 1985 pour que Jean-Paul II accomplisse le premier voyage d'un pape au Royaume-Uni. Mais la même année, la reine interdit au prince Charles et à la princesse Diana d'assister à une messe célébrée par Jean-Paul II dans sa chapelle privée du Vatican. Ce n'était pourtant pas compromettant, ce privilège étant octroyé à beaucoup de gens. Ils devront se contenter d'une audience. En 1995, la reine assiste pour la première fois à un service religieux catholique en la cathédrale de Westminster à l'occasion du centenaire de l'édifice.

Cet attachement à l'Église d'Angleterre a pu justifier la défiance, au départ, de la reine envers Tony Blair, « crypto-catholique », dont les quatre enfants ont été baptisés dans la religion de leur mère et qu'il accompagne chaque dimanche à la messe. Cette défense de l'Église anglicane pourrait également expliquer la mise à l'écart de sa cousine, la très populaire duchesse de Kent (qui a longtemps remis le trophée aux vainqueurs de Wimbledon), après sa conversion, en 1994, au catholicisme. Il est vrai qu'elle est le premier membre de la famille royale à le faire depuis l'excommunication d'Henry VIII, en 1533. En suivant l'exemple de sa mère, son fils, Nicolas Windsor, a perdu tout droit d'accéder au trône.

Mais la reine s'est progressivement adaptée à l'évolution de la société britannique. L'archevêque de Westminster, le cardinal Basil Hume, devenu primat d'Angleterre et du pays de Galles en 1976, a joué un grand rôle dans cette ouverture. Étant bénédictin, voué à une vie monastique et contemplative, le prélat catholique était disposé à engager un dialogue plus ouvert que ses prédécesseurs. La reine l'appellera « mon cardinal ». Hume se lie d'amitié avec Diana qui l'aide à régler le problème des sans-abri ayant élu domicile sur le parvis de la cathédrale. L'archevêque lui conserve son amitié même après le divorce, ce qui lui vaudra les foudres du prince Charles. Diana, qui, dit-on, songeait à se convertir au catholicisme à l'image de sa mère, est venue fréquemment le consulter quelques mois avant sa disparition. Ces liens n'ont pas empêché le prélat dans son homélie lors de la messe funéraire du 5 septembre 1997 de dénoncer « la personnalité imparfaite » de la défunte. Une litote pour évoquer un divorce sulfureux et une longue série d'amants. La reine a apprécié.

Peu de temps avant sa mort en 1999, le cardinal Hume reçoit des mains d'Elizabeth II l'ordre du Mérite victorien, l'une des plus hautes distinctions royales. « Nous avons parlé de la mort, de la souffrance et de la vie dans l'au-delà, de ce genre de choses », confie le cardinal à son aide-soignant en sortant du palais. En 2002, nouveau signe de décrispation avec l'Église catholique : la reine a invité son successeur, le cardinal Cormac Murphy O'Connor, à prononcer son sermon dominical dans la chapelle privée attenante au château de Sandringham. Comme on le voit, de nos jours, Elizabeth II œuvre au développement de l'œcuménisme, les relations entre les Églises. Parallèlement, le dialogue interreligieux entre chrétiens et confessions non chrétiennes est à l'ordre du jour. Le prince Charles, en particulier, a multiplié les contacts avec les représentants religieux musulmans.

L'islam, qui a joué un rôle plus important que l'hindouisme dans l'édification de l'Empire des Indes, a toujours fasciné l'aristocratie du royaume. Le valet de pied et, peut-être amant, de la reine Victoria n'était-il pas un Indien de confession musulmane ?

* * *

La noblesse. — Outre le palais, l'armée et la religion, le quatrième pilier du règne d'Elizabeth II est la noblesse. La présence aux premiers rangs lors de son sacre des pairs héréditaires du royaume dans leur tenue de velours et d'hermine cadenassée jusqu'au cou souligne ce lien. Un demi-siècle plus tard, elle reste associée à une caste qui survit, et très bien, dans ses bastions solides et peu voyants.

En novembre 2004, le mariage de lady Tamara Grosvenor avec Edward Van Cutsem dans l'église d'Eaton Hall est l'événement mondain de l'année. Le père de la mariée n'est autre que Gerald Cavendish Grosvenor, duc de Westminster, la plus grosse fortune aristocratique du royaume. Fort de biens immobiliers comprenant les plus beaux quartiers de Londres et de grasses terres dans le Cheshire, président d'une centaine d'associations philanthropiques et colonel de l'armée de réserve, le duc de Westminster est un mini-souverain à lui seul.

La reine est bien sûr l'invitée de marque. Le père du duc était l'un de ses amis. Le duc est un ami d'enfance du prince Charles, sa femme, la marraine du prince William et le futur gendre, lui-même le meilleur copain de ce dernier. L'assistance (princes, ducs, marquis, comtes et barons) est essentiellement constituée du ban et de l'arrière-ban de la noblesse d'Angleterre. Aujourd'hui comme à l'époque de son couronnement, la reine se sent à l'aise en compagnie de l'aristocratie.

Malgré les heurs et malheurs de l'Histoire, en dépit des bouleversements sociaux, de l'avènement de la classe moyenne ou de l'existence des minorités raciales, la noblesse du Royaume-Uni se porte bien.

Certes, le pouvoir politique est irrémédiablement perdu avec le « licenciement », en 1999, par Tony Blair de la majorité des pairs héréditaires de la Chambre des lords. En 1952, tout l'état-major de la reine était constitué de « sang bleu » sorti d'Eton. Aujourd'hui, un seul haut dirigeant de Buckingham Palace est issu de cette caste aux noms à double particule. Certes, la richesse s'est effilochée : un seul aristocrate, le duc de Westminster, figure parmi les dix plus riches personnalités du pays. Le reste, ce sont des nouveaux riches qui doivent leur fortune uniquement à leur activité industrielle et financière. Certes, chaque année, cinq titres en moyenne s'éteignent faute de descendants ou sont rachetés par des roturiers. En moyenne, une vingtaine de châteaux sont vendus chaque année par des propriétaires ruinés par la faible rentabilité de certaines terres, celles qui sont, par exemple, éloignées des grandes villes, touchées par la flambée des coûts d'entretien ou du fardeau des charges sociales.

Il reste que jamais, depuis un demi-siècle, la cote « du nom et du sang » associée à la famille royale n'a été à ce point à la hausse. Le nec plus ultra, pour les néo-parvenus ou les immigrés enrichis, n'est-il pas de se frotter aux membres de la famille royale et à la haute noblesse dans les bals, cocktails ou rallyes mondains et d'apparaître, à leur côté, dans les pages mondaines du mensuel *Tatler's* ? Moyennant quelques milliers de livres, des consultants promettent de leur entrouvrir les portes d'un univers toujours méfiant vis-à-vis de l'argent nouveau. Dans un monde sans repères, où se sont effondrés certitudes et conformismes, les valeurs dites aristocratiques — ordre, autorité, éthique et bonnes manières — représentées par la reine servent à nouveau de références. Pour bon nombre de sujets, visiter l'un des châteaux royaux le dimanche, en famille, est une façon de retrouver les racines du royaume.

La prédominance des nobles dans la vie sociale britannique n'est pas nouvelle. C'est la conséquence d'abord de leur histoire : contrairement à celle de 1789 en France, la Révolution anglaise du XVIIe siècle n'entraîna ni guillotine ni réforme agraire radicale. Il n'y a pas eu de transfert massif de la propriété foncière, à l'inverse de la France où les paysans riches ont acheté des biens de la noblesse. Par ailleurs, le droit d'aînesse (aux descendants mâles) est demeuré en vigueur, ce qui a permis de maintenir intact le patrimoine.

Si, depuis la fin du XIXe siècle, l'aristocratie a perdu du terrain sur le plan politique, ce n'est donc pas le cas sur le plan économique. La Seconde Guerre mondiale l'a même renforcé, l'isolement du pays ayant conduit le gouvernement d'union nationale à subventionner généreusement les grands domaines agraires. L'image de la noblesse sort d'ailleurs rehaussée du conflit. Ce sont des représentants éminents de celle-ci qui mènent contre Hitler le combat de la liberté : Churchill, neveu du duc de Marlborough, Mountbatten, Alexander, Stirling.

L'agonie de l'empire colonial, la fiscalité impitoyable imposée par les gouvernements travaillistes des années 40, 60 et 70, et la cure de néolibéralisme de l'ère Thatcher, avec son ode à l'ambition et au travail, n'ont guère pénalisé la société traditionnelle des « rentiers ». La politique agricole commune européenne a subventionné le gotha du Royaume-Uni. Les grands domaines ont bénéficié des aides de Bruxelles, attribuées au prorata de la superficie des exploitations, de leur production et du nombre de têtes de bétail. La reine, le prince Charles et un grand nombre de ducs, comtes, barons et autres grands propriétaires terriens figurent parmi les privilégiés de la PAC. Les grandes familles, dont la fortune procède de la propriété foncière, grâce à un système fiscal relativement libéral, ont su tirer profit de la flambée des prix des terrains. Le boom des villes qui se répandent dans la ceinture verte a provoqué une hausse des prix des terres. L'ascension des prix des tableaux anciens, du mobilier d'époque et de l'argenterie a permis de renflouer la trésorerie pour faire face aux dépenses imprévues.

Sur le plan de la protection patrimoniale, le système de « trusts » familiaux — spécifique au monde anglo-saxon — a permis de protéger les avoirs des effets de l'impôt sur l'héritage ou sur les gains en capitaux.

« Contrairement aux fermiers, nos membres ont une vision plus large de l'environnement. Ce sont les gardiens d'un héritage, des forêts, de la maison de famille, de la faune » : comme l'indique la Country Landowners Association, l'association des propriétaires de terres agricoles, la montée du mouvement écologique a valorisé ce groupe social, qui, plus que tout autre, illustre la protection de la campagne. À l'instar du prince Charles et du duc d'Édimbourg, les nobles tiennent le haut du pavé de la cause verte. Sans parler de l'emprise de l'aristocratie sur certaines activités de plein air, en particulier le polo, l'équitation ou la chasse, qui offrent la possibilité de se retrouver entre soi.

Elizabeth II a hérité d'un titre, de plusieurs châteaux, d'une collection d'œuvres d'art et d'une fortune. Elle les léguera à son tour, valorisés, à ses propres héritiers pour assurer la pérennité de la lignée. Dans son fonctionnement social comme dans sa gestion financière, c'est une aristocrate. Pourtant, à bien y regarder, sa fortune en nom propre est mineure comparée à celle des grandes familles, les Westminster, Devonshire, Buccleuch ou Norfolk qui possèdent d'immenses propriétés, des milliers d'hectares ou des quartiers entiers de Londres grâce à un régime foncier libéral.

« La royauté maintient toujours ses distances avec nous pour mieux se distinguer », me déclarait un jour un baronet à qui j'avais demandé de distinguer la royauté de la haute noblesse. Car étrangement pour un système monarchique, sa légitimité, le souverain constitutionnel anglais la tient d'abord du peuple.

Dans tous les conflits opposant l'aristocratie au peuple (1846, 1909-1911, 1936), l'institution royale a eu l'intelligence de se ranger derrière la bannière populaire. Quand lord Melbourne est confronté au blocage de la Chambre des lords contrôlée par les grands propriétaires terriens, Victoria accepte de diluer leurs pouvoirs en créant une centaine de pairs à vie. Un peu à la manière de Louis XIV créant de multiples charges à Versailles pour neutraliser la noblesse toujours prête à la fronde. Inquiète de la terrible condition ouvrière, outrepassant l'opposition de son Premier ministre, elle obtient la création d'une commission royale sur la question, présidée par le prince de Galles en personne. George V suit son exemple en 1910-11 pour aider son Premier ministre, lord Asquith, à faire passer sa loi de finances en menaçant d'abolir le pouvoir de l'aristocratie en créant des centaines de pairs dont les titres ne seront pas héréditaires. Risquant d'être submergés, les lords capitulent. Le monarque accepte aussi sans ciller le premier gouvernement travailliste, en 1924, « il faut lui donner sa chance ». Cette alliance Couronne-peuple associe toutefois la liberté davantage à la hiérarchie qu'à l'égalité chère à la Déclaration des droits de l'homme et du citoyen à la française.

C'est dans son ouverture à la bourgeoisie et non pas dans son ancrage à l'aristocratie que se trouve la clé de la survie de la monarchie britannique. Trois des quatre enfants d'Elizabeth et de Philip se marieront à des roturiers. Seul le prince Charles choisira une noble, la fille d'un comte : lady Diana Spencer.

V

DIANA ET CAMILLA

Où étiez-vous le jour de la mort de la princesse Diana ? Comme pour l'assassinat de Kennedy ou la tragédie du 11 septembre, tout le monde est capable de répondre à cette question. Le dernier week-end d'août 1997, j'étais en week-end à Brighton. Sur le coup de 3 heures du matin, je suis averti de l'accident de la circulation dont a été victime la princesse dans le tunnel de l'Alma. La télévision repasse en boucle le plan fixe de la Mercedes S-280 fracassée contre un pilier. À 4 h 44, le présentateur de la BBC lit le flash : « La princesse Diana est décédée des suites des blessures reçues lors de son accident à Paris. » L'écran se couvre du drapeau britannique en berne alors que retentit le *God Save the Queen*. L'accident me rappelle l'Alfa Romeo de Jack Palance et de Brigitte Bardot dans *Le Mépris*. Une bourgeoise blonde et un amant richissime, n'est-ce pas un peu comme Diana et Dodi Fayed ? À la gare Victoria, le public fait patiemment la queue pour acheter les éditions spéciales de la presse dominicale. Pas un mot. Le silence est impressionnant. Le royaume pleure sa princesse.

« C'est trop tôt pour en parler. » Aujourd'hui encore, un courtisan qui était à Balmoral aux côtés de la reine en ce 31 août 1997 refuse d'évoquer les heures tragiques telles qu'elles ont été vécues dans le château royal écossais. Il ne veut rien dire sur l'ambiance prévalant dans la vieille demeure de granit où la reine, comme à son habitude, passait ses vacances d'été entourée des siens, son mari, sa mère, son fils Charles et ses deux petits-fils, William et Harry. Rien sur les déchirements internes aux Windsor, les tiraillements entre conseillers, l'attitude du nouveau Premier ministre Tony Blair, la révolte du peuple à Londres, le harcèlement des médias.

Situé au milieu d'une lande sauvage, le château, avec des meubles massifs, du papier peint sombre et des armures médiévales évoque un décor victorien d'une aventure de Sherlock Holmes. Idéal en tout cas pour une tragédie familiale à huis clos.

Le 30 août 1997, Elizabeth s'est couchée tôt en prévision du service religieux de dimanche. L'héritier au trône doit retourner à Londres le lendemain avec ses enfants qui doivent voir leur mère avant de rentrer en classe la semaine suivante. La tradition veut qu'un membre de son secrétariat particulier soit de permanence à Craigowan, l'annexe du château. C'est Robin Janvrin, le numéro deux de la maison royale, qui est de service.

Au milieu de la nuit, l'ambassadeur à Paris, Michael Jay, appelle le conseiller royal depuis l'hôpital de la Salpêtrière sur une ligne spéciale pour lui apprendre l'accident survenu sous la place de l'Alma. Janvrin ordonne à un valet de réveiller la reine et le prince Charles. Toute la famille royale se retrouve devant la télévision, attendant les nouvelles. Les autorités françaises annoncent la mort du chauffeur, Henri Paul et, peu après, celle de Dodi Fayed. Diana semble en avoir miraculeusement échappé. Le gouvernement français ignorait que la princesse de Galles était en France, l'ambassadeur britannique aussi. À 3 h 05, heure anglaise, elle est morte.

Le ministre de l'Intérieur, Jean-Pierre Chevènement, annonce la sinistre nouvelle à Jay qui prévient Balmoral et le Premier ministre, Tony Blair.

Elizabeth II ne montre aucune émotion. Le prince Philip et la reine mère ne paraissent guère troublés. Prévenue, la princesse Margaret refuse d'écourter ses vacances pour « cette pauvre fille qui a épousé mon neveu et a causé toute cette agitation ». Agitation : plus que peinée, la souveraine paraît dérangée par l'accident du pont de l'Alma. En fait, la seule préoccupation de la reine à ce moment-là est de réconforter ses deux petits-enfants, les princes William, alors âgé de quinze ans, et Harry, douze ans. Le prince Charles les met au courant de la disparition de leur mère à leur réveil.

Pour Elizabeth, l'affaire est simple : Diana, divorcée, n'était plus membre de la famille royale. Son titre de princesse royale lui avait été retiré en 1996 après son divorce. Elle était exclue de la famille Windsor. Sa mort est une affaire privée, interne à la famille Spencer. La souveraine demande que l'on contacte le comte Charles Spencer, qui vit en Afrique du Sud, pour organiser les obsèques de Diana. Le clan Spencer penche pour une cérémonie intime. Avec l'accord de sa mère, le prince Charles se rend à Paris à bord d'un avion militaire pour ramener la dépouille de son ex-épouse qui est déposée dans la chapelle royale du palais de St. James. La monarque a toute confiance en ses collaborateurs et son Premier ministre pour régler la crise. Ses petits-enfants ont besoin d'elle. Sa décision est prise : elle restera à Balmoral et ne regagnera Londres que pour les funérailles privées de son ex-belle-fille.

Mais, à Londres, des milliers d'anonymes, britanniques et étrangers, de toutes les origines, de tous les milieux sociaux, affluent vers le palais de Kensington, résidence de Diana, pour déposer des monceaux de fleurs, allumer des bougies ou accrocher des photos de la défunte aux grilles. La foule se masse également aux abords de Buckingham Palace, symbole de la monarchie. Comme toujours en l'absence du souverain, l'étendard royal a disparu du mât. Le pays est en état de choc. Les présentateurs de la BBC, chemise blanche et cravate noire, sont en deuil. La Bourse a observé une minute de silence. La vie politique est suspendue.

Les dernières semaines ont été difficiles pour la reine. La presse populaire étale les photos de Diana plus belle que jamais aux côtés de Dodi Fayed, fils aîné du magnat Mohammed Al Fayed, propriétaire d'Harrods. Le chef de l'État a la mémoire longue. Au début de la romance, en juillet 1997, entre Diana et Dodi Fayed, la reine désapprouve que ses deux petits-fils, William et Harry, rejoignent leur mère pour une dizaine de jours de vacances à bord du yacht *Jonikal* du clan égyptien au luxe tapageur. La souveraine soupçonne Diana d'avoir plutôt un faible pour le père Al Fayed, un peu à l'image de Jackie Kennedy séduite par le vieillissant et richissime Onassis. Ça la dégoûte. « Méfiez-vous du Grec qui apporte des cadeaux », dit un célèbre proverbe anglais inspiré du poète Virgile. Prise au téléobjectif par un paparazzi italien, la photo du baiser entre Dodi et Diana sur le yacht au large de la Sardaigne n'apparaît pas dans la revue de presse quotidienne faite par le service de communication du palais transmise à Balmoral. On a voulu épargner cet affront à Sa Majesté. Certes, son ancienne belle-fille, âgée de trente-cinq ans, est libre d'aimer qui elle veut, mais de là à s'exposer, elle la blonde aristocratique, mère d'un futur roi d'Angleterre, avec un Maure, un play-boy égyptien à la réputation sulfureuse, il y a un pas à ne pas franchir. Cette liaison inquiète même les services secrets britanniques et américains qui traquent les amoureux. Fayed s'est enrichi grâce notamment au commerce des armes au Proche-Orient.

Il faut rappeler que, depuis un certain temps, Mohammed Al Fayed est *persona non grata* à la cour. L'origine mystérieuse de sa fortune et ses mensonges sur sa famille et ses activités passées n'en font pas une personne fréquentable. Le ministère de l'Intérieur lui a d'ailleurs refusé la nationalité britannique. La question est arrivée jusqu'au Parlement où des députés conservateurs corrompus par Al Fayed ont demandé la raison de cette « injustice ». Si la reine, sa mère et son époux continuent à apporter leur patronage à Harrods, fournisseur de la cour depuis des lustres, c'est par habitude. La haute société anglaise, elle, boycotte l'établissement de Knightsbridge, jugé trop kitsch, trop proche-oriental, trop bazar. Bref,

NQOCD (*Not quite our class, dear*), pas tout à fait notre monde, mon cher. Plus qu'une nuance de langage, c'est un abîme de condescendance de l'aristocratie et de la royauté envers des nouveaux riches arabes. Enfin, Fayed Senior, paria de la gentry, a eu le mauvais goût de racheter, en 1986, l'élégant hôtel particulier du duc et de la duchesse de Windsor, à Neuilly. Une provocation pour les Windsor. Il est des choses qui ne se pardonnent pas.

Quant à Diana, en cet été 1997, la reine la considère comme un *loose cannon,* un électron libre, un danger public. Elle déteste par-dessus tout son comportement irrationnel.

Elizabeth II avait pourtant applaudi le mariage, le 29 juillet 1981, entre son fils aîné, célibataire aux allures de vieux garçon, et la plus jeune fille du huitième comte Spencer, apparentée à Charles II et aux Marlborough. À ses yeux, Diana était la belle-fille idéale. La grand-mère de Diana, lady Fermoy, est la meilleure amie et la dame de compagnie de la reine mère. Sa sœur Jane a épousé Robert Fellowes, le secrétaire particulier de Sa Majesté. Bien né, « Johnny » Spencer avait été l'écuyer d'Elizabeth II au début de son règne. La noblesse de la famille Spencer remonte à Guillaume le Conquérant,. La reine, elle-même issue du mariage d'un prince royal et d'une aristocrate, souhaite pour son fils une union de même nature. Âgée de dix-neuf ans, la jeune femme, collège parfait (diplômée de puériculture), style vestimentaire discret, dénuée d'ambition professionnelle, paraît un peu gourde. Surtout, on ne connaît aucune aventure à cette fille sage dans sa jeunesse. Chaste, pure, immaculée, anglicane, capable donc d'assurer la succession de la famille royale. À l'inverse des roturiers, Snowdon ou Mark Phillips, elle ne devrait avoir aucun problème d'adaptation aux rigueurs du protocole. En théorie, ce mariage est l'union parfaite.

Ce n'est pas le cas. Victime d'une monarchie castratrice, d'un mari indifférent (il en aime une autre), d'un entourage pervers, elle se transforme en imprécatrice de la royauté. Aux yeux de la reine, il est regrettable, mais normal, qu'un prince de Galles ait une maîtresse qui tienne la première place dans son cœur tandis que la jeune fille vierge qu'il épouse est seulement destinée à lui donner des héritiers à la légitimité incontestable. Diana doit rester fidèle aux canons du « sois belle et tais-toi », fermer les yeux et penser à l'Angleterre.

Entre Diana et Charles, Elizabeth a toujours choisi son fils. En 1986, lorsque sa bru l'implore d'intervenir auprès de son fils aîné pour qu'il cesse de voir Camilla, Elizabeth II s'y refuse. Par pudeur et parce que les amours de son fils ne la concernent pas. Jamais Elizabeth, maîtresse de ses émotions, n'a montré la moindre indulgence à l'égard des désordres physiques — anorexie et boulimie —, symptômes du mal-être de sa belle-fille et du traumatisme subi à son plus jeune âge en raison du divorce de ses parents.

Toutefois, après la séparation de 1992, la reine ordonne à son personnel de traiter Diana avec des gants : « N'oubliez jamais qu'elle est la mère du futur roi. » L'assistance du service de presse de Buckingham Palace et du personnel diplomatique à la princesse de Galles est maintenue. Son nom continue de figurer dans l'Almanach de la cour, publié quotidiennement dans le *Times* et le *Telegraph*.

Le statu quo vole en éclats après le déballage public, par Diana, de l'adultère de Charles. En révélant, le 20 novembre 1995, sur la BBC, ses turpitudes conjugales et ses déconvenues familiales, la princesse de Galles jette un véritable pavé dans la mare royale. En tailleur bleu marine sur tee-shirt blanc, les jambes croisées, le visage amaigri, elle dévoile ses tourments d'un ton blasé et impitoyable, à propos des infidélités de son époux avec Camilla, et son arithmétique pour une fois est bonne : « Nous étions trois dans ce mariage. C'était un tout petit peu surpeuplé. » Les propos fielleux sur l'« esprit » de Charles en disent long sur l'état du mariage : « Parce que je connais sa personnalité. Je pense qu'être roi lui apporterait d'énormes contraintes, et je ne sais pas s'il pourrait s'y adapter. »

La reine contraint le couple à divorcer le plus rapidement possible. La dernière rencontre d'une demi-heure entre Diana et Elizabeth II est glaciale. La monarque exige l'abandon, par Diana, du titre royal. En échange, « Di » reçoit 17 millions de livres, un versement annuel de 400 000 livres couvrant ses frais administratifs, l'usage de ses appartements du palais de Kensington — jusqu'à la majorité de ses fils —, de ses meubles, la propriété des bijoux reçus en cadeaux — assortie d'une interdiction de vente. Diana a de la chance. Pour ce crime de lèse-majesté, il y a quatre cents ans, elle aurait pu connaître une sortie plus affûtée sur le billot d'un échafaud Tudor façon sixième épouse d'Henry VIII. Après le divorce, prononcé le 28 août 1996, la princesse de Galles ne peut plus compter que sur elle-même, avec des conséquences catastrophiques.

Le mariage de Charles et de Diana avait été chaotique pendant onze ans, suivi d'une séparation pleine d'acrimonie de trois ans et d'un divorce en forme de règlements de comptes.

La campagne de l'autoproclamée « reine des cœurs », en mai 1997, contre les mines antipersonnel, sa critique du gouvernement conservateur sortant dans les colonnes du *Monde*, ses sympathies affichées pour le nouveau Premier ministre travailliste, Tony Blair, sont perçues en haut lieu comme une ingérence inacceptable dans le jeu politique de Westminster.

Depuis le divorce, la reine ne veut plus entendre parler de cette *basket case*, la cinglée, selon sa propre expression. Si les Windsor sont engagés dans des centaines d'associations caritatives, la compassion pour les problèmes personnels n'est pas leur genre. Diana en fait définitivement trop en s'affichant avec le meilleur et parfois le pire du show-business. La reine ne peut pas comprendre le réconfort apporté par la princesse de Galles, sous les projecteurs des médias, à Elton John et à son compagnon lors des funérailles du couturier Versace, assassiné par un prostitué à Miami.

Au lendemain du drame du pont de l'Alma, le souvenir de ces rancœurs refait surface. Lors du service religieux dominical, dans la petite chapelle de Balmoral, sur instructions de la reine, le pasteur ne prononce pas le nom de Diana. « Cela vaut mieux pour les garçons », estime la monarque. Pendant ce temps-là, dans tout le Royaume-Uni en ce lundi 1er septembre de rentrée, les drapeaux en berne flottent à mi-mât sur les bâtiments officiels, à l'exception des châteaux royaux. « Seule la mort d'un monarque autorise à baisser l'étendard royal » : ce leitmotiv va provoquer la plus grave crise du règne d'Elizabeth II. Emmurés dans le huis clos de leur château des Highlands favorable à la consommation d'alcool, les Windsor n'ont pas pris la mesure de l'hystérie collective qui couve à Londres. L'opinion ne comprend pas la distance de la reine. Alors qu'une foule de tous âges et de toutes conditions fait la queue dix heures d'affilée pour signer les registres de condoléances ouverts à St. James Palace, la reine ne juge pas nécessaire de s'adresser à un pays en état de choc. «Tous les membres de la famille royale, en particulier le prince de Galles, les princes William et Harry sont réconfortés par le soutien extrêmement chaleureux du public qui partage leur immense sentiment de tristesse » : le très mesuré communiqué du palais n'est pas à la hauteur de l'émotion populaire. « Où est notre reine ? Où est son drapeau ? » demande le *Sun* à propos du silence d'Elizabeth II. Pas question de mettre l'étendard en berne puisqu'il est le symbole de la continuité de l'État, répond la cour. Coincés dans leur carcan de règles archaïques, isolés en plein cœur de l'Écosse, les Windsor sont incapables de saisir l'immense bouleversement créé dans le pays par la « dianamania ».

À Balmoral, explique un proche, la reine affronte cette crise comme un navigateur une forte tempête : « On ferme les écoutilles, on rentre la voile et on se cloître au fond du bateau en attendant que le danger passe. » Mue par la pudeur, l'idée de son rang, le ressentiment envers

Diana et Al Fayed, coupée de la réalité par l'éloignement géographique, méfiante envers un nouveau Premier ministre travailliste élu en mai 1997, Tony Blair, obsédé par son image médiatique, la reine campe sur ses certitudes. Le chef de l'État est également tétanisé par l'intrusion des médias du monde entier qui font le siège de son château. L'ex-ministre conservateur, lord Carrington, excuse cette attitude : « La reine est la représentante par excellence d'une génération, élevée dans la réserve, la négation des émotions en public alors qu'aujourd'hui même les inconnus s'embrassent. » Même lors des visites faites sur les lieux des grandes catastrophes nationales ayant des enfants pour victimes, écrasement du terril d'Aberfan, en 1966, ou tuerie de Dunblane en 1996, Elizabeth II ne pleure pas en public, ce serait indécent.

Soutenue par son époux et sa mère, la souveraine peut également compter sur son secrétaire particulier, Robert Fellowes. Ce courtisan à l'ancienne, austère, froid, sans imagination, obnubilé par le protocole, est incapable de réagir à cette situation exceptionnelle. Par exemple, que faire du corps de Diana avant les funérailles ? Mohammed Al Fayed veut que la dépouille repose dans la morgue de Fulham. Fellowes est de son avis. La reine exige et obtient que le cercueil soit exposé au public dans la chapelle royale.

C'est sa seule concession. À Londres, la presse, l'opinion publique, la nation entière exigent deux choses : la mise en berne d'un drapeau au-dessus de Buckingham Palace et le retour immédiat de la souveraine dans la capitale. Mais à Balmoral, Elizabeth II s'enferme comme si de rien n'était dans une routine autiste : petit déjeuner au lit, rencontre avec le secrétaire privé, déjeuner à 12 h 30, promenade avec les chiens, thé, dîner à 20 h 15.

Au 10 Downing Street, Tony Blair s'alarme. Alors que l'appareil dynastique est dépassé par les événements, le Premier ministre a, dès l'annonce du drame, su trouver les mots justes en qualifiant la défunte de « princesse du peuple ». Le locataire du 10 Downing Street a bien mesuré le sentiment populaire. Pour persuader le monarque de faire des concessions, il dispose d'un relais de poids, le prince Charles. Le chagrin de l'héritier au trône, l'affection prodiguée à ses deux enfants ainsi que son déplacement à Paris pour rapporter le cercueil sont unanimement salués par les chroniqueurs. L'opinion, qui rendait Charles responsable de l'échec de son mariage, se retourne désormais en sa faveur.

Six jours dans la vie d'un royaume millénaire. Six jours qui changent tout et qui font date dans l'histoire des Windsor. En contraignant la reine à quitter Balmoral et à s'adresser, le 5 septembre, à la nation, les sans-culottes massés devant le palais de Buckingham ont réalisé une mini-révolution. Ce n'est pas une prise de la Bastille ou l'invasion du château des Tuileries. Le retour des Windsor fait plutôt penser à celui de Louis XVI et de Marie-Antoinette après la fuite ratée de Varennes. À Paris, le 25 juin 1791, les souverains de France sont accueillis dans la capitale au milieu d'un silence menaçant. On avait affiché sur les murs : « Quiconque applaudira le roi sera bâtonné ; quiconque l'insultera sera pendu. »

Sans aller jusque-là, le retour forcé de la reine, le 4 septembre au soir, à Buckingham Palace, est humiliant. Accompagnée de son époux, elle passe en revue les fleurs déposées par le public sur le parvis de son palais. Une femme adossée à la barrière métallique lui tend un bouquet de roses. Elle sourit : « C'est gentil. Sont-elles pour moi ? » « Non, rétorque l'intéressée, c'est pour Lady Di. » Les applaudissements sont rares. « Vous l'avez tuée », proclame une pancarte la rendant directement responsable de la mort de Diana. Jamais, dans la période contemporaine, un tel fossé ne s'est creusé entre la royauté britannique et ses sujets. La monarchie est ébranlée. Pourtant, en vingt-quatre heures, la souveraine va retourner cette situation en sa faveur.

Un petit rappel historique s'impose. Après l'exécution de Charles Ier, en 1649, et la dictature d'Olivier Cromwell, la restauration Stuart de 1661 a été fondée sur l'entente entre le couple Parlement-Trône. Ce binôme a résisté à tous les bouleversements sociaux — la révolte contre les *corn laws* (les lois céréalières), la naissance des syndicats et du parti travailliste, l'impopularité des Hanovre — grâce à la formidable capacité d'adaptation de l'institution royale.

En 1917, face à la vague de sentiment anti-allemand dans le peuple, George V prend le nom de Windsor pour sa dynastie. Les noms allemands sont éliminés. Le roi refuse de venir au secours, en 1918, du tsar Nicolas II, son cousin préféré, le condamnant ainsi que sa femme et leurs quatre enfants prisonniers des bolcheviks à une mort certaine.

La résolution de cette succession de crise démontre la solidité du lien entre le peuple et la monarchie. En sera-t-il de même en 1997 avec la mort de Diana ?

* * *

La première étape de cette reconquête de l'opinion est l'acceptation par la reine de la mise en berne du drapeau britannique sur Buckingham Palace.

La deuxième concession est l'allocution télévisée à la nation depuis le salon chinois du palais de Buckingham, le 5 septembre en début de soirée, pour saluer la mémoire de son ancienne belle-fille. La reine se méfie de la télévision. Elle n'en maîtrise pas la technique, contrairement au prince Charles, et manque de confiance face aux projecteurs. Elizabeth se présente à la nation avec en arrière-plan la foule massée devant le palais de Buckingham. Elle établit ainsi un lien avec son peuple. Elle est vêtue de noir, couleur jusque-là réservée aux deuils royaux.

Au cours de cette brève intervention suivie par vingt-six millions de ses sujets, la reine dresse un élogieux portrait de Diana, en soulignant que « ce que je vous dis aujourd'hui en tant que reine et en tant que grand-mère, je vous le dis du fond du cœur [...]. C'était une personne exceptionnelle et talentueuse. Dans les bons comme les mauvais moments, elle n'a jamais perdu sa capacité à sourire et à rire, ni à inspirer aux autres sa chaleur et sa gentillesse ». Un rien tendue, le visage souvent figé, mais le menton relevé, la souveraine explique son silence depuis le 31 août : « Si nous sommes restés si longtemps à Balmoral, c'est parce que nous voulions à tout prix réconforter les enfants. » Les mots sonnent juste. Le texte a été écrit par ses conseillers et envoyé seulement pour information à Downing Street. La remarque « en tant que grand-mère » est une initiative de la reine.

« Le ton était-il suffisamment contrit ? » demande-t-elle à l'équipe de la BBC en s'éloignant du studio.

L'exercice est réussi mais, à l'évidence, la souveraine l'a accompli à contrecœur.

Troisième axe de ce retour, les funérailles. La royauté britannique est passée maître dans l'art d'organiser des obsèques nationales. Qui ne se souvient de la dépouille mortelle de Sir Winston Churchill, conduite sur la Tamise jusqu'à Waterloo Station en 1965 ou du chapeau de premier lord de l'Amirauté déposé sur le cercueil de Mountbatten assassiné par l'Armée républicaine irlandaise, en 1979 ? Le sens du théâtre, le goût de l'organisation militaire et des hymnes religieux, l'attachement au protocole le plus rigoureux sont dans le patrimoine génétique de la monarchie. La cour est prise de vitesse pour organiser les funérailles de Diana. Elle s'inspire donc des plans organisés de longue date par le palais en vue des obsèques de la reine mère. Celle-ci est furieuse qu'on lui vole « son » enterrement.

L'événement mondial est retransmis en direct à la télévision. La cérémonie du 6 septembre est à la hauteur du culte de « sainte Diana » qui a gagné les fidèles. Ils sont en effet trois millions à suivre le cortège funèbre, contre un million lors du mariage princier de 1981.

« Cérémonie unique pour une personne unique » : l'organisation des funérailles reflète la personnalité de la défunte. Combiner une cérémonie grandiose et nationale comme le souhaitent Tony Blair et le public, et un enterrement privé comme le réclame la souveraine : l'exercice est périlleux. La solution choisie, le « deuil familial » au lieu d'un « deuil général » réservé aux royaux et à leurs descendants directs, est l'un de ces compromis à l'anglaise dont la cour est coutumière. Pour la première

fois, la reine est descendue dans la rue et incline légèrement la tête — du jamais vu — au passage du catafalque
que suivent William, Harry, Charles et Philip, ainsi que
Charles Spencer. Quelque deux mille personnalités
venues du monde entier mais aussi représentants des
nombreuses associations caritatives, dont Diana avait été
la présidente, ont été conviés sous la voûte de l'abbaye de
Westminster, théâtre des grands événements monarchi-
ques. On trouve côte à côte Elton John et George
Michael, Tom Hanks et Steven Spielberg, et celui avec
qui elle avait espéré un moment refaire sa vie, le chirur-
gien d'origine pakistanaise, Hasnat Khan. Mohammed Al
Fayed, le père inconsolable, effondré au bras de sa
deuxième femme, Heini, est follement applaudi à l'entrée
de l'abbaye. En revanche, sans doute pour ne pas embar-
rasser davantage les Windsor, les têtes couronnées se sont
abstenues. Les États-Unis sont représentés par Hillary
Clinton, épouse du Président ; la France, par Bernadette
Chirac.

« Je peux vous assurer que la mort de Diana a bouleversé la reine. Les gens sont finalement logiques avec
eux-mêmes. Une fois passé l'hystérie, ils se sont rendu
compte de leur attachement à la monarchie constitutionnelle », explique le roi Constantin de Grèce, à propos de
ce formidable rebond de la monarchie. Reste que le bilan
politique de la manière dont la souveraine a géré la mort
de son ex-belle-fille est négatif pour Elizabeth II. Jamais
l'institution monarchique, telle que la souveraine
l'incarne, n'a paru aussi coupée des réalités d'un pays en
pleine mutation ; jamais le besoin d'un dépoussiérage,

sinon d'un changement de personnel, ne s'est fait sentir avec autant d'acuité.

Tel est en substance le message adressé par Charles Spencer dont la reine est la marraine : « Je fais le serment que nous, ta famille de sang, nous œuvrerons pour continuer à les élever [William et Harry] à ta façon imaginative et tendre, pour que leurs âmes ne soient pas simplement immergées dans le devoir et la tradition. » Par ce mémorable coup de gueule, le frère cadet de la princesse de Galles s'est retrouvé sacré du jour au lendemain, devant 2,5 milliards de téléspectateurs, au rang de plus redoutable adversaire des Windsor. Son attaque contre l'institution monarchique tenue responsable, avec la presse, des malheurs de Diana a fait mouche. Un défi d'autant plus remarquable que la famille Spencer n'a cessé d'être au service de la monarchie au cours des siècles. Le visage de la reine, cible de cette oraison funèbre au vitriol, reste impassible. Mais en son for intérieur, elle est ébranlée. Le service anglican est une cérémonie en souvenir du défunt, pas l'occasion de régler ses comptes.

Après les obsèques, Spencer, pour son discours, et Al Fayed, pour la disparition de son fils, sont au sommet de la popularité. Pourtant, leurs erreurs provoqueront un formidable renversement du sentiment populaire en faveur des Windsor.

Spencer d'abord. De face, avec son regard perçant, son visage joufflu et son embonpoint précoce, Spencer offre le visage d'un bourgeois paillard et truculent. De profil, avec son nez protubérant, un double menton et des yeux sortant des orbites, le comte ressemble à un bouledogue à mâchoires saillantes. Du pain bénit pour les caricaturistes qui n'en finissent pas de déverser leur venin sur celui qui a dilapidé en un an l'énorme capital de sympathie amassé lors de son fameux éloge funèbre.

Le châtelain d'Althorp a aménagé pour la princesse de Galles un tombeau solitaire à l'écart du caveau familial de Great Brington sur une petite île fermée au public située au cœur du domaine. Mais s'agissait-il vraiment d'un service à lui rendre ? Dissimulé par un rideau d'arbres centenaires, l'endroit avait servi auparavant à ses aïeux pour enterrer leurs chiens favoris. Diana, d'ailleurs, détestait cette résidence lugubre de style palladien située à cent kilomètres de Londres, où elle n'avait passé que quelques années de sa jeunesse.

Dans sa vie privée, Charles Spencer n'est pas un champion de moralité. Le navrant spectacle de son divorce archimédiatisé en Afrique du Sud, survenu deux mois seulement après les funérailles, lui a donné un profil de coureur de jupons impénitent, de mari goujat et cruel, d'amant vite blasé par ses maîtresses. Les révélations sur la douzaine d'infidélités conjugales de l'adultérin au discours moralisateur ont fait le plus mauvais effet.

Fortement amplifiée par la machine Windsor, l'accusation la plus grave est son exploitation commerciale abusive de la mémoire de sa sœur. En 1998, le comte a ouvert au public, dans sa propriété d'Althorp, un mausolée-musée retraçant la vie de la jeune femme, d'une enfance aristocratique à une mort tragique. Dans la vitrine, le public peut dévorer des yeux un ensemble Chanel bleu clair style thé-l'après-midi au Ritz côtoyant le gilet pare-balles porté lors de sa dernière mission en Angola pour dénoncer l'horreur des mines antipersonnel, une vidéo montrant « Di » gamine dansant devant papa ou une carte adressée par Charles à Noël 1980 sur laquelle l'héritier au trône avait griffonné, « *lots of love* ». Un temple dorique couleur moutarde a été construit au bord du lac au fronton duquel ont été gravés les propos de la princesse, accordés la veille de sa mort au *Monde* : « Rien ne me donne plus de bonheur que d'aider les plus vulnérables de cette société. » Mais seulement 10 % des recettes de ce « Dianaland » sont versées à la fondation Diana, présidée par sa sœur aînée Sarah McCorquodale. Créée au profit des enfants malades, des handicapés et des victimes des mines antipersonnel, cette association est également clouée au pilori pour avoir vendu à un fabricant de margarine la signature de la défunte. Ambiance familiale.

« Inappropriée et grossière » : la reine n'a jamais oublié l'humiliation que lui a infligée Charles Spencer lors des funérailles de Diana. L'affront fait à leur père et à leur grand-mère a amené William et Harry à couper tout contact avec leur famille maternelle. Charles n'est jamais venu se recueillir sur la tombe de son ex-épouse. Les poignées de main échangées lors de l'inauguration, le 7 juillet 2004, par les Windsor et les Spencer réunis, de la fontaine dédiée à la princesse à Hyde Park, n'ont pas eu de suite. Lorsque son nom revient sur le tapis à l'occasion d'un mot malheureux ou d'un dérapage véniel, aussitôt un courtisan du palais de Buckingham lève les bras d'horreur : « Ce type n'est décidément pas un vrai gentleman. » Néanmoins, la reine a profité de la commémoration du dixième anniversaire du décès de Diana pour tendre la main aux Spencer. Elle a accepté la nomination au poste honorifique de High Sheriff du Lincoln-shire de Sarah McCorquodale, la sœur aînée, présidente du Diana Princess of Wales Memorial Fund.

L'autre méchant de la saga Diana est Mohammed Al Fayed. Applaudi hier, il est sifflé aujourd'hui. Ses accusations fantasques contre la famille royale choquent. Le paranoïaque qui défend la thèse d'un complot ourdi par les services secrets de Sa Majesté sur ordre du prince Philip pour empêcher la mère du futur roi d'épouser un musulman s'est ridiculisé. Il s'est servi d'Harrods, aujourd'hui troisième attraction touristique de la capitale, après la Tour de Londres et Buckingham Palace, pour assouvir sa soif de vengeance. Au premier sous-sol de ce lieu de pèlerinage, les visiteurs adeptes de la théorie de la conspiration ont l'œil embué devant les portraits de Dodi et de Diana installés sur des chevalets, simplement éclairés de cierges. Il se targue partout d'avoir reçu l'ordre royal de Victoria, mais ce titre a été décerné à l'institution, pas à son chef. Tout est là.

« Le monde devrait avoir une plus haute opinion de Dodi. Ce n'était pas un garçon oisif comme l'ont décrit injustement les médias », a dit l'entrepreneur au compositeur de jazz George Benson en lui commandant un hymne musical à la mémoire de celui qu'il appelle toujours « My Boy ». L'homme de la rue est ému quand le propriétaire d'Harrods ne parvient pas à cacher son amertume devant l'indifférence officielle envers son fils aîné, le grand oublié du culte de Diana.

L'œil d'Elizabeth II, lui, reste sec. La cour a retiré à Harrods son brevet de fournisseur royal. Les deux partis anti-Windsor se déchirent. Spencer ne pardonne pas au vieux Mohammed d'avoir dit publiquement que Diana comptait épouser Dodi et se convertir pour cela à l'islam. Pour son malheur, depuis son arrivée à Londres dans les années 70, Fayed n'a eu de cesse de courtiser le vieil establishment britannique dans l'espoir de devenir un vrai *british gentleman.* C'est le genre de péché mignon que la bonne société, qui sait remettre un parvenu à sa place, ne pardonne pas. Il n'a pas compris que la gentry anglaise sait comment vivre aux crochets des nouveaux riches sans rien donner en retour. Son drame est d'avoir voulu à tout prix être l'égal de la haute bourgeoisie tout en transgressant ses lois supérieures : pas de scandales.

Avec les conclusions de l'enquête Stevens, la page est tournée, au grand soulagement d'Elizabeth. L'ex-chef de Scotland Yard balaye la théorie de la conspiration à l'issue d'une enquête de trois ans. Il précise qu'il n'y a aucune preuve permettant d'établir un lien entre le mari de la reine et les services secrets britanniques MI6, comme l'affirme Mohammed Al Fayed.

* * *

La famille royale avait engagé le processus de modernisation de la monarchie bien avant la mort de Diana, dès la fin des années 80. Elizabeth II est encore incontestée, mais l'institution souffre d'une certaine langueur. Au début des années 90, les lézardes apparues dans l'édifice royal jusque-là si bien géré par l'actuelle souveraine s'aggravent. Sous l'œil des médias avides de leurs frasques, les joyeux héritiers Windsor renâclent contre leur devoir tout en profitant de leurs privilèges. En 1992, le duc d'York divorce, les états d'âme de son ex-femme sont déballés au grand jour. Le prince Edward est obligé d'affirmer qu'il est hétérosexuel. Pour une famille royale, cela fait désordre. Le 7 juin, le *Sunday Times,* le grand hebdomadaire dominical, publie les extraits les plus juteux du livre d'Andrew Morton, *Diana, sa vraie histoire.* Le semblant de normalité que Buckingham Palace tente de préserver autour du ménage Charles-Diana vole en éclats. La princesse raconte, via ses proches, ses accès d'anorexie, les mutilations et tentatives de suicide. La séparation du couple princier est annoncée, le 10 décembre 1992, au Parlement par le Premier ministre, John Major. Les sujets de Sa Majesté se rendent compte que les Windsor ne sont plus un modèle à suivre sur le plan des valeurs familiales et morales. Cette série noire est amplifiée par les scandales à répétition — sexuels et financiers — mêlant un certain nombre de députés conservateurs, le parti au pouvoir depuis 1979 traditionnellement proche du palais.

Pauvre Elizabeth ! Sir Edward Ford est mort en novembre 2006 à l'âge de quatre-vingt-seize ans. Le vieux monsieur avait été le secrétaire privé adjoint de la reine, de son avènement à 1967. Dans une lettre à sa souveraine, le sage évoque, avec un art consommé de la litote et un humour méritoire, une *annus horribilis* pour décrire cette maudite année 1992, au cours de laquelle l'on devait fêter dans la joie le quarantième anniversaire de son accession. Victime de la grippe, la voix éraillée, la monarque immortalise l'expression de son correspondant lors d'un banquet offert en son honneur à la City : « Ce n'est pas une année à laquelle je repenserai avec un plaisir sans mélange. » Tout en reconnaissant que, « sans aucun

doute », la critique est « bonne pour les gens et les institutions qui font partie de la vie publique », la reine en une
allusion élégante aux excès des journaux à sensation se
permet d'ajouter que « cet examen minutieux peut être
tout aussi efficace s'il est effectué avec une touche de gentillesse, de bonne humeur et de compréhension ».

La série noire continue avec la polémique sur la restauration du château de Windsor, détruit par un incendie
en 1992. Lentement, parcimonieusement et à contrecœur, la monarchie change. Un an plus tard, quand les
sujets se plaignent du train de vie de la famille royale, la
reine consent à payer des impôts et à faire passer de onze
à trois le nombre de bénéficiaires de l'aide de l'État, cette
somme allouée chaque année par l'État aux Windsor
qu'on appelle dans le jargon liste civile. La reine, son
époux et la reine mère conservent leur pécule.

Pragmatique, la reine se rend compte que tout cela ne
suffit pas et que la monarchie a besoin d'être réformée de
fond en comble. Sa réflexion aboutit à la mise en place
d'un comité informel, sous le nom de «Way Ahead
Group » rassemblant, autour du chef de l'État, le duc
d'Édimbourg, le prince Charles, ses frères, sa sœur, et les
principaux conseillers. Les suggestions émises sont proprement révolutionnaires. Les femmes auraient les
mêmes droits que les hommes dans l'ordre de succession
au trône, ce qui placerait la princesse Anne devant
Andrew ou Edward. Un catholique pourrait devenir roi.
La souveraine ne serait plus chef de l'Église anglicane. La
liste civile serait supprimée au profit du Crown Estate, les
propriétés de la Couronne cédées par George IV au

XVIIIe siècle. Trop ambitieuses, ces propositions ont été remisées au magasin des accessoires.

« L'héritage de sa vie devrait être une Grande-Bretagne compatissante. » Comme l'indique Tony Blair dans les jours qui suivent les funérailles de Diana, la modernisation de la monarchie est plus que jamais à l'ordre du jour. Le chef du gouvernement insiste sur la nécessité de réformer de fond en comble le fonctionnement d'une royauté qui, malgré les réformes, apparaît désuète au regard de l'évolution de la société britannique.

Sous les pressions de Tony Blair, son Premier ministre réformateur, Elizabeth II accepte petit à petit de donner à l'opinion une image moins solennelle de l'institution. La monarque multiplie les gestes politiquement corrects. Elle visite un McDonald's dans le Cheshire. Mais elle refuse de toucher au Big Mac, au cornet de frites et au gobelet de Coca-Cola qui lui sont proposés. Puis c'est au tour d'un pub, le Bridge Inn, à Topsham, dans le Devon, dont la tenancière est une femme. Si elle refuse de vider une demi-pinte de bière au comptoir, elle accepte volontiers un petit tonneau de bière brune pour son mari. Une autre fois, elle arpente les allées venteuses d'une HLM de Glasgow pour rendre visite à une mère célibataire avec laquelle elle partage une tasse de thé, mais sans toucher aux biscuits secs. Lors de la célébration du millénaire, elle chante l'*Auld Lang Syne* (*Ce n'est qu'un au revoir*) aux côtés de son Premier ministre mais sans croiser les bras pour saisir ceux de ses voisins, pose qu'elle juge indigne. Même limitées, ces démarches sont inédites pour cette dame qui jusque-là n'était jamais sortie des sentiers battus du protocole.

Les avantages liés à la fonction sont rognés. La liste royale est gelée pendant dix ans. Des avions charters sont utilisés pour certains déplacements. Mais surtout, son yacht *Britannia* est désarmé après quarante-quatre ans de bons et loyaux services de la monarchie. Elle a beau avoir une kyrielle de châteaux, c'était son refuge à elle, le seul endroit qui lui appartenait vraiment. Elle l'avait baptisé le 16 avril 1953, l'un de ses premiers actes de reine, après avoir veillé à sa construction et à son mobilier. Elle s'était occupée de la décoration du yacht à coque noire et rouge, liseré d'or, pavillon claquant du haut des trois mâts et hommes d'équipage vêtus de drap bleu bordé de soie noire. En mer, elle pouvait être enfin elle-même, chose impossible à Buckingham et à Windsor. La sobriété de l'intérieur rappelait une maison de campagne accueillante et pratique, un certain art de vivre à l'anglaise. Le 12 décembre 1997, lors d'une cérémonie grandiose à Portsmouth, la famille royale au complet salue le vieux yacht sur lequel les Windsor ont parcouru un million de milles. Transgressant son absolu principe de maîtrise de ses émotions en public, la reine « craque », versant une larme royale, une vraie larme de souveraine. Le navire n'est pas remplacé, mettant fin à trois siècles de tradition monarchique. La reine a renoncé à un nouveau yacht royal afin de ménager ses sujets et contribuables, ainsi que son Premier ministre travailliste qui durant sa campagne électorale entonnait un couplet très populaire : « Nous ne dépenserons pas 60 millions de livres pour un yacht royal quand des malades attendent sur des chariots dans les couloirs de nos hôpitaux. »

Il s'agit toutefois d'un dépoussiérage, pas d'un boule-versement. Les réformes n'affectent pas son statut de vraie reine.

Dans le même temps, la vieille garde du palais est écartée. Robin Janvrin remplace Robert Fellowes au poste clé de secrétaire particulier. L'ex-ministre conservateur des Arts, ancien gouverneur de Gibraltar, lord Luce devient chef de la maison royale. Michael Peat, le grand argentier de Buckingham Palace, est promu à la direction de l'administration du prince de Galles. La cour s'efforce de s'ouvrir davantage aux minorités ethniques comme l'attestent les premiers gardes royaux noirs. Les médias ne sont plus traités en ennemis.

* * *

Qui a gagné, la reine ou Diana ? La reine. Que reste-t-il de la princesse de Galles ? Un « Dianaland » kitsch, une fontaine à Hyde Park constamment en panne, une petite plaine de jeux à Kensington Park, un sinistre mémorial à Harrods. C'est à peu près tout. La « princesse des cœurs » a tout simplement disparu du paysage officiel.

Sa mort, à trente-six ans, a suscité une émotion inédite pour un deuil royal. Le taux de suicide moyen en Angleterre et au pays de Galles s'est accru de 17 % au cours du mois suivant, particulièrement parmi les femmes de vingt-cinq à quarante-quatre ans. Cinq millions de disques *Candles in the Wind*, la chanson interprétée par Elton John sous le dôme de la cathédrale de Westminster, ont été vendus. En 2002, la princesse martyre a été classée troisième d'un sondage de la BBC sur les grands Britanniques de l'Histoire. Sa mort, révèle une autre enquête, est considérée par le public comme le principal événement britannique du XXᵉ siècle, devant la fin de la Seconde Guerre mondiale et le droit de vote pour les femmes. Néanmoins, il n'est pas certain que la même enquête donnerait aujourd'hui un résultat identique. La nation est embarrassée par son identification avec une personnalité certes pleine de compassion, mais manipulatrice, certes victime de la machine royale mais aussi d'une phobie de la persécution.

Comment expliquer la réaction hystérique d'une partie des Britanniques à la mort de Diana ? Dans son livre *Faking It : The Sentimentalisation of Modern Society*, Anthony O'Hear, professeur de philosophie de l'université de Bradford, voit dans ce phénomène « l'effet de l'appétit vorace du pays pour le sentimental, le déni de la réalité qui affecte aujourd'hui tous les aspects de notre existence ». Cet ancien président du très distingué Institut royal de philosophie affirme : « Sa [Diana] béatification personnelle était également celle de ses valeurs — la prééminence du sentiment, de l'image et de la spontanéité sur la raison, la réalité et la réserve. Loin d'être hystérique, ce deuil national était irrationnel, relevant de l'émotionnellement correct. » Sa Majesté n'aurait pas dit mieux.

La reine a gagné la partie. Comme le montre le succès de la célébration des cinquante ans de son règne, en juin 2002, et des fêtes de son quatre-vingtième anniversaire, en 2006, le public approuve l'action d'Elizabeth II au cours des événements tragiques de 1997. La plupart des vieilles barrières ont été abattues, bien que la souveraine ne soit pas du genre à convier à sa table des éboueurs, ni même à aller chercher son journal à bicyclette. D'ailleurs, peu de Britanniques souhaitent une telle popularisation d'une institution faite pour traverser les siècles, immuable. Fidèle en cela au précepte de Bagehot, le journaliste constitutionnaliste du XIXe siècle : « On peut avoir une cour splendide ou pas de cour du tout, mais rien ne saurait justifier une cour médiocre. » Révolution à l'anglaise ? La comparaison fait sourire ce collaborateur royal qui était aux côtés d'Elizabeth II en août 1997 : « La mort de Diana n'a pas été une période facile. Mais l'hystérie populaire a démontré le fantastique pouvoir de la télévision, pas les carences du monarque. D'ailleurs, que reste-t-il de toute cette agitation dix ans après ? Pas grand-chose. La reine est plus populaire que jamais. » Même ses plus fervents critiques au sein de la famille royale reconnaissent que la mort de Diana a bouleversé la manière dont Elizabeth II exprime son émotion. Cette expérience douloureuse l'a rendue plus humaine.

* * *

Diana disparue, reste le cas de Camilla. Deux camps s'affrontent à l'intérieur de la maison royale. Le premier groupe est représenté par les courtisans de la vieille école estimant qu'en aucun cas la reine ne doit rencontrer Camilla Parker-Bowles, indésirable au palais depuis une vingtaine d'années. Charles doit sacrifier la femme qu'il aime dans l'intérêt de la monarchie. S'il veut épouser celle qu'il a appelée « la partie non négociable » de sa vie, l'héritier au trône doit abandonner ses droits à la magistrature suprême au profit de son fils aîné William. Elizabeth n'a jamais pardonné à « l'autre femme » d'avoir précipité la plus grave crise de son règne en brisant le ménage de son fils. La souveraine aurait préféré que Camilla soit cantonnée à un rôle de « maîtresse royale », conformément à la longue tradition monarchique d'outre-Manche ou d'ailleurs. Hormis la reine, ce lobby compte le prince Philip et la reine mère. Les tabloïds lui sont également hostiles, l'affublant de surnoms peu flatteurs : « la Sorcière », « le Vampire », « le Vieux Sac », « la Vieille Truite ».

Face aux Anciens, les Modernes affirment au contraire que ce n'est pas l'affaire du palais de se mêler de la vie privée du prince Charles, et que le concubinage est largement accepté aujourd'hui. La jeune garde regroupe, outre Robin Janvrin, la maison princière et les plus jeunes de la famille royale, comme William et Harry. Le déblocage de la situation va paradoxalement venir de l'Église anglicane, également divisée sur la question du mariage du prince et de son amie. Une partie du clergé est plutôt partisane d'une régularisation discrète de la situation. La frange la plus conservatrice, les évangéliques, est hostile à cette union. Le primat, l'archevêque de Canterbury, George Carey, a béni le remariage de l'un de ses enfants, ce qui le fait basculer dans le camp du prince. Ce dernier dispose d'un allié de poids, l'évêque de Londres, troisième dans la hiérarchie, son ancien condisciple à l'université de Cambridge. L'avis du prélat en charge de la capitale a d'autant plus de poids que la gestion des chapelles royales figure dans ses attributions : oui à une union, mais à condition d'avoir l'approbation de la reine, gouverneur suprême de l'Église anglicane.

Les choses pourtant se précipitent. En novembre 1998, Camilla organise une soirée pour les cinquante ans de Charles et invite plusieurs membres de la famille royale, dont la princesse Margaret, le roi et la reine d'Espagne, le souverain norvégien. La reine et son époux déclinent l'invitation. « Je ne peux pas reconnaître une liaison que je désapprouve », lance, brutal mais clair, le prince Philip. En 1999, Janvrin, nommé secrétaire particulier de la souveraine, rencontre, avec l'accord d'Elizabeth II, Camilla à plusieurs reprises pour tenter de débloquer la situation. L'occasion se présente en juin 2000 à l'occasion de l'anniversaire des soixante ans du roi Constantin de Grèce à Highgrove, la résidence de Charles. Camilla est maîtresse de cérémonie. La reine décide d'assister à l'événement. L'amie du prince est présentée à Elizabeth. La rencontre, quarante secondes montre en main, est dénuée de toute chaleur. Mais la glace est fondue. Les deux femmes se revoient à plusieurs reprises par la suite à l'occasion d'événements familiaux. En mai 2002, lors d'un dîner à Buckingham Palace, Camilla est placée à côté de la reine. Mais Philip ne veut toujours pas entendre parler de mariage. Ses relations avec son fils sont au plus bas. La publication, en mai 2001, d'une biographie « autorisée » du duc d'Édimbourg dans laquelle il décrit son fils comme un être « précieux, extravagant et manquant d'assiduité à la tâche », crée une atmosphère délétère dans la famille royale.

Malgré le décès, en 2002, de la reine mère, autre adversaire de taille de Camilla, la souveraine tergiverse. Elle autorise l'amie de son fils à s'asseoir dans la tribune royale lors de la célébration du jubilé d'or, en juin 2002.

En novembre 2004, Elizabeth II assiste à Chester au mariage de la fille du duc de Westminster, un ami proche de Charles. Le prince décide de boycotter ces noces, façon de protester contre l'humiliation infligée à son amie reléguée, protocole oblige, dans une autre aile de la cathédrale. La presse fait ses choux gras de l'embarras de la souveraine. C'en est trop pour Elizabeth II qui accepte le mariage. Certes, elle a jugé incompatible avec son rôle de gouverneur suprême de l'Église anglicane sa présence à l'union civile de Charles avec Camilla, le 9 avril 2005, à la mairie de Windsor. Aux yeux de la reine, il manque à ce contrat de mariage une dimension spirituelle. Ils doivent se contenter d'une cérémonie à la mairie suivie d'une séance de prières dans la chapelle St. George. « C'était la meilleure façon d'assurer que l'Église d'Angleterre, dont il sera un jour le gouverneur suprême, joue un rôle approprié dans cette régularisation qui est dans l'intérêt de tous », justifie l'évêque de Winchester, Michael Scott-Joynt, porte-parole pour les affaires royales, pourtant classé parmi les éléments les plus conservateurs de l'Église d'Angleterre.

Femme d'ordre, la reine a tenu compte de la volonté de ses petits-enfants, William et Harry. Elle redoutait surtout que cette controverse ne tourne sa propre succession en comédie de boulevard. La volonté de lever l'hypothèque une fois pour toutes grâce au mariage est partagée par le Premier ministre, Tony Blair, et par le nouvel archevêque de Canterbury, Mgr Rowan Williams, un libéral. Aussi, en surmontant ses préjugés envers Camilla, elle faisait un geste de réconciliation envers son écorché vif de fils. Signe qui ne trompe pas, la bague de fiançailles qu'offre Charles à Camilla est la favorite de la reine mère.

Lors du mariage, si, en sa qualité de reine, elle ne peut dissimuler sa désapprobation, le bonheur retrouvé de son fils la comble en tant que mère. Autre signe d'approbation, elle accorde à sa future belle-fille le titre d'altesse royale, duchesse de Cornouailles. Techniquement, elle aurait dû recevoir celui de princesse de Galles puisque Charles est prince de Galles, mais la maison royale, par peur de la réaction du public, n'a pas osé franchir le pas. Camilla sera princesse consort et non reine si Charles monte sur le trône. Duc de Cornouailles est le titre le moins connu du futur Charles III, mais il fait de lui l'un des hommes les plus riches d'Angleterre en son nom propre. Créé en 1337 par le roi Edward III pour son fils, le Prince Noir, le duché de Cornouailles garantit à son propriétaire un revenu indépendant de celui versé par le monarque.

Irrévérencieuse, voire carrément méchante avant les noces, la presse populaire donne soudain une image si positive de la nouvelle duchesse de Cornouailles qu'on a l'impression qu'elle a toujours fait partie des meubles. Les commentaires élogieux sur la tenue de la nouvelle épouse — manteau fuchsia, chapeau décoré d'une plume de faisan — au début du voyage de noces en Écosse permettent de mesurer le chemin parcouru.

La duchesse, certes moins belle que Diana, attire la sympathie. Lors des déplacements du couple Charles-Diana, tous les journalistes de tabloïds spécialisés dans le sexe des anges couronnés se préoccupaient principalement de la longueur des jupes de la princesse de Galles.

Cela avait fini par fortement agacer le prince Charles. Avec Camilla, il n'y a pas de danger que cette traque vestimentaire se répète. Cette femme au charme campagnard mais au port royal a amélioré son allure depuis 2001 grâce aux conseils d'experts, à l'appel aux grands couturiers et à une coiffure moins austère. Elle assume son âge et son franc-parler est décapant. Quant au prince Charles, il a perdu ses airs d'Hamlet mélancolique et lointain, comme ce fut le cas après son divorce en 1996 et la mort de son ancienne épouse, en 1997. Aujourd'hui, « Charlie » ne craint plus d'être éclipsé par sa femme qui connaît sa place. Plus personne ne lui vole la vedette. Par ailleurs, Camilla, elle-même mère de deux grands enfants, s'est facilement coulée dans le moule d'une belle-mère affectueuse, qui redouble d'attentions envers William et Harry.

Parallèlement la refonte de l'institution monarchique a mis fin à l'incessante guéguerre entre les deux maisons, royale et princière. Grâce à ce mariage, le respect de l'ordre chronologique de la succession ne sera plus discuté : Charles III d'abord, William V ensuite. Charles sera roi parce qu'il est l'héritier, qu'il le veut et qu'il s'y est préparé. Reste un impondérable : quand Charles va-t-il hériter du sceptre ? La reine entend régner jusqu'à sa mort. C'est à la fois son drame et sa chance. Charles risque effectivement de faire antichambre longtemps encore, mais c'est un souverain enfin débarrassé des séquelles d'un mariage raté, et d'un remariage avec celle qu'il a toujours aimée, qui montera sur le trône. D'ici là, le prince de Galles, soutenu par son épouse, aura tout le temps d'affirmer son autorité.

Depuis la mort de Diana, la souveraine a su apprécier la dignité avec laquelle Camilla a ignoré les attaques cruelles d'une certaine presse. Après tout, sa nouvelle bru, qui assume son âge, lui ressemble beaucoup. Plus encline à lire *Country Life* que *Vogue*, Camilla n'a peur ni du vent ni de la pluie. Aux yeux d'Elizabeth II, faute d'être la « princesse des cœurs », comme Diana, elle a paradoxalement tout d'une reine. L'univers ouaté de la duchesse, ses lieux favoris à Londres ou dans le Wiltshire, d'où elle est issue, permettent de saisir cette communauté de valeurs avec Elizabeth II.

Autre point commun entre Camilla et la reine, un style à des années-lumière de la moindre excentricité. Camilla arbore des tenues très classiques aux couleurs pastel, jaune ou bleu pâle. Même à Londres, elle aime le mode de vie rural de la haute société : tentures, canapés, coussins chintz portant des motifs — fleurs de lis, chevaux, chatons —, réveillant toutes les nostalgies d'une Angleterre désuète. À Clarence House, la demeure londonienne du prince de Galles, Camilla adore cultiver ses fleurs et nourrir ses animaux. Comme celui de la reine, le premier cercle de Charles et Camilla est constitué par les grands aristocrates — les Wellington, Halifax, Devonshire, Romsey ou Beaufort — qui les ont aidés à se cacher des feuilles à scandales lors de leur longue idylle.

La duchesse de Cornouailles est le symbole par excellence de la gentry des champs, familière à la reine : les *squires* (hobereaux). Être *squire*, c'est fréquenter un collège privé, pas n'importe lequel. Cette classe possède un beau manoir entouré de terres grasses. On reçoit beaucoup chez soi. Les distractions sont simples, la vie en plein air, les chevaux, les chiens, la chasse, à courre comme au fusil, qu'ils ont dans le sang. Dans le Wiltshire, on ne tire que les animaux nobles, le faisan, la perdrix ou la grouse. Le lapin et le pigeon sont indignes du gentleman. C'est de la vermine.

Cette classe possède un pied-à-terre à Londres pour aller au théâtre, au restaurant ou rendre visite à ses enfants. Les hommes sont dans l'armée ou sont fermiers et éleveurs. La carrière d'officier a toujours la cote, surtout dans la Navy, l'armée la plus prestigieuse, et la Garde royale, l'équivalent de la cavalerie. Beaucoup font ensuite partie de l'armée territoriale. L'idée du devoir, de restituer au pays ce qu'il vous a apporté est très répandue.

Camilla est une *squire* par excellence. Fille d'un marchand de vin, elle arrête l'école à dix-huit ans pour se trouver un époux de rang social plus élevé qu'elle après avoir fait un peu de secrétariat. Sa sphère d'activité offre jusqu'à la caricature les valeurs de ce monde-là : l'éducation, la famille, le jardin, la cuisine, le bridge. Par la suite, elle s'implique dans des œuvres philanthropiques ou dans l'organisation d'événements hippiques. La femme ne met pas en évidence sa féminité. Les enfants ont l'esprit de classe chevillé au corps comme leurs parents, même si leur mode de vie ressemble de plus en plus à celui des autres classes privilégiées. Ils embrassent des professions qui conviennent à cette caste : agent immobilier, journaliste, restauration, boutiques, décoration, galeries d'art, etc. Tom et Laura, les deux enfants que Camilla a eus avec Andrew Parker-Bowles, son premier mari, en sont de bons exemples. Le premier est critique gastronomique, la seconde s'occupe de ventes d'objets d'art. La nouvelle génération fait ses courses au supermarché, fait la queue au cinéma et s'encanaille. Toutefois, dans leur vie privée, les jeunes *squires* partagent les préjugés de classe de leurs parents.

En acceptant le mariage, la reine a fait sien le fameux dicton : « Si vous ne pouvez pas les battre, joignez-vous à eux. » La rapidité avec laquelle la duchesse de Cornouailles s'est imposée à l'opinion confirme le flair de la souveraine.

Les choses sont rentrées dans l'ordre. Elizabeth II est satisfaite. Après tous ces drames familiaux, la charge royale paraît légère au regard de ce qu'elle a vécu. Elle s'en est bien tirée.

VI

LA REINE ET SES PREMIERS MINISTRES

Chaque mardi, un peu avant 18 heures, la Daimler du Premier ministre franchit les grilles de Buckingham. Les grenadiers présentent les armes. Le véhicule passe sous le porche et s'arrête devant l'entrée latérale. Le chef du gouvernement est accueilli par le secrétaire particulier de la reine qui le conduit jusqu'à un escalier dérobé. Un portrait monumental de George III monte la garde à l'entrée des appartements privés de la souveraine. Même pour le chef de gouvernement habitué aux ors de Downing Street, le cadre de Buckingham Palace est intimidant. Cet austère bâtiment abritant la résidence londonienne des Windsor dégage une atmosphère de malaise, avec ses sombres tableaux de maître, sa moquette rouge sang légèrement fatiguée, et ses fauteuils décorés de lourds motifs.

L'audience se déroule dans le bureau de la reine. Aucun collaborateur n'est admis à ce tête-à-tête au sens strict.

Le protocole s'applique au Premier ministre comme au plus humble des sujets de Sa Majesté. Même si la tradition du *kissing of hands* — baiser les mains du souverain en signe d'allégeance lors de la formation d'un gouvernement — n'a plus cours aujourd'hui. Le Premier ministre salue la reine avec une légère inclinaison de la tête. C'est elle qui mène la conversation. La monarque a griffonné sur une feuille de papier les sujets qu'elle entend évoquer. S'il n'y a pas de limite de temps, la conversation dure en général une heure. Le chef du gouvernement peut parler librement et vice versa. Rares ont été les indiscrétions sur ce rendez-vous hebdomadaire entre le chef de l'État et les locataires du 10 Downing Street. Aucun procès-verbal n'est rédigé. Personne ne prend de notes, la discussion est à bâtons rompus. Il n'y a pas de sujet tabou. Il n'est pas rare que le Premier ministre s'ouvre de ses problèmes personnels ou familiaux. La reine privilégie les dossiers qui concernent sa fonction : les forces armées, le Commonwealth, l'Afrique, l'Église et les questions institutionnelles. Les dossiers politiques du moment — diplomatie, santé, éducation, réchauffement climatique — sont généralement abordés par le Premier ministre. Aucune boisson n'est servie, c'est la tradition, afin de ne pas perdre de temps.

Pour un Premier ministre, l'audience royale du mardi s'apparente à une séance de psychanalyse. Le « psy » est la reine. Toujours sur ses gardes, elle a une bonne intuition et s'intéresse à la personnalité de ses interlocuteurs et manifeste une grande capacité d'écoute. La seule différence, elle reçoit son « patient » dans une salle d'audience et pas dans son cabinet. Elle est assise sur un canapé et n'a pas de diplômes accrochés au mur.

Le poste de Premier ministre est, à la fois, défi, inspiration, stimulation, et par-dessus tout frustration. Le pouvoir est une machine à espoirs, généralement déçus. L'esprit est constamment en éveil, contraint à une vision panoramique de tous les problèmes du pays à régler, et parfois du monde. Ses sens sont toujours en alerte pour éviter les chausse-trappes de la politique, déjouer les complots, survivre à l'usure du pouvoir. Chez tout locataire du « *Number Ten* », la tension nerveuse, l'anxiété, les interrogations voire la paranoïa sont permanentes.

À sa manière, la reine peut agir comme un exutoire à cette pression constante. La « réductrice » (*shrink*) écoute sans donner le moindre signe d'acquiescement, relance la conversation dès qu'elle s'arrête. Le chef du gouvernement peut être totalement franc avec elle. Elle ne le juge pas. Son détachement émotionnel est, ici, dans ce tête-à-tête, sa plus grande vertu. Elle ne dit jamais rien de particulier, s'en tient à des généralités, maintenant toujours la distance nécessaire avec lui. Elle ne lui dit pas ce qu'il faut faire. Par contre, son fils, le prince Charles, plus interventionniste, s'il était roi, ne se priverait pas de bombarder le Premier ministre de ses conseils. C'est une vraie démiurge. Chaque mardi, avant d'aller se coucher, Elizabeth II retranscrit dans son journal intime le contenu de la rencontre. Ce compte rendu personnel restera un secret d'État et à sa mort sera versé dans les archives de Windsor, à l'abri des regards.

« La reine a toujours eu une relation très forte, personnelle et intime avec tous ses Premiers ministres. Ces deux

figures institutionnelles ont en commun le souci de l'intérêt du pays. C'est aussi un rapport très insolite. Le chef
du gouvernement peut parler à cœur ouvert avec un
interlocuteur qui n'a pas d'échéancier politique. C'est
crucial. » Secrétaire général du gouvernement, Gus
O'Donnell est l'un des trois sommets du « triangle d'or »,
le Golden Triangle, comme on appelle les trois principaux pôles du pouvoir, monarchie, gouvernement, Parlement. Étonnamment, peu de Britanniques connaissent le
nom, voire l'existence de ce pilier de la continuité de
l'État. Au nom du gouvernement, il organise le Conseil
des ministres. Au nom de la reine, il est le chef de la fonction publique centrale, le Civil Service, forte de cinq cent
mille agents. Comme le monarque, le premier des hauts
fonctionnaires illustre la stabilité de l'État face à l'alternance politique. Toutes les nominations aux fonctions les
plus élevées, diplomates, militaires, ecclésiastiques,
grands commis, proposées par le Premier ministre ou par
des panels indépendants et que la reine doit contresigner,
transitent par cet homme orchestre. Bien que la maison
royale soit indépendante de la fonction publique proprement dite, il est chargé de déterminer la rémunération
des principaux conseillers de Buckingham Palace. Le
haut fonctionnaire supervise également le duché de Lancaster qui appartient à la souveraine. Ce titre n'a rien à
voir avec la ville ou la région du même nom, c'est une
appellation patrimoniale.

Gus O'Donnell ressemble à s'y méprendre au profil
des courtisans de Buckingham Palace comme les apprécie Elizabeth II : courtoisie, affabilité, discrétion, un attachement au service public et une souplesse de joueur de

cricket pour arrondir l'art du commandement. Il a la vraie puissance, celle de l'ombre, dépourvue de gloire.

Son bureau, qui domine Whitehall, l'artère des grands ministères, est gardé comme Fort Knox. Les téléphones portables y sont bannis par peur des attentats terroristes. Un couloir souterrain relie le 10 Downing Street, la résidence du Premier ministre, à cet élégant bâtiment géorgien. Le Foreign Office, le ministère de la Défense, le ministère des Finances et la Chambre des communes sont à proximité. Buckingham Palace, situé de l'autre côté de St. James Park, est à quelques encablures.

« J'ai servi Major comme Blair. Je peux témoigner de l'importance qu'avait pour eux cette audience royale. Pour le pays, ce dialogue est essentiel en raison du rôle prééminent de la reine et de son Premier ministre dans notre système. Le secret est vital car un monarque constitutionnel ne peut intervenir publiquement dans la vie politique. Si elle pense que l'action du Premier ministre ne sert pas le pays, elle peut le lui dire en privé », déclare Gus O'Donnell. Ce fin connaisseur des médias, qu'il a longuement fréquentés en tant que porte-parole du Premier ministre conservateur John Major, ajoute : « Le fonctionnement de la presse britannique accentue le besoin de confidentialité. Quand quelqu'un vous dit être au courant du contenu de leurs discussions, c'est à prendre avec des pincettes. »

Le gouvernement est celui de Sa Majesté. La monarchie délègue ses pouvoirs au cabinet présidé par le Premier ministre qui les exerce en son nom.

Dans le film *The Queen*, le rappel à l'ordre que la monarque adresse à son jeune et fringant Premier ministre Tony Blair lors de leur première entrevue ne correspond pas à la réalité historique. Cette scène de fiction conduit à réfléchir aux liens qui unissent la souveraine et le chef du gouvernement. « La Grande-Bretagne est une monarchie, mais n'a pas de Constitution écrite. La reine est le symbole de l'État. C'est son unique rôle. Elle n'a pas à avoir d'opinion », comme l'explique le politologue Vernon Bogdanor, dans son livre *The Monarchy and the Constitution,* la reine a toujours scrupuleusement veillé à ne pas s'ingérer dans les affaires du gouvernement en faisant connaître sa position. Cela ne veut pas dire pour autant qu'elle n'en ait pas. Mais elle ne confond jamais ses convictions personnelles avec les devoirs de sa charge. Son message de Noël, le seul discours qu'elle rédige elle-même sans approbation ministérielle, est toujours consensuel. Et chaque 25 décembre, à 15 heures précises, lors de la pause entre la dinde et le Christmas pudding, plusieurs millions de téléspectateurs écoutent religieusement le message de vœux royaux purement formel. La reine n'a jamais rien dit d'intéressant dans son message, et c'est là son génie.

« La reine n'est ni de gauche ni de droite. Elle met tous les politiciens dans le même sac. » Du témoignage d'Edward Ford, conseiller à Buckingham entre 1952 et 1967, se dessine le profil d'une monarque peu intéressée par les joutes parlementaires à Westminster. De sensibilité centriste, Elizabeth II serait partisane d'une droite modérée, estiment bon nombre d'anciens ministres, travaillistes comme conservateurs. Par nature, elle préfère le consensus à la polarisation. Ni théoricienne ni dogmatique, c'est une sceptique courtoise. En un mot, une pragmatique comme le sont souvent les hommes d'État à l'anglaise.

C'est sans doute l'une des raisons pour lesquelles ses relations avec Margaret Thatcher ont été difficiles. Outre une rivalité féminine naturelle face à l'allure de plus en plus royale de Mme Thatcher dans les dernières années de son gouvernement (1979-1990). Ainsi, lorsque le Premier ministre se présente à la cérémonie annuelle, en novembre, devant la tombe du soldat inconnu, son chapeau aux larges bords et sa majestueuse cape noire lui confèrent une allure de souveraine. La suprême élégance de « Maggie » fait de l'ombre à Elizabeth.

Le parcours de la première femme à diriger un gouvernement britannique présente bien des similarités avec celui de la monarque. Mariée à un riche entrepreneur plus âgé, méthodiste passée à l'Église établie d'Angleterre, Mme Thatcher est bien sûr une dévote royaliste et une patriote fervente. La fidélité, la loyauté, la continuité sont constamment mises en exergue dans ses discours. Comme chez Elizabeth II, les emportements et les coups de cœur de la jeunesse font également défaut à la future Dame de fer. Autre point commun, toutes deux se méfient plutôt des femmes. Une seule d'entre elles a siégé au cabinet en onze ans de pouvoir. Les deux dames sont timides. Si Mme Thatcher transcende ce trait de caractère, sans doute lié à ses origines sociales modestes, par de l'agressivité, la reine l'exprime par sa réserve. Enfin, le Premier ministre et la souveraine sont de la même génération.

Longtemps gouvernée alternativement par des aristocrates dilettantes et des syndicats corporatistes, l'Angle-

terre, effarée, découvre en 1979 les charmes de
« l'épicière », comme l'a traitée le président Valéry Giscard
d'Estaing. Le nouveau Premier ministre n'oublie pas
qu'elle a dû, plus que d'autres, batailler pour parvenir au
sommet de la droite, elle femme et fille d'un modeste
commerçant de Grantham. Ses ennemis snobs avaient
coutume de dire : « Grattez la couche d'Oxford et vous
tombez sur l'épicerie. » Cette diplômée en pharmacie et
droit a déployé dans l'exercice de la politique un zèle de
missionnaire en croisade perpétuelle, ce qui n'était guère
d'usage au royaume du flegme. Les caciques du parti, les
Carrington, Whitelaw, Pym qui assuraient la continuité
avec l'establishment conservateur, ont été mis au pas par
cette femme énergique, peu commode, facilement désagréable, parfois même blessante. Un jour, dans l'un de
ses rares moments d'abandon, la reine demande à Peter
Carrington, ministre des Affaires étrangères entre 1979 et
1982 : « Pensez-vous que Mme Thatcher va changer ? »
Sa réponse est sans appel : « Jamais. »

Au fil des audiences, l'atmosphère entre les deux
dames se détériore. Le Premier ministre, qui noie la souveraine sous un flot de paroles, suit son ordre du jour
sans se soucier de celui de son interlocutrice. Le chef du
gouvernement est plus prompt à donner son opinion qu'à
recueillir celle de la reine. Le ton, à la fois autoritaire et
doucereux de son Premier ministre, est proprement
insupportable à Elizabeth. Les aristocrates n'aiment pas
les gens qui les imitent, assis sur les bords d'une chaise,
les mains pliées sur les genoux. Terrorisée à l'idée d'être
en retard, Mme Thatcher se présente toujours longtemps

à l'avance au rendez-vous hebdomadaire. En Grande-Bretagne, il est aussi impoli d'être en avance qu'en retard.

« Nous sommes une grand-mère » : à la naissance de son premier petit-enfant, Margaret parle publiquement de sa joie à la première personne du pluriel, privilège réservé à la reine. Mme Thatcher, de surcroît, se met à copier le style vestimentaire de la souveraine, avec son goût des couleurs chatoyantes. Résultat, lors d'une réception, les deux femmes portent une robe d'un rouge identique. La presse monte en épingle l'incident. Furieuse de ce qu'elle perçoit comme un camouflet royal, Maggie a le culot de charger son assistante personnelle de se mettre en contact avec une dame de compagnie de la reine afin de coordonner la garde-robe des deux femmes. Sur un ton pincé, la grande aristocrate répond : « La reine ne s'intéresse pas à la tenue des autres. »

Sur le plan politique, la cohabitation avait pourtant bien commencé. Lors du premier mandat thatchérien, la reine approuve la politique drastique de redressement d'une situation économique que le laisser-aller depuis la guerre a singulièrement compromise. À l'instar du pays, la souveraine est lasse du peu d'efficacité des gouvernements précédents, de droite comme de gauche. Leurs relations sont au zénith lors de la guerre des Malouines, en 1982. Reine d'un pays dont la souveraineté a été bafouée par les dictateurs argentins, leader du Commonwealth, commandant en chef de l'armée, Elizabeth II applaudit la témérité de Thatcher. La reine autorise son fils cadet, Andrew, le chouchou, pilote d'hélicoptère naval à participer à la campagne de reconquête de l'archipel de l'Atlantique Sud « pour la liberté et pour la justice ».

L'harmonie ne survit pas à la réélection triomphale de Margaret Thatcher pour son deuxième mandat en 1983. Le divorce est entamé deux ans plus tard quand, secoué par la crise de la livre sterling, épuisé par la grève des mineurs la plus longue de l'après-guerre, le pays est saisi par le doute. L'ancien Premier ministre, Harold Mac-Millan, devenu comte de Stockton, âgé de quatre-vingt-dix ans et aveugle, stigmatise le drame du chômage dont personne ne voit l'issue. Il s'agit d'une critique à peine voilée de la politique libérale-populiste de Mme Thatcher par le plus prestigieux représentant du conservatisme traditionnel à visage humain cher à la souveraine mais honni par la Dame de fer.

En juillet 1986, citant des « sources proches de la reine », le *Sunday Times* fait sensation en révélant les inquiétudes de cette dernière sur les risques d'éclatement du Commonwealth, conséquence du refus du gouvernement britannique de recourir à des sanctions économiques contre l'Afrique du Sud de l'apartheid. En effet, indifférente au sort des anciennes colonies, Maggie n'a que faire des remontrances des leaders africains qui osent soutenir Nelson Mandela, « un terroriste ». Son soutien implicite à Pretoria déchire l'ex-empire et conduit à un boycott partiel d'une majorité de membres des XIIIes Jeux du Commonwealth qui se déroulent à Édimbourg.

Mais comme la reine n'a pas publiquement exprimé sa désapprobation, le palais comme Downing Street ne confirmeront jamais les propos prêtés à la monarque. Mais pour ceux qui savent lire entre les lignes, le message est passé. La reine n'a pas non plus apprécié d'avoir été mise devant le fait accompli lorsque Mme Thatcher a autorisé l'aviation américaine à lancer un raid de représailles contre la Libye à partir de ses bases installées dans le Suffolk.

Mais plus que tout, la souveraine reproche au gouvernement son manque de compassion pour les plus démunis et la dégradation du tissu social. La grève des mineurs, en 1984-1985, a ébranlé la reine qui a reçu d'innombrables lettres d'épouses de gueules noires lui demandant d'intervenir auprès de l'inflexible Mme Thatcher. Au même moment, une commission présidée par le duc d'Édimbourg en personne critique sévèrement la situation du logement. Pour couronner le tout, le prince Charles fait savoir qu'à la lumière des émeutes dans le ghetto antillais de Liverpool, il ne veut pas « monter sur le trône d'un pays divisé ».

En vain. Mme Thatcher feint d'ignorer les états d'âme prêtés aux Windsor. Dans ses mémoires, Margaret Thatcher, se laissant aller à l'un de ses rares élans de fair-play, a toutefois reconnu l'importance pour un chef du gouvernement de pouvoir s'entretenir avec une personnalité au courant des affaires du royaume mais au-dessus des partis. « Je ne pense pas que ses sujets soient conscients de l'étendue de son expérience », écrit « Mrs T », en rappelant que depuis 1952, chaque matin, la reine lit les télégrammes diplomatiques d'importance, les dépêches des services de renseignement extérieurs et les lettres que lui envoient les chefs d'État et de gouvernement. « La reine est sans doute la femme qui a la plus grande expérience politique et la mieux renseignée au monde. » Elizabeth ne se montre pas rancunière envers Margaret. Elle lui octroie l'ordre de la Jarretière après son départ de *Number Ten* et assiste à son dîner d'anniversaire pour ses quatre-vingts ans à l'Hôtel Savoy.

Avec John Major, qui succède à Thatcher en 1990, les relations s'apaisent. Le nouveau Premier ministre conservateur, issu d'un milieu encore plus modeste que celui de Margaret Thatcher, n'a pas les mêmes prétentions aristocratiques que cette dernière. Les grands problèmes du pays — Europe, crise monétaire, privatisations et scandales de mœurs au sein de la majorité — se sont exacerbés, mais les rapports sont plus harmonieux. Elizabeth a la courtoisie de faire semblant de s'intéresser au cricket, la grande passion de son Premier ministre.

Malgré tout, secrètement, la reine a dû se féliciter de la victoire du travailliste Tony Blair en 1997 et du retour à l'alternance après dix-huit ans de pouvoir conservateur, un peu trop pleinement exercé. Le nouveau Premier ministre est né un mois avant son couronnement et il apporte un vent de nouveauté qui ne la laisse pas indifférente.

La monarque partage la vision travailliste en matière de politique étrangère : la Grande-Bretagne « au cœur de l'Europe », le maintien de la relation spéciale avec les États-Unis, l'augmentation de l'aide à l'Afrique et la défense de l'environnement. En revanche, les projets de politique intérieure de la nouvelle équipe ne suscitent guère son enthousiasme. Sa crainte est que le New Labour, conservateur sur le plan économique afin de ne pas effrayer la classe moyenne, ne se montre radical sur le plan institutionnel pour conserver le soutien de sa base populaire. Ses inquiétudes sont justifiées.

La fin de la présence des pairs héréditaires à la Chambre des lords ne peut que provoquer l'hostilité de la fille de lady Elizabeth Bowes-Lyon pour qui cette mesure relève purement de la guerre des classes. Le commandant en chef des armées est opposé à la réforme militaire qui entend supprimer certains des régiments les plus prestigieux. Le Labour affaiblit le pouvoir central, dont elle est le garant, en créant un Parlement écossais et une Assemblée galloise. L'interdiction de la chasse à courre déplaît fortement à cette rurale dans l'âme. La politique de libération des mœurs met à mal les fortes convictions religieuses du gouverneur suprême de l'Église anglicane. Et elle le démontre. En septembre 1997, quand Blair et sa femme sont invités à Balmoral pour le week-end de rentrée, son directeur de cabinet, Jonathan Powell, est accompagné de son amie. Mais le couple, parce qu'il n'est pas marié, n'est pas invité au traditionnel barbecue royal.

« Trop poli pour être honnête », a dû se dire la reine quand Tony Blair est venu lui demander de former un gouvernement. Lors du premier mandat travailliste, entre 1997 et 2001, l'hyper-activité du nouveau gouvernement, sa manipulation des médias et sa volonté de bousculer le vieil ordre conservateur irritent la souveraine. « L'objectif de Blair, elle l'a compris dès le départ, était de garder la tête en se séparant du corps. En abolissant les pairs héréditaires à la Chambre des lords, le gouvernement a en effet coupé le cordon ombilical entre la monarchie, l'aristocratie et le parti conservateur », souligne un ancien ministre travailliste.

Dès le départ, Elizabeth se méfie de la redoutable Chérie Blair, avocate de haut niveau, qui n'a pas l'intention de sacrifier sa carrière à celle de son mari. La reine, qui déteste les féministes, craint que cette suffragette rappelle à son « Tony » les promesses d'un manifeste électoral trop à gauche à ses yeux. Cette Chérie, qui a des opinions sur tout, refuse de se conformer aux modèles « femmes de Premier ministre sympathiques mais effacées » façon Norma Major ou Mary Wilson. Elle mène le couple. Enfin, des rumeurs circulent sur le goût de Chérie pour l'argent, rumeurs qui se confirmeront par la suite.

Heureusement, dans l'esprit de la reine, Tony Blair, fils d'un tory bon teint, a fréquenté la meilleure école privée écossaise avant d'aller étudier le droit à Oxford. Par la suite, cet avocat de formation a combattu l'extrême gauche antiroyaliste de son parti. Ce père de famille est le défenseur de l'autorité parentale et de la fermeté dans la lutte contre la criminalité. Le palais et Downing Street collaborent facilement pour assurer la cohabitation, évitant ainsi les questions d'ego, de territoire et autres pertes de temps.

Parfois, Tony joue à Elizabeth un mauvais tour pour calmer l'aile gauche du New Labour. Ce fut le cas pour la nomination du Master of the Queen's Music, maître de la musique de la reine, poste prestigieux de la cour d'Angleterre depuis 1626. Choisir Maxwell Davies pour écrire les « musiques officielles » censées marquer les grands événements de la royauté est une provocation. Car si le récipiendaire est considéré comme l'un des plus grands compositeurs britanniques vivants, c'est un républicain de choc : « Au fond de moi-même, je suis favorable à l'abolition de la monarchie, même si le régime républicain laisse parfois à désirer comme c'est le cas aujourd'hui aux États-Unis avec Bush ou en Italie avec Berlusconi. » Ce pacifiste classé à l'extrême gauche n'a jamais ménagé ses critiques contre les grandes institutions culturelles du royaume chères à Sa Majesté. « Je compte composer pour les grandes occasions du règne d'Elizabeth II mais ce n'est pas là ma première mission. Il s'agit d'ouvrir la musique à un public plus large » : d'emblée il a prévenu que ses compositions traiteraient autant des questions de société que des louanges de la reine et de son règne.

Malgré ces péripéties, l'attachement de Tony Blair au trône n'est plus à démontrer. Le Premier ministre est venu à la rescousse de la Couronne à la dérive à la mort de Diana, le 31 août 1997, trois mois seulement après son triomphe aux urnes. L'un de ses conseillers les plus écoutés, Alastair Campbell, a révélé l'importance pour le Premier ministre du rendez-vous hebdomadaire avec la monarque : « C'est en effet la seule personne dont il est sûr qu'elle ne livrera aucun secret à la presse. » Blair n'a jamais rien confié à son entourage de la teneur de ses conversations au palais. Tout juste sait-on que lorsqu'en 1999, le Premier ministre évoqua avec la souveraine l'organisation « du » jubilé royal de 2002, cette dernière lui rétorqua d'un ton pincé : « C'est *mon* jubilé, monsieur Blair. »

Dans cette galaxie de Premiers ministres auxquels la reine a eu affaire, il en est un qui tient une place privilégiée : Winston Churchill (1951-1955), son premier chef de gouvernement. Il sera à la fois mentor, et sans doute père de substitution après le décès de George VI.

La propre fille de Churchill, lady Soames, est la mieux placée pour parler des liens entre Elizabeth II et son père. Elle vit dans une petite maison de Kensington à Londres. Née cinq ans avant la reine, très alerte, Mary Soames a traversé gaillardement l'ère « élisabéthaine ». Avec familiarité, elle appelle son père « papa » mais, dès qu'elle évoque la reine, c'est « Sa Majesté ». Et pour signifier la déférence, elle affirme ne pas appartenir au premier cercle des amies de la souveraine. Même si les photos dédicacées par Elizabeth et sa famille, omniprésentes dans son salon, racontent une autre histoire.

« Mon père était d'avis qu'il n'y avait rien à cacher au souverain. Il avait établi un rapport très étroit avec George VI. Le roi et papa déjeunaient ensemble après l'audience. Pour pouvoir être seuls, ils se servaient à un buffet. Papa a ensuite noué le même type de relation facile avec Elizabeth II qui appréciait sa franchise. La fonction royale est très solitaire. » Preuve de l'affection de la reine : lorsque Churchill est victime d'une attaque cérébrale en 1954, Elizabeth II, contactée par les responsables de la majorité, refuse de lui suggérer qu'il est temps de prendre sa retraite alors qu'il a plus de quatre-vingts ans.

Quand finalement, le 5 avril 1955, Winston Churchill se retire, la reine est prête à lui offrir un duché, honneur extrêmement rare dans la royauté moderne. La majorité de ses prédécesseurs ont dû se contenter du titre de comte. Il refuse poliment et se contente du titre de chevalier qui lui permet de continuer à siéger à la Chambre des communes. À sa mort, en 1965, la reine lui accorde des funérailles nationales. Avant lui, seuls deux autres illustres Premiers ministres, Wellington et Gladstone, au XIXᵉ siècle, avaient eu droit à un pareil égard. La souveraine prête ses propres carrosses, équipés de couvertures et de bouillottes, pour le cortège. À titre exceptionnel, lors de la cérémonie religieuse, Elizabeth II, en hommage, bouleverse le protocole et prend place dans l'abbaye de Westminster avant la famille Churchill.

Car c'est plus qu'un proche qui s'en va. La guerre a contribué à les rapprocher. Le matin du 6 février 1952, apprenant le décès du roi, Churchill, effondré, lance à Jock Colville, son secrétaire particulier, à propos de la nouvelle reine : « Je ne la connais pas vraiment. C'est encore une enfant. » Il a guidé ses premiers pas de souveraine. Face à une personnalité comme celle du « Vieux Lion », la jeune monarque aurait pu être écrasée. Or, il n'en a rien été. À ses côtés, elle a appris l'aspect politique du métier de reine. Lady Soames se souvient : « Elle aimait beaucoup mon père qui comprenait instinctivement le fonctionnement d'une monarchie constitutionnelle. Je crois aussi qu'il était un peu amoureux d'elle. La reine était toujours charmante à son égard. » Amoureux peut-être mais toujours discret. À Jock Colville qui l'interrogeait un jour au retour de l'audience hebdomadaire sur le contenu de leurs conversations, Churchill, qui portait toujours pour l'occasion la redingote et le haut-de-forme, répondit sur un ton sérieux : « Des courses de chevaux, bien sûr. » Un jeu s'installe entre le pygmalion et sa créature. Elizabeth s'ingénie à le prendre en défaut sur les télégrammes diplomatiques qu'il n'a pas pris soin de lire.

Lady Soames souligne la loyauté de la souveraine envers sa famille. Quand son mari, Christopher Soames, cardiaque, a été nommé dernier gouverneur de Rhodésie, en 1979, la reine lui avait donné le conseil de faire attention à sa santé : «Vous savez, Christopher, Salisbury [capitale de la Rhodésie] se trouve à une altitude très élevée. » En 2005, Mary Soames est reçue en qualité de chevalier de l'ordre de la Jarretière à Windsor. La reine lui remet le collier qui avait appartenu à son père.

Trois ans après son accession au trône, la reine a pris de l'assurance. Le passage au 10 Downing Street d'Anthony Eden (1955-1957), longtemps ministre des Affaires étrangères de Churchill, qui représente la continuité d'un conservatisme bon teint, ne laisse guère de traces. Si ce n'est le fiasco de l'expédition de Suez en 1956 qui embarrasse la jeune souveraine. Son Premier ministre lui cache comme à la Chambre des communes la collusion de Londres avec les gouvernements français et israélien pour faire tomber Nasser. La reine est écartelée entre son soutien aux troupes dont elle est le commandant en chef et l'hostilité du Commonwealth et de Washington à l'expédition franco-britannique. Cette opposition à la reine aurait joué un rôle tout aussi important que sa santé chancelante dans la démission forcée d'Anthony Eden et dans sa décision de quitter la vie politique. Par la suite, la reine entreprit plusieurs tournées dans des pays du Commonwealth pour tenter de réparer les dégâts causés à l'image de l'ancienne puissance tutélaire par cette aventure aux relents colonialistes.

C'est avec l'arrivée au pouvoir, en 1957, d'Harold MacMillan, un autre grand bourgeois, qu'elle s'émancipe vraiment. L'humour caustique de son Premier ministre, le goût commun pour l'Écosse et les parties de chasse à la grouse, la détendent, mais elle n'apprécie guère son caractère instable. Ainsi, sur un coup de tête, le Premier ministre décide de financer la modernisation du yacht royal *Britannia*. Cela provoque une énorme polémique dans le pays. Peter Carrington, à l'époque premier lord de l'Amirauté, essuie les plâtres pour la gaffe de son chef du gouvernement : « Elle m'a fait appeler. Là, sans même m'inviter à m'asseoir, elle m'a reproché, sur un ton glacial, de lui faire porter les critiques sur le coût des travaux au yacht. Elle m'a lancé : "Vous payez et c'est moi que l'on blâme." Je suis sorti du palais totalement abasourdi. »

Avec Harold MacMillan, Elizabeth II affronte le déclin de l'Empire, le fameux retrait « à l'est de Suez », la supériorité des États-Unis, l'avènement du Marché commun, le refus gaullien de l'adhésion du Royaume-Uni et la décadence économique. Quand MacMillan démissionne en 1963, elle rend hommage « à un guide qui m'a aidée dans les méandres des affaires internationales ».

La succession n'ayant pas été planifiée, le parti conservateur est déchiré entre les partisans de Rab Butler et Alec Douglas-Home. Les caciques s'en remettent au jugement de la souveraine, comme le veut alors la prérogative royale. Après bien des hésitations, elle tranche en faveur de Douglas-Home, qui sera le dernier Premier ministre aristocrate. Contrairement à ce qu'on dit, ce choix n'a pas été influencé par la reine mère, d'origine écossaise, ou par la haute aristocratie conservatrice qui se méfie de Butler, intellectuel, jugé trop « à gauche ». En fait, elle se sent instinctivement en phase avec son chef de gouvernement. Elle pardonnera même au noble écossais sa remarque peu flatteuse, comparant l'audience royale hebdomadaire à la visite d'un élève espiègle convoqué par une directrice d'école réputée pour sa sévérité. Butler se vengera d'avoir été écarté en déclarant à une journaliste : « Les Windsor sont des incultes. La reine ne lit jamais rien. À Windsor, il n'y a que des livres sur les chevaux. »

Ses relations avec Ted Heath (1970-1974) ont été aussi complexes que le personnage. Même avec ce politicien mal à l'aise avec les gens, célibataire endurci, indifférent à « son » Commonwealth, elle trouve néanmoins des points communs, l'Église, les chants de Noël et la voile, distraction préférée de Philip. Heath la rassure sur l'effet de l'entrée, en 1973, de son pays dans le Marché commun, sur les perspectives d'avenir de la monarchie : « Dans la mesure où la monarchie dépend de l'expérience qu'elle a de la vie et des événements qui se produisent sur les plans national et international — et elle a été en contact avec l'Europe tout au long de son règne —, elle peut profiter, beaucoup plus que par le passé, des connaissances qu'elle a accumulées concernant le continent. Elle ne fera qu'amplifier une démarche qu'elle a toujours adoptée. »

Les rapports de la reine avec les travaillistes Harold Wilson, deux fois Premier ministre (1964-1970 et 1974-1976) et James Callaghan (1976-1979) qui lui succède, ont toujours été marqués d'une grande cordialité. La détérioration de la situation économique domine leurs rencontres. Le développement des secteurs de pointe, la mise en exploitation du pétrole et du gaz de la mer du Nord et l'expansion à l'étranger des géants industriels marquent l'ère Labour. Mais, parallèlement, le royaume

garde une économie vétuste, à faible productivité, pénali-
sée par des infrastructures d'une autre époque, des syndicats corporatistes omnipotents, des patrons inefficaces et
un fisc vorace. La croissance est aussi entravée par les
pesanteurs sociologiques illustrées par cette déclaration
d'un leader syndical : « Les Britanniques ne sont pas nés
pour travailler. » Témoignage de l'échec des équipes travaillistes, l'humiliation infligée en 1976 au Royaume-Uni
contraint de mendier une aide urgente au Fonds monétaire international pour enrayer la spéculation contre la
livre.

Harold Wilson a estimé que la reine fait « ses devoirs »
comme un écolier bien consciencieux. Il a observé que,
parfois, elle connaissait mieux les dossiers que lui. Malgré
l'opposition de bon nombre de ses ministres, Wilson a
toujours accepté sans rechigner de relever la dotation de
l'État aux Windsor. Il s'est vanté de sa proximité avec la
reine qui lui préparait un steak parfaitement à point sur
un barbecue à Balmoral ou le conduisait elle-même en
jeep pour lui faire visiter son domaine. Mais après son
retrait de la vie politique, elle l'a rarement reçu. Au vu de
cette ingratitude, James Callaghan a fait une importante
réserve à ses éloges : « Elle est attentionnée mais ne vous
donne jamais d'amitié. » C'est bien vu.

*   *   *

La stabilité politique de l'une des plus vieilles démo-
craties au monde serait-elle garantie avec un président de
la République ? Outre-Manche, il existe un mouvement
républicain sous-jacent, dormant, insaisissable sauf lors

des crises de la royauté. Tony Benn, ancien ministre travailliste, en est l'une des figures de proue.

Holland Park. Une maison un peu décrépie dans un quartier chic de l'Ouest londonien. Dans son bureau capharnaüm, l'ancien député enchâsse son mètre quatre-vingt-dix dans un vieux fauteuil. Cet aristocrate en rupture de ban, pilier de la gauche travailliste pure et dure, est le porte-parole attitré de la mouvance républicaine et c'est ainsi qu'il se présente : « Nous n'attaquons pas la personne du monarque. Ce serait vulgaire et inconvenant pour la reine, une femme pas très intéressante mais qui n'a pas choisi cette fonction. Je veux la fin du pouvoir antidémocratique dont la monarchie est l'armature centrale. » L'ancien ministre d'Harold Wilson a proposé il y a quelques années une loi, intitulée « Commonwealth of Britain Bill » préconisant l'abolition de la monarchie à la mort d'Elizabeth II. En outre, par référendum, il entend obtenir la suppression de la Chambre des lords, la séparation de l'Église et de l'État et la promulgation d'une Constitution écrite. Conformément à la pratique, le ministre de l'Intérieur lui a écrit pour lui confirmer que la reine avait consenti « avec le plus grand plaisir » au dépôt de sa proposition de loi. Cette lettre est devenue son talisman. Sa croisade n'a jamais abouti à la suite du blocage du gouvernement et des parlementaires qui ne lui ont pas épargné leurs sarcasmes. « Le chef du gouvernement a monopolisé les prérogatives royales. Il faut les reprendre », ajoute notre interlocuteur qui se déclare, s'il le faut, favorable au maintien de la reine à Buckingham après la promulgation de la république, « comme icône touristique ».

Tony Benn aime raconter que, comme ministre de l'Industrie, des Postes et des Télécommunications en 1974, il avait proposé de remplacer l'effigie d'Elizabeth II qui figure sur tous les timbres-poste par celle des rois et des reines depuis Guillaume le Conquérant. « Intéressant, monsieur Benn », avait murmuré, avec humour, la monarque lors d'une entrevue. À son départ, un seul coup de téléphone du palais à Downing Street avait réglé l'affaire : « Quand je suis arrivé à mon bureau, quinze minutes après avoir quitté la reine, un message d'Harold Wilson m'attendait : "Tony, laisse tomber." » La monarque voulait bien céder sa place sur les timbres à condition qu'Edward VIII, le félon qui avait abdiqué en 1936, n'y figure jamais.

Tony Benn ne se fait plus d'illusions, il fait partie de ces tribuns que l'on écoute mais qu'on n'entend jamais. Malgré l'*annus horribilis* de 1992 et la disparition de Diana, la monarchie se porte à merveille. Selon un sondage Ipsos Mori réalisé pour le compte de Buckingham Palace en prévision de la célébration du quatre-vingtième anniversaire d'Elizabeth II, en 2006, seulement 19 % des personnes interrogées se déclarent partisans de l'abolition de la monarchie. Soit un point de plus qu'au début des années 70 quand l'excentrique député Willie Hamilton avait dénigré le train de vie de la famille royale qu'il jugeait extravagant. La barre des 20 % d'opinions hostiles à la monarchie n'a été franchie que lors des premiers jours ayant suivi la mort de Diana où elle a atteint 25 %. Mais quelques jours après les funérailles, la minorité républicaine était retombée à 12 % de la population.

Malgré une décennie de scandales, l'institution dynastique a de beaux jours devant elle.

« Le bloc républicain est un socle immuable. La question est de celles qui divisent, comme la peine de mort ou l'avortement. Les républicains se recrutent surtout chez les quinze à vingt-quatre ans, les hommes, les minorités ethniques, les militants politiques, les agnostiques. La monarchie est très populaire auprès des générations âgées, des femmes, des provinciaux, des chrétiens », insiste Robert Worcester, le président de Ipsos Mori, auteur de l'enquête. À part la minorité républicaine peu agissante, la monarchie fait partie de l'ADN des Britanniques, leur symbole suprême comme le drapeau étoilé pour les Américains, la révolution de 1789 pour les Français ou le soleil levant pour les Japonais. À Londres, des milliers de rues, avenues, squares ou places portent un nom de roi, de reine, de prince ou de princesse. Le nombre d'institutions avec le mot royal dans leur appellation remplit cinq pages de l'annuaire téléphonique. Seule ombre au tableau, si 81 % du public estime que la monarchie sera toujours là dans dix ans, le pourcentage tombe à 55 % dans vingt-cinq ans et à 32 % à l'horizon 2056.

Jusqu'au début des années 90, une censure officieuse empêche le mouvement républicain de faire connaître ses positions. L'un des animateurs du mouvement « Republic », Edgard Wilson, a toutes les difficultés à trouver un éditeur pour publier son livre brut *The Myth of British Monarchy*. Après le refus des grands éditeurs, une petite maison prend le risque mais l'ouvrage est boycotté par les distributeurs. La BBC, radio-télévision publique financée par le contribuable, proscrit le mouvement républicain de l'antenne. En 1991, une émission sur l'avenir de la monarchie, qui donnait la parole aux abolitionnistes, est annulée à plusieurs reprises, sans explication. En 1993, lors d'un débat finalement organisé sur ce thème par la chaîne publique, les opposants à la monarchie doivent s'engager par écrit à ne jamais prononcer le terme république.

Malgré ces entraves, au début des années 90, le Common Sense Club, Club du bon sens, le plus célèbre des groupuscules de comploteurs anti-Windsor, se réunit régulièrement au premier étage du restaurant l'Étoile au cœur de Londres. Son nom vient du pamphlet de Thomas Paine banni d'Angleterre pour avoir préconisé l'indépendance vis-à-vis de l'Amérique. Autour du président du Common Sense Club, se retrouvait le Who's Who de l'intelligentsia : le dramaturge Peter Hare, les députés Tony Benn et Denis Mc Shane, les journalistes Christopher Hitchens ou Bill Emmot. Leur campagne, hautement médiatisée, est relayée par la presse Murdoch, en particulier le *Sun*, premier tirage du royaume, le *Guardian*, l'*Independent* et l'*Economist*. L'influent hebdomadaire écrit en 1992 que « la monarchie est une idée qui a fait son temps » et propose de soumettre son avenir à référendum. Ce ne sont pas tant les dernières aventures sentimentales des rejetons Windsor qui motivent cette prise de position que la prise de conscience que la monarchie ne sert strictement plus à rien dans le jeu institutionnel du royaume. Mais, prudemment, l'éditorial conclut que la suppression de la monarchie présenterait sans doute plus de problèmes et de tracas que son maintien. En somme, même pour certains républicains, la monarchie paraît le moins mauvais des systèmes. L'audace de *The Economist* fait toutefois scandale.

L'idée d'une consultation populaire est néanmoins reprise après le divorce Charles-Diana, en 1996, par le groupe de réflexion travailliste Fabian Society qui préconise une réforme radicale de la monarchie prévoyant entre autres l'abolition de l'hymne national, *God Save the Queen*.

La poussée du sentiment républicain au sein du New Labour alarme particulièrement le palais. Alors que les sondages donnaient Tony Blair largement gagnant face au Premier ministre conservateur John Major, la révolte gronde contre les Windsor au sein du parti travailliste. Ron Davies, porte-parole pour les affaires galloises, met en cause l'aptitude à régner du prince de Galles, qu'il qualifie, entre autres, d'« imbécile absolu, sadique, adultérin et menteur ». Jack Straw, chargé de l'intérieur, réclama publiquement une monarchie réduite, « à la scandinave ». Mo Mowlam, responsable du dossier nord-irlandais, évoque la mémoire de Thomas Paine pour qui la monarchie n'est qu'« une fonction que seuls les idiots et les enfants sont capables de remplir ». Un conseiller municipal centriste du Berkshire réclame l'abandon du préfixe « royal » de l'appellation de son comté qui comprend le château de Windsor. Du jamais-vu depuis l'impopularité de la reine Victoria, confinée dans un veuvage interminable, dans les années 1870.

Mais en devenant ministres en 1997, les Davies, Straw et Mowlam ont prêté serment à la Couronne. Conscient qu'un gouvernement réformateur a besoin de la présence d'un point fixe, comme Elizabeth II, pour rassurer l'opinion, Tony Blair a étouffé dans l'œuf la révolte des ultra-travaillistes. Le nouveau Premier ministre constate l'attachement des Britanniques à la monarchie malgré les scandales. Le sort de la famille Windsor attendra.

Aujourd'hui il ne reste pas grand-chose de toute cette agitation. Le Common Sense Club a été dissous. Jugé pourtant contraire à la Convention européenne des droits de l'homme incluse dans la législation britannique, l'interdiction à tout catholique d'accéder au trône, bien que discriminatoire, est toujours en vigueur. En 1999, lors d'un référendum, l'Australie, dont la reine est le chef de l'État, rejette l'instauration d'une république à une large majorité malgré le ressentiment envers la nation-mère. La souveraine était restée parfaitement neutre dans la campagne, faisant savoir que si la consultation lui avait été défavorable, elle en aurait été attristée, mais sans en faire une maladie. Lorsqu'en décembre 2000, le quotidien *Guardian* lance sa campagne en faveur de la république en réclamant un référendum national sur la question, l'initiative est sans lendemain.

« L'existence de la monarchie est fondamentalement antidémocratique, facteur de division sociale, d'oppression culturelle et empêche le développement d'institutions modernes nécessaires pour échapper à notre système féodal actuel de gouvernement » : Stephen Haseler, le chef de file autoproclamé du mouvement républicain, n'a pas abdiqué son credo. Mais il prêche dans le vide. Comment explique-t-on cet échec ? D'abord, le lobby anti-Windsor a peu d'impact sur l'opinion. Son recrutement est élitiste, limité à un petit cercle intellectuel londonien. Ensuite, la république, proclamée de 1649 à 1660 par Cromwell, un dictateur, a laissé de mauvais souvenirs dans les livres d'histoire. Le mouvement républicain n'a vraiment été actif qu'à la première moitié du XIXe siècle, sous les Hanovriens.

Troisièmement, quel type de présidence pourrait succéder à la royauté ? Un vrai casse-tête. Il est difficile d'envisager un président omnipotent pourvu de pouvoirs exécutifs comme les États-Unis ou la France. Le système italien ou allemand d'un homme politique élu par le Parlement est inacceptable car il doit avoir un rôle d'arbitre, au-dessus des partis. L'élection à la magistrature suprême d'une personnalité neutre comme en Irlande est difficile à organiser dans un grand pays.

Certes, l'avenir de Buckingham Palace, machine touristique à devises, sous un régime républicain est assuré. Les touristes visitent le pays pour son histoire et cela ne disparaîtra pas si la monarchie s'en va. Versailles a survécu à la Révolution française. Mais une autre question est difficile à trancher : qui serait le premier président de la nouvelle République britannique ? Un businessman, un militaire de renom à la retraite ou le président de la Chambre des communes sont à écarter en raison de soupçons de conflits d'intérêts. Le peuple anglais veut, à la tête de l'État, une légitimité supérieure à la sienne, une grâce, qui fait défaut aux présidents. C'est pourquoi un journal satirique a évoqué comme possibilité la princesse Anne, rebaptisée « Mrs » (citoyenne) Ann Lawrence, née Windsor. Malgré la grande popularité de l'intéressée, il y a mieux comme coupure radicale avec le passé.

De plus, aspect trivial, mais non secondaire, le changement de régime aurait un coût inestimable, depuis le bannissement des signes de la royauté de tout le pays et du papier à en-tête jusqu'aux bâtiments officiels en passant par les billets de banque.

Enfin, Vernon Bogdanor, professeur de droit à Oxford, souligne que, sur le continent, les pays dotés d'une royauté sont mieux lotis que les nations républicaines. À l'entendre, le Danemark, la Norvège et la Suède sont plus égalitaires que l'Allemagne ou l'Italie, les Pays-Bas sont plus avancés sur le plan social que le Portugal. Le succès du Japon, pourtant doté d'une dynastie architraditionnelle, montre que réussite économique et royauté peuvent aller de pair. Représentant la nation, un président britannique aurait le même statut aux yeux des étrangers que la reine d'Angleterre. Mais il lui manquerait la magie, cet éclat qui fascine tellement hors des frontières. Pour avoir renoncé à ce mystère dans les années 80 et 90, une partie du clan Windsor a joué avec le feu. La monarchie a failli ne pas survivre à l'accumulation des scandales.

« En général, les plus grands ennemis des monarchies sont les guerres ou la résistance à tout changement institutionnel », écrit Vernon Bogdanor. On pourrait ajouter qu'aux yeux de l'opinion, la cause de la réforme constitutionnelle est aujourd'hui éclipsée par les nouveaux défis que sont le réchauffement climatique ou la lutte contre l'exclusion.

Quand on prononce devant eux le mot république, les Britanniques, même indifférents aux Windsor, répondent : « Pourquoi changer un système qui marche ? » Le public, lui, semble satisfait du présent arrangement monarchie-

Parlement. L'impéritie des enfants Windsor ne justifie pas de liquider un système bien portant. Il ne faut pas jeter le bébé avec l'eau du bassin. Et pour le remplacer par quoi ?

La monarchie n'est pas remise en question, mais n'intéresse plus guère.

* * *

Mais alors, quels sont les pouvoirs de la reine ? C'est un journaliste du XIXe siècle, Walter Bagehot, qui les a définis dans une maxime passée à la postérité : « Formuler des avertissements, donner des encouragements et des conseils. » Dans son ouvrage clé, *La Constitution anglaise*, il ajoute un très net avertissement : « Un souverain sensé et sage n'en considère aucun autre. »

En théorie, en effet, Elizabeth II, reine de Grande-Bretagne et d'Irlande du Nord, chef du Commonwealth et de l'Église anglicane, commandant en chef des armées, ne règne en fait que sur les cygnes, les baleines et les esturgeons, propriétés royales depuis 1324, croisant dans les eaux territoriales de son royaume. Le souverain incarne la nation sans détenir les leviers du gouvernement, assurant à la démocratie un équilibre inégalé. Si elle dispose des dossiers les plus secrets dans ses fameuses boîtes et d'un « conseil privé » composé des plus hautes personnalités du royaume, la souveraine ne joue qu'un rôle de notaire contresignant des décisions prises par d'autres. En l'absence de Constitution écrite, rien ne lui interdit de refuser sa signature à une loi votée par la Chambre des communes, de critiquer le gouvernement, de congédier les chefs militaires ou l'archevêque de Canterbury. Mais elle ne le fait pas.

Ce ne fut pas toujours le cas. Hostile à ses réformes, William IV avait limogé son Premier ministre, lord Melbourne, en 1834, au profit du réactionnaire duc de Wellington. En 1839, lors de la « crise de la chambre à coucher », Victoria avait refusé la requête de son chef de gouvernement tory, Robert Peel, de limoger ses dames de compagnie liées à l'opposition whig. Par la suite, elle avait évoqué dans sa correspondance adressée à ses enfants et petits-enfants ses vifs désaccords politiques avec Gladstone.

Aux yeux de l'actuelle souveraine, ce serait contraire à l'usage établi depuis « la glorieuse Révolution » de 1688 et le Bill of Rights, la législation des droits de l'homme, de 1689, qui vit l'avènement de la démocratie parlementaire. De nos jours, la peine capitale a été abolie. Mais si elle était rétablie et que le Parlement devait voter sa pendaison, la souveraine devrait signer sans ciller sa propre exécution. Elle la parapherait par la formule exécutoire : « La reine le veut ». Il en serait de même en cas de proclamation de la République. « Nous partirions tranquillement, sur la pointe des pieds », a plusieurs fois plaisanté Elizabeth II lorsqu'on évoque devant elle le spectre d'une république.

Reste que, malgré la limite à ses pouvoirs, la souveraine n'a rien d'un chef d'État potiche cantonné à l'inauguration des chrysanthèmes. La reine a quatre rôles essentiels dans la vie de la nation :

— *Institutionnel.* Tout d'abord, en vertu de ce qu'il reste des prérogatives royales, la reine nomme le Premier ministre. Le système électoral uninominal à un tour, en dégageant une majorité à la Chambre des communes, lui facilite la tâche. Et l'élection, dans chaque parti, d'un seul leader automatiquement candidat au poste de Premier ministre, limite le choix. C'est seulement en cas de majorité introuvable qu'elle peut exercer son droit de nomination. En 1974, confronté à une telle situation, le choix de la monarque s'est porté sur le travailliste Harold Wilson, mieux à même à ses yeux que le conservateur Ted Heath, de former une équipe ministérielle soutenue par les libéraux. Même si le Premier ministre devient fou, c'est à son parti et non pas au monarque de le remplacer. À Londres, un Premier ministre convaincu de forfaiture serait éliminé en vingt-quatre heures sans que les institutions essentielles du pays soient mises en danger.

Elle peut aussi refuser théoriquement la dissolution du Parlement, mais ça ne s'est jamais fait. La Couronne est également un contre-pouvoir face au Premier ministre dans un pays qui n'a jamais connu de véritable risque totalitaire depuis Cromwell. Pour reprendre une analogie de la vie des affaires, le monarque est un peu comme un président non exécutif héréditaire, représentant par exemple la famille fondatrice, face au directeur général — le Premier ministre — qui gère l'entreprise « United Kingdom PLC ».

Au chef du gouvernement, elle peut théoriquement réclamer un « supplément d'information » pour lui communiquer ses réticences à une nomination, mais elle n'a jamais exercé ce droit. Dans son for intérieur, elle ne voulait pas garder auprès d'elle, comme conservateur de la Collection Royale, le traître Anthony Blunt, l'espion soviétique démasqué en 1964. Mais elle s'est rangée à l'avis de son Premier ministre et des services de renseignement en le conservant à son service. Mal lui en prit puisque, à la suite de la révélation de son identité dans la presse, en 1979, la reine a été attaquée pour son manque de jugement.

Ajoutons que, pour faire connaître publiquement son point de vue, la souveraine peut toujours agir par l'intermédiaire d'autres membres de la famille royale, comme le duc d'Édimbourg ou le prince Charles qui, souvent, ont critiqué ouvertement la politique gouvernementale. C'est là une indication qui n'échappe à aucun Premier ministre.

— *Symbole de l'unité de la nation.* Elle parle au nom de tous ses sujets, au-delà de leur obédience politique, de leur appartenance régionale, de leur origine ethnique ou religieuse. Cette gardienne du bien public fédère les divers peuples du royaume. Transcendant les différentes composantes régionales, le monarque est le garant de l'unité. Un rôle essentiel à l'heure où des revendications autonomistes se multiplient, surtout en Écosse.

Car, étrangement pour un système monarchique, sa légitimité, le souverain constitutionnel la tient du peuple. « Il n'est pas au sommet d'une pyramide sociale, mais d'un obélisque, le pyramidion au sommet représentant la famille royale », résume de manière imagée le Buckinghamologue Robert Lacey.

— *Liens avec le Commonwealth,* la grande famille d'outre-mer dont elle est le chef. Son autorité morale à la tête de l'association regroupant les anciennes colonies lui a permis de désamorcer trois crises constitutionnelles : l'Australie (1975), la Grenade (1983) et Fidji (1987). Elle a également persuadé le Premier ministre indien, Indira Gandhi, de lever, en 1977, l'état d'urgence. Deux ans plus tard, le dossier rhodésien menace l'unité du Commonwealth. Lord Carrington se souvient de la terrible conférence de Lusaka (Zambie) totalement accaparée par ce dossier : « Elle s'est longuement entretenue avec tous les excités des pays de la ligne de front, ce qui a eu l'effet d'apaiser les tensions et d'organiser une conférence qui a débouché sur l'accord de Lancaster House, en décembre 1979. » La reine connaît personnellement tous les chefs d'État du Commonwealth et de bon nombre d'autres pays. Ses observations à leur sujet peuvent être très utiles à un chef de gouvernement.

— *La philanthropie.* Ce rôle joué par la reine mais aussi d'autres membres de la famille royale est souvent sous-estimé par les observateurs étrangers. C'est la monarchie « Providence » illustrée par les quelque trois mille cinq cents organisations philanthropiques parrainées par un membre de la famille royale, dont plus de six cents par la souveraine en personne. Des officiers à la retraite de la Royal Navy aux escrimeurs amateurs en passant par les infirmières, les philatélistes ou la société de zoologie... : l'examen de la liste de ces trusts, associations, fondations révèle une monarchie idéaliste mais pratique, traditionnelle mais radicale. Chaque membre de la famille royale a ses préférences. La religion, la protection des personnes âgées et des enfants, les animaux, l'armée et la santé sont les secteurs de prédilection de la reine. Son action est double : parrainage pour favoriser la collecte de fonds et, parfois, dons personnels, jamais extravagants, assurent les mauvaises langues. La caisse royale a toujours contribué aux fonds d'entraide aux victimes de catastrophes.

Prince radical par excellence, le prince Charles, lui, a trois centres d'intérêt : les préoccupations sociales, l'architecture, l'environnement. Il est allé plus loin que sa mère en créant un formidable réseau d'une douzaine d'organisations caritatives. Sa compassion pour les jeunes en difficulté, issus pour la majorité de l'immigration, est illustrée par le Prince's Trust fondée en 1976 après qu'il eut quitté la Royal Navy.

Si elle a moins la fibre sociale que son fils aîné, Elizabeth II est souvent allée à la rencontre des déshérités. Elle a *the right touch*, alliant commisération et respect. À des jeunes sans abri présentés lors de l'inauguration d'un refuge, elle demande : « Ce n'est pas trop dur ? Je vous souhaite bonne chance. » Elle reste elle-même, élégante, la voix douce, la diction distinguée, avec parfois ces hésitations de langage très caractéristiques de la *gentry* britannique et ce tact très aristocratique grâce auquel on manifeste son empathie avec les malheurs du monde. Théoriquement, rien n'empêche un président ou une First Lady de faire de même, mais la monarchie apporte cet éclat, cette histoire, cette continuité à la solidarité nationale.

« La démocratie ne dépend pas que des structures politiques mais également de la bonne volonté et du sens de la responsabilité de chaque citoyen » : dans ce commentaire, la reine, très astucieusement, place son action caritative au cœur du pacte passé entre la monarchie constitutionnelle et la nation. Comme celle de l'Église, la fibre philanthropique de la royauté est un complément de l'État-providence. La royauté agit en contrepouvoir à l'omnipotence de l'État symbolisée par le Premier ministre, qui au fil des siècles a accaparé les pouvoirs régaliens. L'entreprise est parfois difficile. Les Windsor doivent exercer leur action sociale dans l'étroit corridor que leur concède le pouvoir politique.

L'exécutif et le législatif entendent assumer pleinement leurs prérogatives de gardiens de l'État-providence. Au début de son règne, en effet, le Service national de santé, la Sécurité sociale et les nationalisations avaient créé un secteur public puissant soutenu par une forteresse syndicale. Dans un tel environnement dirigiste, le mouvement associatif avait du mal à se faire une place. Mais la fureur libérale thatchérienne et la crise de l'État vont rendre à la monarchie les moyens de ses ambitions philanthropiques. Et la magie de la reine fait des miracles quand il s'agit de lever des fonds lors des galas fortement payants au profit d'une organisation charitable, en l'honneur d'un film, d'une exposition ou d'un opéra. Cette tradition de la royauté de faire sortir aux riches leur portefeuille est fortement ancrée dans la famille royale depuis le règne de George III, au XVIIIe siècle. Elizabeth II n'a fait que la poursuivre.

VII

LA DIPLOMATE

Toute sa vie, la reine a changé de méridien avec désinvolture. Femme pourtant casanière, Elizabeth II est sans doute la Britannique qui a le plus voyagé au monde, avalant des kilomètres jalonnés de sourires. En 2007, son compteur affiche deux cent soixante-deux visites officielles à l'étranger dans cent trente et un pays, soit six fois le tour du monde. Elle a tout vu, la Grande Muraille de Chine, le Taj Mahal, la forêt tropicale amazonienne, les geysers néo-zélandais, la Grande Barrière de corail... Elle a connu les mauvaises surprises comme les meilleures. Elle a visité toutes les nations du Commonwealth, sauf le Cameroun, soit cinquante-trois nations, se rendant à vingt et une reprises au Canada, son pays préféré, quinze fois en Australie, cinq fois en Jamaïque et en Nouvelle-Zélande. Et tout cela sans passeport puisqu'elle en est exempte.

La France est le pays européen qu'Elizabeth II a le plus visité. Elle y a effectué quatre visites d'État, en 1957,

1972, 1992 et 2004. C'est aussi en France, en 1948, que la princesse Elizabeth, accompagnée du duc d'Édimbourg, avait fait son premier déplacement à l'étranger. Elle avait certes quitté pour la première fois le sol britannique en 1947 pour se rendre en Afrique du Sud, mais c'était un dominion, une colonie, de la Couronne.

Une fidélité peut-être due à son ascendance française. C'est à La Rochelle que fut baptisé, en 1608, son ancêtre, Alexandre Desmier, seigneur d'Olbreuse, d'Antigny, du Beugnon et de la Bruère. Ce gentilhomme protestant issu d'une ancienne famille poitevine attestée dès le XIVe siècle, avait eu quatre enfants, dont une fille nommée Eleonore. Elle est le lien avec le roi d'Angleterre, George Ier, trisaïeul de la reine Victoria. Sous le pseudonyme vacancier de « Lady Balmoral », cette dernière, au demeurant, avait fait à Nice des séjours répétés qui donnèrent lieu à la construction, dans le plus beau style Belle Époque, de l'hôtel Excelsior Regina Palace, ou Regina aujourd'hui.

Elizabeth II parle en tout cas un français impeccable. Lors de la remise des lettres de créances par les ambassadeurs d'Afrique francophone, elle aime pratiquer avec eux la langue de Voltaire. Quand elles se faisaient des confidences, la reine, sa mère et sa sœur, la princesse Margaret, s'exprimaient en français, à la grande fureur du prince Philip, un germanophone au français rouillé.

À Buckingham Palace, la présence de la France est évidente.

Le service de Sèvres turquoise utilisé lors des grandes occasions est un cadeau personnel du roi Louis XVI à la duchesse de Manchester. Les maisons françaises sont le premier fournisseur étranger de la cour, avec six producteurs de champagne et une maison de cognac. Tous les matins, lors de la relève devant le palais de Buckingham, le chef de la garde des grenadiers, bonnet à poil et capote grise, pousse des cris rauques et déchirants en vieux français. Même le *God Save the Queen*, l'hymne de cette nation fière, a des racines françaises. Composé par Lully, Haendel l'aurait entendu à la cour de Louis XIV et rapporté dans ses bagages à Londres. L'un des premiers cas de piraterie musicale... À titre privé, la souveraine a parfois traversé le Channel pour acheter des pur-sang en Normandie. Ainsi, dans les années 60, elle a visité plusieurs haras dont celui du Pin, dans l'Orne, fondé par Colbert. Au haras de Meautry, dans le Calvados, elle a acheté une saillie d'Exbury, un étalon appartenant à Guy de Rothschild. En 1972, cette grande amatrice de chevaux s'était fait présenter les écuyers du Cadre noir de Saumur sur un champ de Mars noyé par des trombes d'eau, envoyant un télégramme de félicitations, « Mon seul regret est que le temps a dû leur causer quelque inconfort ». Preuve de son admiration pour la tradition équestre française, trente-deux ans plus tard, à l'occasion du centenaire de l'Entente cordiale, elle a souhaité revoir le Cadre noir. En raison du conflit nord-irlandais au début des années 70, les écuries royales ne pouvaient plus s'approvisionner en équidés dans la verte Erin, la France a donc pris le relais. Ces dernières années, la souveraine s'est procuré des chevaux aux États-Unis, notamment dans le haras du Kentucky de Will Farish, longtemps ambassadeur du président Bush à Londres.

Dans les prêts d'œuvres d'art de la Royal Collection à l'étranger, les musées français ont été choyés par Sa Majesté, en particulier le Louvre, le château de Versailles et le Grand Palais. Le Petit Palais reçoit en prêt dix-huit toiles du peintre victorien Winterhalter en 1988, le musée des Arts décoratifs bénéficie de vingt et un objets Fabergé en 1993, le musée du Louvre de vingt et un dessins de Vinci en 2004. Quant à la reine mère, elle aimait profondément la France où elle avait fait de nombreux séjours de villégiature, notamment dans le Val-de-Loire et en Dordogne. Elle appréciait également sa culture et avait acheté un Monet et un Fantin-Latour. La veuve de George VI avait une dévotion toute particulière pour les résistants de la France libre réfugiés à Londres dont elle avait été la présidente d'honneur. Lors de la finale du Mondial de 1998, la vieille dame avait trinqué à l'annonce de la victoire de la France sur le Brésil, en entonnant *La Marseillaise*.

* * *

Qu'il me soit permis d'évoquer un souvenir personnel qui m'a beaucoup marqué. Un jour, je reçois un coup de fil de la secrétaire du Master of the Royal Household, le maître de la maison royale : « Seriez-vous libre, monsieur Roche, le 18 novembre car la reine et le duc d'Édimbourg aimeraient vous convier à Windsor ? » Je pense à un canular jusqu'au moment où tombe l'expression magique, « Entente cordiale ». Incroyable, je suis invité au banquet d'État offert 18 novembre 2004 par Sa Très Gracieuse Majesté au président Chirac à l'occasion de la célébration du centenaire de l'Entente cordiale.

Les *horse-guards* au casque éclatant et les hallebardiers armés d'une pique sont figés dans une impressionnante immobilité à l'entrée du château de Windsor. Le tapis rouge a l'épaisseur d'un plant de fraisiers. Dans le hall, les portraits des ancêtres normands, Tudor, Stuart, Orange et Saxe-Cobourg montent la garde. L'accès à la reine tient du menuet minutieusement codifié. L'invité est d'abord reçu par un majordome. Un valet de pied le présente ensuite à un militaire qui le confie à un diplomate. Enfin, un huissier le conduit dans l'immense salon pourpre où les cent quarante convives prennent l'apéritif — champagne ou eau — au son de l'orchestre de la Garde. Le livret remis à chaque participant indique l'ordre de la procession royale, le menu, la liste des vins — tous français —, les accompagnements musicaux, le plan de table. Les hommes sont en smoking — pas de médailles, précise le carton d'invitation — et les femmes en robes longues. La petite exposition d'objets, de lettres et de gravures liés aux visites d'État franco-britanniques durant la seconde moitié du XIXe siècle ne fait guère recette. La seule, la vraie, attraction est la maîtresse des lieux que tout le monde attend.

Avec tact mais décision, le maître de cérémonie organise une file d'attente devant une énorme porte à double battant. C'est de l'autre côté que nous attendent la reine et le président de la République. Le sésame s'ouvre. Chaque invité lui remet son bristol. « Marc Roche », aboie-t-il comme un acteur shakespearien. La reine Elizabeth II sourit avec bienveillance et tend une main très molle gantée de blanc. Elle est habillée d'une robe blanc-gris qui flatte sa silhouette de presque octogénaire, porte un diadème de diamants et arbore, comme à son habitude, un collier de trois rangs de perles. La poignée de Jacques Chirac est ferme. Bernadette Chirac a le sourire discret. Le duc d'Édimbourg, réputé pour sa ponctualité, est visiblement contrarié. Attendus à 18 h 15, M. et Mme Chirac sont arrivés après 19 h 15. Le cortège avait été bloqué par les défenseurs de la chasse à courre que le gouvernement s'apprêtait à interdire. Le couple Chirac dormira cette nuit à Windsor, la résidence préférée de la reine, son *home sweet home*. Le Président et son épouse sont logés dans l'appartement 240 avec vue imprenable sur le parc. Le château est réservé aux hôtes de marque — Mandela, Reagan, Gorbatchev, Chirac — pour des occasions exceptionnelles. Les autres « descendent », en toute simplicité, à Buckingham Palace.

Après les présentations, les invités passent dans la salle à manger. Mais quelle salle à manger, le St. George's Hall, décor grandiose qui ne peut rivaliser qu'avec la galerie des Glaces de Versailles ! Décoré dans le style néogothique, doté d'un plafond en chêne en forme de carène renversée comportant les blasons de l'ordre de la Jarretière, le lieu perpétue l'illusion d'une prééminence monarchique. L'Angleterre d'hier toise celle d'aujourd'hui.

L'immense table d'acajou, autour de laquelle les convives prennent place, croule sous l'argenterie et les candélabres. Chaque invité a six verres à sa droite, et non pas devant comme en France, placés suivant l'ordre dans lequel les vins sont servis : champagne (2), vin blanc, vin rouge, eau, porto. Les couverts en argent portent le monogramme royal. Les assiettes sont en vermeil, de l'argent massif recouvert d'une fine pellicule d'or. Des bols de mandarines, ananas, raisins et lychees sont placés à intervalles réguliers. Les bouquets de fleurs n'empêchent pas de voir son vis-à-vis distant d'au moins trois mètres. En revanche, raides sur leur siège, les convives sont obligés de garder les coudes serrés le long du corps.

Trouver sa place est un exercice compliqué. Les différents membres de la famille royale, disposés tous les vingt invités, servent de repère. Les Windsor sont les seuls à ne pas avoir à consulter le plan de table : le protocole des grands dîners royaux offerts aux illustres étrangers est, en effet, immuable.

Deux francophones encadrent le correspondant du *Monde*, sans doute pour l'avoir à l'œil : Robin Janvrin, le secrétaire particulier de la souveraine, et un ancien ambassadeur britannique.

Tous les convives sont assis. L'orchestre d'un des régiments royaux entonne alors la marche des Grenadiers. La procession royale fait son entrée dans le St. George's Hall. En tête, la reine, flanquée du président Chirac. Suivent le duc d'Édimbourg et Mme Chirac, puis le prince de Galles et la ballerine française Sylvie Guillem. Camilla était encore à l'époque *persona non grata* au palais. Pas moins de sept membres de la famille royale ont été mobilisés pour l'occasion. Tout le monde se lève. La monarque prend place. Les invités se rassoient. Le ballet rappelle le pompage des Shaddock. La reine a les mains posées sur les genoux, celles de M. Chirac sont sur le bord de la table. L'amitié franco-britannique n'empêche pas les différences culturelles de subsister.

D'une voix neutre la souveraine porte un toast à l'Entente cordiale, « qui concerne avant tout nos deux peuples, issus de tous horizons... travaillant ensemble avec un objectif commun et une vision partagée ». Le président de la République remercie en anglais la monarque de son « exceptionnelle invitation » dans ce lieu « chargé d'histoire », avant de poursuivre son allocution en français. L'assistance se lève. Re-Shaddock. Échange de toasts. Mon voisin, l'ambassadeur, trouve son champagne Krug 1982 millésimé légèrement bouchonné. Les hymnes nationaux sont exécutés.

Que la fête commence ! Le banquet de Windsor est réglé par un système de feux de signalisation dissimulé derrière un arrangement floral. Tant que le feu est au rouge, les cent trente serveurs et valets restent immobiles. À l'orange, le personnel se prépare. Au vert, le ballet des serveurs, vêtus d'une grande livrée avec cinq gros boutons dorés aux armes de la reine sur les manches (les perruques poudrées ont été abandonnées après la guerre), commence. À l'étage, l'orchestre joue de la musique d'ambiance. Il ne manque que l'annonce d'une promotion sur la lessive pour se croire dans un supermarché.

Sa Majesté est servie... Les menus des banquets officiels sont toujours écrits en français, hommage sans doute aux ancêtres normands et angevins de la lignée Windsor. Premier plat : « Filet de sole Grand-Duc », très prisé par la reine, servi avec un chassagne-montrachet 1999. Deuxième plat : « Tournedos de bœuf aux champignons sauvages » accompagné de légumes de saison, de brocolis à la sauce hollandaise, de pommes de terre, le tout arrosé d'un saint-julien 1990. « Le tournedos a souffert du retard du Président », murmure l'ambassadeur décidément sans pitié pour la cuisine royale. Pas de fromage avec la salade, mais une crème brûlée comme dessert agrémentée d'un porto millésimé 1963. Les fruits sont servis, mais écorcer le lychee à la fourchette et au couteau rebute les plus audacieux. Je fais l'impasse.

Un menu minceur qui n'a rien à voir avec l'enfilade de vingt plats de l'ère edwardienne décrite dans le pavillon royal de Brighton. Petit appétit, Sa Majesté « chipote ».

La reine se lève alors que l'orchestre entame une marche martiale de la Royal Navy intitulée *On the Quarter Deck*. Tout le monde passe au salon pour prendre un café, sans digestif. Des serveurs présentent des caves à cigares aux amateurs de havanes. Windsor n'est pas un bâtiment administratif. Le tabac n'y est donc pas banni même si Elizabeth, qui n'a jamais fumé, s'en passerait volontiers. À cette heure de la soirée, les langues se délient. Un Tony Blair totalement détendu se laisse aller en français à quelques amabilités du genre : « Malheureusement, je n'ai pas suffisamment l'occasion de pratiquer mon français. » Mais la méfiance demeure : « Vous, les journalistes, vous me menez la vie dure. » L'entraîneur du club de foot d'Arsenal, Arsène Wenger, se joint à nous. Ils parlent, en anglais, des dérives des tabloïds puis de la nécessité de garder la forme et filent à l'anglaise. « Les blasons manquants appartiennent aux chevaliers qui ont déshonoré l'ordre », m'explique la bibliothécaire de Windsor à propos des emplacements vides au plafond. Auraient-ils commis le type de débauches sexuelles que la presse tabloïde dénonce quotidiennement ? « Non, ils ont trahi la patrie », dit-elle sans broncher.

Les membres du clan Windsor sont disponibles et affables, même si la discussion va rarement au-delà des poncifs. Il n'est pas question de se présenter à la reine sans le feu vert du maître de cérémonie. Il se montre intraitable en ce qui me concerne. Peut-être ai-je manqué de patience et bousculé quelques invités pour être au premier rang, ce qui a signé mon arrêt de mort.

À 23 heures, malgré l'heure tardive, la reine et son époux assistent à une représentation d'extraits de la comédie musicale *Les Misérables*. Le spectacle se termine sur une scène révolutionnaire dans laquelle les deux comédiens agitent le drapeau bleu-blanc-rouge auquel un metteur en scène diplomate a ajouté l'Union Jack. Le message est clair : longue vie à l'Entente cordiale !

En se dirigeant vers ses appartements, la reine confie, en français, à un membre de la suite élyséenne : « J'ai passé une exquise soirée. »

* * *

Lors de son premier voyage en France, à la Pentecôte 1948, avec son époux, la princesse est enceinte de Charles. Le déplacement n'a pas de caractère officiel. C'est une seconde lune de miel. Vu les restrictions de l'après-guerre, Elizabeth n'a pu s'acheter de nouvelles robes pour l'occasion. Toujours en raison de l'austérité, George VI a discrètement demandé de limiter le dîner à l'Élysée à seulement quatre plats, contre onze lors de la venue du roi en 1938. Le président Auriol remet à la princesse la grand-croix de la Légion d'honneur. Malgré sa grossesse, la tournée de quatre jours — Versailles, le Trianon, Fontainebleau, soirée privée à la Tour d'Argent — est menée à un train d'enfer. « La p'tite princesse » — comme le tout-Paris l'appelle — se rend Chez Carrère, le célèbre cabaret de la rue Pierre-Charron, pour écouter entre autres Piaf chanter *La Vie en rose*, les Compagnons de la Chanson et Henri Salvador. La princesse boit du pommery, le duc du whisky. Elizabeth danse avec Philip des slows et valses lentes. Le couple se rend également sans escorte au château de Vaux-le-Vicomte pour voir les nymphes et les naïades dont sa préceptrice lui avait parlé durant son enfance. « Il y a, je crois, un enseignement à tirer de l'histoire de nos deux peuples. Nous avons le droit de l'offrir à un monde si tragiquement bouleversé. Ceux qui le voudront y trouveront les leçons qui portent en elles la promesse d'un avenir meilleur pour l'Europe », déclare-t-elle, en français, lors de la visite de l'exposition britannique au musée Galliera. « L'accent est à peine perceptible — les *r*, les *a* —, les chutes heureuses et c'est dit avec une spirituelle chaleur », juge *Le Monde* du 15 mai 1948. Le commissaire de l'exposition est un certain Georges Pompidou. À l'Élysée, Elizabeth refuse cigarettes et liqueurs et, par courtoisie, toute l'assistance se passe de tabac pendant deux heures. Faisant fi du protocole, le républicain Auriol, ancien membre du Front populaire, confie à l'Agence France-Presse à l'issue de la réception : « J'ai été particulièrement touché par sa grâce, son charme, sa modestie, sa noblesse. » Seule ombre, le général de Gaulle n'a pas été invité à la réception donnée à l'ambassade de Grande-Bretagne. Le Foreign Office redoutait de se mettre à dos Auriol en accueillant cet adversaire intransigeant de la IVe République.

Une fois sur le trône, Elizabeth II a connu tous les présidents de la IVe et de la Ve République.

De Gaulle occupait, bien sûr, une place à part, soudée par la fraternité des armes. L'Angleterre a été le berceau de la France libre et le souvenir de cette époque a tissé entre le fondateur de la Ve République et la famille royale des liens forts capables de résister à toutes les tempêtes politiques. C'est à Londres que le Général a fait son apprentissage d'homme public. Reçu en audience, à Buckingham Palace en 1944, avant son retour en France, de Gaulle confie à l'épouse de George VI : « Madame, le roi et vous avez été les deux seules personnes qui ont toujours su faire preuve de compréhension et d'humanité à mon égard lors de mon exil londonien. »

La visite officielle qu'effectue le président de Gaulle en 1960 est restée gravée dans toutes les mémoires. Pour préparer cette venue historique, le Premier ministre Harold MacMillan écrit à la reine : « Mme de Gaulle est très timide et ne parle pratiquement pas anglais. C'est une femme de caractère. J'ai entendu dire que c'est la seule personne capable d'impressionner le Général, mais c'est peu probable. »

Dans *Le Fil de l'épée*, l'homme du 18 juin a condamné ce qu'il appelle les « illusions du sentiment », dressant de lui-même le portrait d'un chef impassible et froid. Le Général retrouve toutefois avec une intense émotion la ville où il avait débarqué après la défaite de 1940, rebelle totalement inconnu. Le Royaume-Uni l'accueille, dans un fracas de musique et de vivats, avec un faste considérable. De mémoire de Londonien, jamais une foule aussi nombreuse, plus de cent mille personnes entre la gare Victoria et Buckingham Palace, n'avait acclamé un chef d'État étranger à son arrivée dans la capitale. De Gaulle est ému. Au palais de Buckingham, la reine remet au Général en uniforme le collier de l'ordre de Victoria, l'une des plus hautes décorations britanniques. La monarque répond ainsi à l'octroi par la France de la croix de la Libération au roi George VI, la veille, à titre posthume. Elizabeth a soigné tous les détails : des livres français au chevet, eau plate comme il aime, croix de Lorraine glacée au menu du dîner de Buckingham.

Les fastes passés, l'heure est au pèlerinage. À Carlton Gardens, le siège de la France libre pendant quatre ans, haut lieu de la résistance, le Général déclare : « Ce fut le plus grand moment de notre vie, en tout cas de la mienne. » Ensuite, il rend une visite, hors programme, à Winston Churchill, son vieux compagnon d'armes, autour d'une tasse de thé et de quelques biscuits. Lors du dîner offert par le président de la République à l'ambassade de France, la reine, arborant le grand cordon de la Légion d'honneur, est assise à sa droite. L'atmosphère est à ce point chaleureuse qu'elle quitte le 11 Kensington Palace Gardens avec une vingtaine de minutes de retard sur l'horaire prévu. Sur le chemin du retour, elle confie à son mari son admiration pour le chef d'État français qui s'est adressé aux convives sans notes. Cette tournée de deux jours est entrée dans la légende en raison de son éclat bien supérieur à celui de la venue, l'année précédente, d'un autre héros de la guerre, le président américain Eisenhower.

En souvenir de cette grande amitié, la reine mère Elizabeth a inauguré en personne la statue du chef de la France libre, érigée à Carlton Gardens en 1993.

« Nous ne roulons pas du même côté de la route, mais nous allons dans la même direction », déclare la reine, lors de sa visite à Paris, en 1972, à l'anglophile Georges Pompidou après que la France eut levé le double veto gaullien à l'entrée du Royaume-Uni dans la Communauté européenne. Dans son livre *La Vie quotidienne à Buckingham*, Bertrand Meyer a recueilli le témoignage de Mme Claude Pompidou sur cette visite : « On s'est donné beaucoup de mal pour la recevoir à l'Élysée, nous souhaitions tant que tout soit parfait. On se disait : "On n'arrivera jamais à ce que ce soit aussi bien que ce qu'elle attend." Et finalement elle a été absolument charmante. Beaucoup plus simple que tout ce qu'on peut imaginer. » Au Trianon, le président Pompidou commet un grave faux pas en prenant le bras de sa visiteuse pour la guider vers les dignitaires. « Il ne savait pas que c'était interdit, moi non plus », précise Mme Pompidou. La reine ne lui en tiendra pas rigueur. C'était, il est vrai, une époque de rapprochement entre Londres et Paris basée sur une véritable amitié entre le président Pompidou et le Premier ministre Edward Heath. Issus tous deux d'un milieu plutôt modeste, ils avaient réussi à franchir les barrières sociales.

La relation a été beaucoup plus difficile avec Valéry Giscard d'Estaing. Très distingué, le jeune Président cultive des allures de monarque qui font sourire le palais. « Ses manières quelque peu didactiques ne semblent pas irriter les Français [...], pas plus dérangés par son habitude de pincer les lèvres et d'énoncer chaque syllabe avec une clarté compassée », écrit l'ambassadeur britannique à Paris avant la venue du président Giscard à Londres, en juin 1976, la première d'un chef d'État français en seize ans. « Plus le Président pourra être vu avec des membres de la famille royale comme s'il était un ami, plus il sera heureux. »

Un cortège impressionnant de princes et de ducs reçoit donc l'hôte de l'Élysée à Buckingham Palace. Le palais fait les gorges chaudes d'un autre télégramme diplomatique décrivant les expéditions nocturnes du Président et son fameux « accident du laitier ». La reine prend également connaissance de la dérive monarchiste de son visiteur qui l'avait conduit à se faire servir en premier et à refuser un vis-à-vis lors de ses dîners élyséens. À l'ambassade de France à Londres, la reine qui, en bonne Anglaise, aime les courants d'air demande qu'on ouvre grand la fenêtre derrière elle. Le Président exige qu'on la laisse fermée. C'est la version britannique — « Il faisait une chaleur épouvantable, on suffoquait par une température de 40 degrés. Mais la sécurité s'est opposée à l'ouverture des fenêtres », se souvient aujourd'hui l'ex-Président. Malgré ces bisbilles, la visite est un triomphe diplomatique pour Valéry Giscard d'Estaing qui fait adopter sa proposition d'une rencontre annuelle des deux gouvernements un peu sur l'exemple franco-allemand. L'hôte de l'Élysée, qui entretient avec le chancelier allemand Helmut Schmidt des rapports suivis, entend équilibrer sa politique étrangère.

Malgré l'incident de la fenêtre, la reine sait gré à Valéry Giscard d'Estaing de l'avoir prévenue de surveiller les petites cuillères en or après que l'épouse du dictateur roumain, Ceaucescu, en visite officielle à Paris avant de se rendre à Londres, en eut subtilisé à l'Élysée. Elle offre à son visiteur Samba, un labrador noir. Depuis, l'ex-chef de l'État s'adresse à ses deux labradors en anglais. « Ce n'est pas par snobisme, c'est juste parce qu'ils sont de souche anglaise », explique-t-il en toute simplicité. Incorrigible VGE !

Avec le successeur de Giscard, c'est une autre affaire. Comme beaucoup de femmes, la reine est tombée sous le charme de François Mitterrand. Le monarque républicain, c'est vrai, aurait été capable de séduire une pierre, pour reprendre la jolie expression de Françoise Giroud. Elizabeth II n'a jamais oublié le soutien indéfectible du président de la République, passant outre sa sensibilité tiers-mondiste, lors du conflit des Malouines et l'aide de Paris dans l'obtention d'un embargo européen contre l'Argentine. Le 6 mai 1994, côte à côte, en vieilles connaissances, le Président et la reine inaugurent le tunnel sous la Manche, huit ans après le lancement de cette fantastique coentreprise amarrant l'île au continent. Sans doute, la fille de George VI ne peut gommer de son esprit cette idée simple que l'insularité a préservé son pays des invasions comme de la rage. Mais cette francophile convaincue approuve la prouesse technique d'un projet plébiscité en son temps par la reine Victoria en raison de son mal de mer. La reine trouve certes Mitterrand sentencieux, hiératique, royal pour tout dire, mais tellement intéressant. Visiblement impressionné par la majesté d'Elizabeth II, le Président lui rendra le compliment : « C'est une vraie reine. » La dernière ? Parmi tous les hommages, c'est sans doute celui qui l'a le plus touchée.

Jacques Chirac, bel homme, cordial, spontané, parlant avec plaisir la langue de Shakespeare, ne peut que lui plaire. Certes, il n'a pas le goût des pompes royales, à l'inverse de son épouse, née Chodron de Courcel, qui sait ployer le genou en une belle révérence devant la souveraine. Hôte pour trois jours de Sa Majesté, à son arrivée à Buckingham Palace, le 14 mai 1996, dans le landau d'État, il envoie des baisers à la foule, à la Chirac, à côté de la reine sidérée par de telles familiarités. Cette dernière multiplie les égards envers son visiteur, les régiments qui entouraient son carrosse, les Irish Guards et les Welsh Guards n'étaient pas à Waterloo. Chirac, *refreshing Jacques*, se présente comme un trait d'union entre les extrêmes que représentent le fédéralisme allemand et le nationalisme frileux britannique. Le 26 avril 2002, entre les deux tours de la présidentielle, la reine me fait part de ses inquiétudes à la suite de la présence de Jean-Marie Le Pen au second tour face à Jacques Chirac : « Il s'agit d'une situation difficile. » Traduction : les idées d'extrême droite me répugnent. Elizabeth vote « Jack » Chirac.

* * *

Mais entre les deux vieilles nations, tout ne baigne pas dans le bonheur. « Avec le recul, nous n'aurions jamais dû signer ce maudit traité qui nous a donné le carnage de la Première Guerre mondiale, Hitler et Staline », estime le quotidien conservateur *Daily Telegraph* faisant allusion à l'Entente cordiale scellée le 8 avril 1904. Plus d'un siècle plus tard, la presse populaire multiplie les clichés d'une France qui partage son temps entre les barricades et les week-ends prolongés, et le vieux stéréotype du Français buveur de vin et tombeur de filles, arrogant et borné.

C'est vrai que la Queen's Collection, la Collection royale, rappelle que, pendant des siècles, les victoires françaises furent des défaites de la couronne d'Angleterre et vice versa. Tableaux, meubles, armes à feu ou bustes de généraux perpétuent le souvenir de cette rivalité militaire. Ainsi, la Galerie royale possède une grande peinture représentant la rencontre de Wellington et de Blücher à Waterloo. Au château de Windsor, on a l'impression que la mémoire de la lignée s'est construite contre Napoléon, comme l'atteste le drapeau bleu-blanc-rouge flottant dans la salle des gardes, bannière capturée par le même Wellington en Belgique. La reine adore la France, affirment les discours officiels, mais cela ne l'empêche pas d'organiser le banquet annuel offert à la famille Wellington pour célébrer la victoire de Waterloo. Une victoire pour laquelle la nation reconnaissante avait offert au duc de fer le domaine de Stratfield Saye, dans le Hampshire. En échange de ce cadeau, il devait offrir au roi chaque année un petit drapeau français rappelant le fait d'armes. Cette tradition, qui s'est poursuivie avec ses descendants, n'a pas empêché le fils aîné et héritier dudit duc de présider pendant longtemps un fonds d'investissement franco-britannique. Autre témoignage de cette inimitié, le rubis du Prince Noir, pièce centrale de la couronne de St. Edward, porté par Henry V lors de la défaite française à Azincourt, garde une entaille provoquée par le coup de hache du duc d'Alençon.

La célébration fastueuse du centenaire de l'Entente cordiale ne doit pas faire oublier que cet acte fondateur de l'amitié franco-britannique n'était pas dénué d'arrière-pensées. Ce rapprochement avec la France tentait de faire oublier les origines allemandes de la famille régnante, issue des Hanovriens, étendue aux Saxe-Cobourg. Ainsi, l'un des cosignataires, le roi Edward VII, parlait couramment le français, mais son anglais était fortement teinté d'accent allemand.

Aujourd'hui, malgré les hauts et les bas des rapports franco-britanniques, l'Entente se porte bien. Le succès de l'Eurostar, la présence de vedettes du foot hexagonal évoluant dans la Première Ligue de football, les nombreux Britanniques disposant d'une résidence secondaire dans le Lot ou en Dordogne ainsi que l'afflux de jeunes Français à Londres soulignent le rapprochement des mentalités. À l'inverse de ce qui se passe avec l'Allemagne, le lien franco-britannique ne demeure plus cantonné comme par le passé à l'establishment des deux nations. Il est autant populaire que protocolaire.

Des inquiétudes pour l'avenir demeurent. « La France occupe une place à part dans mon cœur. J'y viens aussi souvent que possible, mais pas assez à mon goût », déclare le prince de Galles, dans un français qu'il maîtrise remarquablement bien lors d'une visite au British Council à Paris, en 1994. Mais la francophilie n'a pas trouvé de relais dans la génération suivante. Le prince William, deuxième dans la ligne de succession, a préféré apprendre le kaswahili, la langue d'Afrique australe. Quant à son frère, le prince Harry, il a traité un jour un serveur français de « damnée grenouille » pour s'en excuser par la suite.

Dans son livre *Honni soit qui mal y pense*, la linguiste française Henriette Walter relate l'incroyable histoire d'amour entre le français et l'anglais. Pour preuve, depuis

Henry II Plantagenêt, qui épouse en 1152 Aliénor d'Aquitaine jusqu'à Charles Ier (1600-1649) qui choisira pour femme en 1625 Henriette-Marie, fille de Henri IV, le français règne sans partage à la cour d'Angleterre. Au total, treize reines d'Angleterre sont d'origine française. Ce ne sont pas uniquement des liens de sang qui unissent les deux pays. En 1789, quand les révolutionnaires lançaient leur fameuse devise « Liberté, égalité, fraternité », ils s'adressaient non seulement à leurs concitoyens mais aussi aux Anglais. Le meilleur exemple en est le grand poète William Wordsworth, partisan de la Révolution jusqu'à l'exécution de Louis XVI, pour en devenir ensuite un ardent adversaire.

Mais l'ancrage, par la suite, aux dynasties allemande, autrichienne et scandinave desserre le lien. Il faudra attendre 1843 pour que deux chefs d'État français et britannique, Victoria et Louis-Philippe, se rencontrent à nouveau. Pourtant, le Royaume-Uni a toujours été une terre d'accueil : Talleyrand, Louis XVIII et Louis-Philippe s'y sont exilés. Louis Napoléon a pris refuge à Londres à deux reprises après l'échec de la conspiration de Strasbourg, en 1836, et d'une deuxième tentative à Boulogne en 1840, à l'occasion du retour des cendres de son oncle. Déposé après la guerre franco-allemande, Napoléon III retraverse le Channel. Mort le 9 janvier 1873, ce dernier repose aux côtés de sa femme, l'impératrice Eugénie, et de leur unique fils, le prince impérial Eugène-Louis, dans un mausolée à l'abbaye St. Michael de Farnborough. Aussi étrange que cela puisse paraître, après les Cent-Jours, Napoléon Ier avait déclaré, le 15 juillet 1815, s'en remettre à la générosité du prince régent d'Angleterre, et venir « comme Thémistocle, s'asseoir au foyer du peuple britannique », pour ne pas tomber dans les mains des Bourbons. La perfide Albion le déporta dans l'île de Sainte-Hélène. Chateaubriand a vécu à deux reprises à Londres. Le jeune inconnu pourchassé par la Révolution en 1793 y trouve gîte, une première fois, pendant sept ans. L'écrivain revient ensuite en Grande-Bretagne comme ambassadeur de France sous Louis XVIII. Son portrait trône dans le salon de réception de la résidence française de Kensington Palace Gardens. Sous le Second Empire, Victor Hugo passera une partie de son exil dans les îles Anglo-Normandes, posées à quelques encablures de Cherbourg, mais placées sous l'autorité de la couronne d'Angleterre. Les responsables de l'immigration devaient ignorer que la carrière de l'écrivain avait été lancée avec éclat en 1827 par sa tragédie *Cromwell*, hommage au dictateur républicain.

En 2004, dans le cadre de la célébration du centenaire de l'Entente cordiale, la reine revient en France. Signe des temps, la visite est plus détendue, moins protocolaire. Elle descend dans la rue où une foule considérable l'accueille chaleureusement. Elle accepte un bouquet d'un fleuriste et un œuf de Pâques de chez Stohrer, « pâtissier du roy ». Ce que la monarchie a perdu en pompe et éclat, elle l'a gagné sur le plan humain.

Cette francophilie l'a d'ailleurs aidée dans ses relations avec le pays qu'elle connaît le mieux, le Canada. Le traitement réservé par la population à la souveraine du « Royaume-Uni, du Canada et d'autres territoires » reflète un schisme têtu : les anglophones, en majorité protestants, portent aux nues « leur » souveraine tandis que les francophones, en majorité catholiques, sont au mieux indifférents. Mais un grand nombre ne supportent pas d'être qualifiés « sujets de Sa Majesté ». Dans la Belle Province, en 1964, elle est huée par des supporteurs du Front de libération du Québec. L'hostilité des années 70-80 de contestation indépendantiste a fait place, après l'échec du référendum sur l'indépendance de 1995, à un respect teinté d'ironie. « La reine est comme un vieux meuble qui fait partie des bijoux de famille dont on ne se résout pas à se débarrasser. » Elle se sent canadienne autant que reine du Canada. Si elle devait s'exiler ou prendre sa retraite à l'étranger, le Canada de l'intérieur, avec sa nature sauvage et ses rapports sociaux apaisés, serait indiscutablement son premier choix.

* * *

Les convictions pro-européennes de la reine sont anciennes, on le sait. Elles sont fondées sur l'expérience de la Seconde Guerre mondiale, sur sa prise de conscience, en raison peut-être de ses origines germaniques, de l'indispensable réconciliation avec l'Allemagne. Elle n'a jamais partagé l'hostilité viscérale de sa mère envers ce pays, question de génération et d'éducation. À juste titre, un membre de la famille royale ne rappelait-il pas que, après tout, la maison des Windsor était de lignée européenne ? Sur la nécessité de construire une Europe élargie et solidaire la souveraine n'a jamais varié tout au long de son règne. « Sa vision est de celles de Robert Schuman et des fondateurs du Marché commun : c'est une opinion centriste, même si le risque de perte de souveraineté nationale l'inquiète », assure l'ancien secrétaire d'État travailliste aux affaires européennes, Denis Mac-Shane. Envers la construction européenne, contrairement à ses gouvernements, la reine n'a jamais choisi le *stop and go* europhile-eurosceptique.

Mais à cause des clivages et des fractures à l'intérieur de toutes les familles politiques sur la place du Royaume-Uni dans l'Union européenne, elle a toujours dû mettre en sourdine cet idéal. En vertu de sa grande pratique de la vie parlementaire, à l'origine même de l'histoire constitutionnelle de l'Angleterre, elle est résolument favorable à l'Assemblée européenne. Margaret Thatcher s'était opposée pourtant à la première visite d'Elizabeth II aux institutions de Strasbourg. Son successeur, John Major, avait donné son feu vert dans le cadre de sa politique de normalisation avec Bruxelles. S'adressant le 12 mai 1992 au Parlement de Strasbourg, vêtue d'un manteau bleu roi proche de celui du drapeau européen, elle a jugé que « c'était l'équilibre nécessaire qui avait été trouvé à Maastricht ».

Mais dans son esprit, l'ancrage européen ne doit pas faire oublier la « relation spéciale » entre le Royaume-Uni et les États-Unis. Atlantiste, la reine a connu neuf présidents américains. Elle a eu un énorme respect pour le débonnaire Truman. Son successeur, Eisenhower, artisan aux côtés de son père, de Churchill, de Montgomery et de De Gaulle, de la victoire sur le nazisme, a une place particulière. Preuve de cette estime réciproque, lors de la visite officielle de 1957, « Ike » a invité le couple royal à loger, à titre exceptionnel, à la Maison Blanche et non pas dans la résidence réservée aux chefs d'État étrangers. En 1961, elle accueille avec éclat John Kennedy et son épouse, beaux, jeunes et au magnétisme hors du commun. La reine, en revanche, se méfie de Lyndon Johnson qui voulait que les soldats britanniques se joignent aux GI dans sa guerre vietnamienne. La descendante de George III, le souverain qui perdit l'Amérique, ne garde pas non plus un très bon souvenir de Nixon, qui rêvait, l'impudent, de marier sa fille Tricia au prince Charles. Reagan a été visiblement son président favori, comme l'attestent son séjour à Windsor et leur promenade à cheval dans le parc du château, point culminant de la visite officielle du chef de l'exécutif américain et de Nancy en juin 1982. Le courant passait entre l'ancien acteur hollywoodien et la reine. Thatcher en avait même été un peu jalouse. L'intervention militaire unilatérale des États-Unis, en 1983, à la Grenade (Antilles), n'avait pas gâché cette amitié, malgré la remontrance peu amène de Maggie à Ronnie : « Après tout, ce sont les îles de Sa Majesté. »

Son successeur, le patricien George Bush, soulève l'enthousiasme de la cour d'Angleterre. C'est un wasp (*white anglo-saxon protestant*) grand chic, dont la fortune date de quelques générations déjà, sorti de Yale, héros de la guerre du Pacifique et pratiquant fervent. Bref, le prototype même de l'Américain fortuné de la côte Est dont les Windsor se sentent naturellement proches. Les deux pays sont alliés lors de la première guerre du Golfe contre l'Irak, en 1991. Mais lorsque Bill Clinton devient l'hôte de la Maison Blanche, le fossé de générations se creuse. Ainsi Elizabeth doit-elle forcer sa nature pour poliment sourire aux blagues que lui raconte le Président américain. Mais elle lui sera reconnaissante du rôle crucial qu'il a joué dans l'accord intervenu en 1998 en Irlande du

Nord. Lui qui, étudiant à Oxford entre 1968 et 1970, n'avait guère aimé ses condisciples anglais jugés snobs et peu accueillants, trouve la reine « ouverte, franche, chaleureuse ». Elizabeth trouve à Bush Junior, allié de la Grande-Bretagne en Irak et en Afghanistan, des vertus d'homme d'État. Après le 11 septembre 2001, la reine s'est rangée résolument aux côtés de l'Amérique meurtrie. Trois jours après les attentats de New York et de Washington dans lesquels ont péri une centaine de Britanniques, un orchestre militaire a interprété pour la première fois dans l'histoire du royaume l'hymne américain lors de la traditionnelle relève de la garde. « D'une certaine façon, les Américains considèrent Elizabeth II comme leur reine, surtout sur la côte Est. Les plus âgés se souviennent bien sûr de la guerre. Elizabeth II est sans doute la célébrité numéro un après le Président, cela va de soi », indique le sondeur Robert Worcester. Il préside la Pilgrim's Society, la Société de concorde transatlantique dont la souveraine est présidente d'honneur. On ne compte plus les personnalités américaines, en particulier les généraux, élevées, à titre honoraire, à la dignité de chevalier de l'Empire britannique.

* * *

France, Europe, États-Unis, mais aussi le Commonwealth, son enfant chéri. Ce « vestige » colonial qui rassemble, sous l'autorité d'Elizabeth II, cinquante-sept pays et près de deux milliards d'âmes. Fondé en 1925, il s'agit d'une libre association de nations indépendantes, jadis colonies britanniques (le Mozambique en est membre, bien que n'étant pas une ancienne possession de la

Couronne). Un Commonwealth dont la France aurait pu faire partie si la proposition de mariage trans-Manche faite en 1956 par le président du Conseil, Guy Mollet, au Premier ministre Anthony Eden s'était concrétisée. Les relations entre Londres et Paris étaient alors à leur zénith. Si ce projet avait vu le jour, la monarchie aurait été rétablie en France avec la reine Elizabeth II comme chef d'État ! Pour contourner les difficultés que cela aurait posées à l'ego français, Guy Mollet, ancien professeur d'anglais, avait accepté l'idée d'une citoyenneté commune sur la base de l'arrangement irlandais mis au point entre Londres et Dublin après l'indépendance de l'Eire. Cela ne coûte rien de rêver.

« Écrire un portrait de la reine ? Pour la croquer, il faut comprendre le Commonwealth. Il s'agit d'un lien personnel, intime même, résultat de son éducation et de son milieu familial. » Paul Reynolds, alors rédacteur diplomatique de la BBC, m'avait donné ce sage conseil avant mon départ pour Harare en 1991. Douze heures d'avion jusqu'à la capitale du Zimbabwe, ex-colonie britannique indépendante depuis 1979, pour plonger dans une conférence du Commonwealth. Le sommet bi-annuel de cette association des ex-territoires de l'Empire s'apparente à une superproduction hollywoodienne cumulant tous les ingrédients du genre, histoire, exotisme, émotion. Avec, dans le rôle principal, Elizabeth II qui dispense le même charmant sourire, la même aimable bienvenue au Premier ministre d'Inde, superpuissance économique d'un milliard d'habitants comme au président du Kiribati, micro-État perdu dans les flots du Pacifique Sud.

« Un dîner simple et convivial » : c'est la description donnée par le palais de Buckingham du dîner solennel offert à State House, la résidence du président zimbabwéen Robert Mugabe, où la reine loge pendant son séjour, aux chefs de délégation du Commonwealth. Fastueux, intemporel, le banquet s'offre comme un rempart devant les dossiers à l'ordre du jour : respect des droits de l'homme, levée partielle des sanctions contre Pretoria, augmentation de l'aide financière et technique aux membres les plus démunis. Les assiettes en porcelaine bordées d'argent, les verres en cristal frappés des initiales ER, les nappes brodées en dentelle de Bruges, les couverts baroques en or, les candélabres géorgiens... Pour une occasion de ce genre, la royauté tutélaire a fait venir le service de Buckingham Palace. Ce soir-là, la reine porte la tiare Mary, superbe arabesque de diamants, d'émeraudes et de rubis, qu'elle affectionne particulièrement pour les grandes occasions. Surtout ne jamais bouleverser le décor et les habitudes.

Sur le papier, l'enjeu de la réunion d'Harare est de taille pour le chef du Commonwealth. La reine est encore chef de l'État de seize nations de cet ensemble dominé par des républiques. La « famille » n'est ni une confédération, ni une alliance militaire, ni une communauté économique. En fait, ce sont la langue, l'anglais, l'histoire commune, ainsi que des traits constitutionnels similaires hérités du Parlement de Westminster, qui font l'unité de cette organisation dont Churchill disait qu'elle est comme un rayon de lune, « incassable et inclassable ».

En pratique, dépourvu d'unité, le Commonwealth est un ensemble fragile. Même si, de l'extérieur, cette structure évoque la colonisation, le Royaume-Uni n'est plus qu'un membre parmi d'autres. Immanquablement, l'adhésion britannique à l'Union européenne a détendu les liens avec les anciennes possessions. Les grands accords sur les matières premières sont désormais négociés par Bruxelles. De plus, la cassure n'a fait que se creuser entre grands et petits pays, entre riches blancs et pauvres d'Afrique et des Antilles. Le consensus est de plus en plus difficile à trouver. Au bout du compte, les déclarations finales de cette grand-messe, les proclamations altruistes et lyriques restent dans la réalité un catalogue de bonnes intentions. Le Commonwealth est dépourvu d'outil politique ou économique. Les vieux réflexes et les rancœurs demeurent. Ainsi, en 1997, le refus d'Elizabeth II de présenter ses excuses pour le massacre d'Amritsar en 1919 au cours duquel 379 civils avaient été tués par des soldats britanniques, gâche sa visite officielle en Inde.

Quand elle se déplace dans le Commonwealth, la reine dispose d'un étendard spécial, bleu foncé avec un E doré entouré d'un chapelet de roses. Pourquoi cet attachement de Sa Majesté à ces lambeaux de gloire impériale ? Du plus grand empire de tous les temps, il ne reste pas grand-chose, une douzaine de parcelles s'étirant sur cinq continents et peuplée de 180 000 habitants, c'est peu. Encore deux de ces territoires, Gibraltar et les Malouines, sont-ils revendiqués respectivement par l'Espagne et l'Argentine. Le repli impérial a été aggravé par le « rapatriement » à Ottawa de la Constitution canadienne, la poussée du courant républicain en Australie, la fin du pouvoir blanc en Afrique du Sud, la rétrocession de Hong-Kong. Or, la reine, née en 1926, est une enfant de la fantastique épopée impériale. Elle a été éduquée devant des planisphères dominés par le rose, la couleur dévolue à l'époque aux colonies et dominions de la Couronne. Avec toute sa génération, elle a été le témoin des déchirements de la décolonisation. Le sang a coulé dans le sous-continent indien, en Palestine, au Kenya ou en Malaisie. Mais au contraire des Français en Algérie, des Belges au Congo ou des Portugais en Angola, les populations civiles britanniques n'ont pas vécu ces conflits dans leur chair. Rien n'illustre davantage cette « culture » impériale que le culte royal des bijoux indissociablement lié aux mines de diamants sud-africaines, aux tailleurs de pierres précieuses israéliens et aux gemmes des maharadjahs indiens. La reine a vécu son enfance avec le mythe des bâtisseurs de l'épopée coloniale, Stanley et Cecil Rhodes, Curzon et Gordon, Disraeli et Churchill. Sa mère a été couronnée impératrice des Indes ; son oncle, Mountbatten, en a été le dernier vice-roi.

Malgré un conservatisme instinctif et son admiration pour le paternalisme bon enfant cher aux administrateurs des colonies, Elizabeth II a compris très vite l'inéluctabilité de l'indépendance. Pragmatique, elle s'est rabattue sur le Commonwealth, qui, pour reprendre une comparaison pugilistique, permet à son royaume de boxer dans une catégorie supérieure à celle autorisée par son poids.

C'est en Afrique, celle d'avant les safaris et les jets, que la princesse Elizabeth a prononcé son premier serment, en 1947, au Cap : « Je déclare que toute ma vie, longue ou courte, sera dédiée à votre service, celui de notre grande famille impériale à laquelle nous appartenons tous. » En 1991, l'accueil chaleureux de Bulawayo,

La famille royale salue la foule réunie pour le mariage du prince et de la princesse de Galles, depuis le balcon du palais de Buckingham, le 29 juillet 1982.

Elizabeth II en compagnie du pape Jean-Paul II, lors de sa première visite en Angleterre en 1982.

Elizabeth II au derby d'Epsom (1989).

Accueil de la reine Elizabeth II lors de sa visite à Tuvalu (1989).

Elizabeth II s'adonne à sa passion, à Sandringham (1992).

L'incendie du château de Windsor, le 20 novembre 1992, « *annus horribilis* ».

Elizabeth II reçue par Boris Eltsine, à l'occasion de son séjour en Russie en 1994.

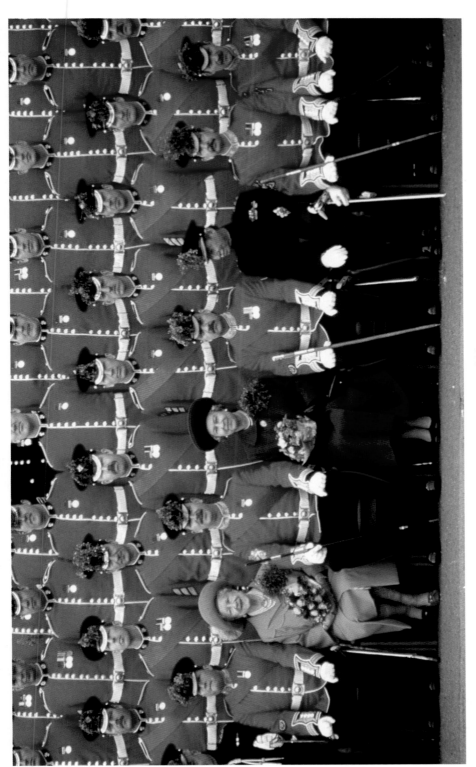

La reine et la reine mère avec les gardes irlandais, à la caserne de Chelsea en 1996.

Dans le landau d'État qui l'emmène à Buckingham Palace, Jacques Chirac envoie des baisers à la foule devant la reine sidérée (mai 1996).
© TIM GRAHAM/CORBIS.

La reine Elizabeth et le prince Philip lisent les messages déposés en hommage à Diana (1997).

La reine Elizabeth II et le Premier ministre Tony Blair, à l'occasion des noces d'or du couple royal (novembre 1997).

Banquet d'État à St. George's Hall en l'honneur du président hongrois, Arpad Göncz, à l'occasion de sa visite en 1999.

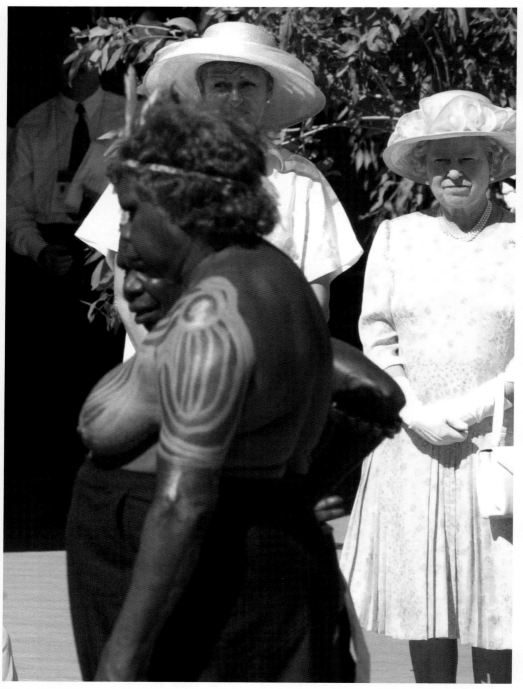

Elizabeth II assiste à son arrivée en Australie à une danse aborigène (2000).

Les princes Charles, William et Harry, et Camilla Parker-Bowles assistent au concert du Golden Jubilee dans les jardins de Buckingham Palace (2002).

La reine Elizabeth II, au sommet du G8 à Gleneagles, en compagnie de Manuel Barroso, Silvio Berlusconi, Gerhard Schröder, Junichiro Koizumi, Paul Martin, George Bush, le prince Philip, Jacques Chirac, Tony Blair et Vladimir Poutine (6 juillet 2005).

Margaret Thatcher accueille la reine Elizabeth II à la réception donnée pour ses quatre-vingts ans, le 13 octobre 2005.

Elizabeth II, le prince Charles et Camilla, aux Braemar Games Highland (2006).

deuxième ville du Zimbabwe, ne peut que lui rappeler le pénible souvenir de cet après-midi du 6 février 1952 quand elle a appris la mort de son père, George VI. Pourtant, la voix est bien posée, sans une trace d'émotion quand elle lance à la foule réunie devant l'hôtel de ville : « J'ai appris que Bulawayo connaît une terrible sécheresse qui menace son existence. » Soudain, une courte averse rince l'estrade. La reine disparaît sous une grappe de parapluies transparents pour que le public puisse la voir. La foule exulte : dans le folklore du Matabeleland, seuls les plus grands chefs sont capables de commander les éléments. « Enfin, une bonne nouvelle », déclare-t-elle en guise d'au revoir.

* * *

L'expérience inestimable et unique d'Elizabeth II tirée de ses rapports avec tous les chefs d'État qu'elle a connus pendant son règne en fait une diplomate hors pair. Alors que, dans le domaine politique, une étrange alchimie s'opère entre la reine et ses Premiers ministres, au plan diplomatique il en est tout autrement. La reine s'acquitte de sa tâche avec un art consommé.

Pour réussir sa prestation diplomatique, la souveraine dispose d'au moins cinq atouts : sa compétence, son goût du secret, sa souplesse devant les choix politiques imposés par le 10 Downing Street, le sens inné de la préséance, sa bonne éducation. La reine est dépourvue d'aspérité, d'agressivité. Son autorité repose sur la légitimité et l'Histoire.

La traditionnelle réception offerte par Elizabeth II au corps diplomatique, en novembre, en témoigne. Habit et décorations pour les messieurs, robes de soirée et gants longs pour les dames, costumes nationaux autorisés voire encouragés : cet événement, auquel sont conviés quelque mille trois cents plénipotentiaires, est éblouissant. De l'ambassadeur des États-Unis au représentant du Vanuatu, chaque diplomate a droit à quelques propos royaux minutieusement minutés. Elle s'inquiète de leurs impressions sur le Royaume-Uni, évoque leur pays où elle est inévitablement allée ou compte se rendre, raconte un souvenir. Elle ne regarde jamais sa montre, sachant instinctivement quand il convient de mettre fin au tête-à-tête. Quand la reine se retire, la soirée dansante commence, avec fox-trot, slows et valses au programme. Sous les ors, cette réception grandiose finit en « surboum ». C'est aussi cela les Windsor.

Elle écoute formidablement et déjoue les pièges de la politique. Lors d'une visite, les discussions sur les dossiers internationaux, bilatéraux ou commerciaux n'ont jamais lieu en sa présence. Si, lors de la conversation, le chef d'État ou de gouvernement étranger essaie de l'entraîner hors des banalités d'usage, elle l'arrête d'un « C'est très intéressant » ponctué d'un sourire et change de sujet. Sa diplomatie consiste seulement à mettre de l'huile dans les rouages des relations internationales. Et le gouvernement britannique n'hésite pas à l'utiliser en l'envoyant dans les pays avec lesquels le Royaume-Uni a un problème. Elle ne s'en plaint pas. C'est son job. Ainsi, en 1961, aux pires heures de la guerre froide, elle visite Chypre, l'Inde, le Pakistan, le Népal et l'Iran, soumis à des degrés divers à des pressions du Kremlin. En 1973, dans la foulée de l'adhésion du Royaume-Uni à la Communauté européenne, elle fait une tournée dans plusieurs pays du Commonwealth pour démontrer que l'ancienne puissance tutélaire n'entend pas les lâcher.

Ses grands discours à l'étranger sont toujours écrits par le Foreign Office. Sans jamais toucher au fond, le palais se borne à adapter la forme pour faciliter le débit du texte : langue moins administrative, utilisation de mots qui lui sont plus familiers, simplification des phrases trop longues.

Les inévitables couacs des voyages officiels ne lui font jamais perdre son flegme. « Dans son for intérieur, la reine doit trouver excitant de sortir de la routine un peu ennuyeuse qui guide sa vie », souligne l'ex-ministre conservateur des Affaires étrangères, Douglas Hurd, en évoquant le scandale de la visite royale au Maroc, en 1980.

Alors secrétaire d'État aux Affaires étrangères, Douglas Hurd accompagne Sa Majesté au royaume chérifien. Le roi Hassan II se comporte en goujat, laissant la souveraine deux heures durant par un après-midi étouffant sous une tente sans eau. La seule boisson qui lui est offerte est un verre de cognac présenté par un serviteur terrorisé rampant littéralement par terre. Le déjeuner sera finalement servi à 15 h 40, soit avec deux heures de retard. Lors du dîner d'adieu offert par la reine à bord du yacht *Britannia*, Hassan II, furieux des attaques de la presse britannique contre son attitude cavalière, arrive avec une heure de retard. Il est accompagné de son fils qui n'avait pas été invité. Il annonce à Hurd qu'il exige le renvoi à Londres de l'ambassadeur britannique. La reine, qui a tout entendu, reste de marbre. Non seulement l'ambassadeur en question ne sera pas rapatrié à Londres, mais il est fait chevalier le lendemain à bord du yacht *Britannia*. Beaucoup de bruit pour rien.

Lors de la visite d'Elizabeth en Russie, en 1994, la suite royale est dans ses petits souliers à la perspective du dîner donné par la souveraine en l'honneur du président Eltsine. La réputation de bon viveur de Eltsine n'est plus à faire et on redoute ses excès. La vodka a donc été bannie. L'ambassade a discrètement averti le Kremlin qu'il n'était pas question de toucher ou d'effleurer le bras de Sa Majesté. Deux petits verres de vin seulement ont été prévus pour les toasts. Mais c'est la souveraine elle-même qui assouplit le régime « sec » et fait en sorte que le verre de son invité soit constamment rempli de son meilleur bordeaux. Selon Douglas Hurd, le climat joyeux de la soirée a amené le Président russe à faire des concessions sur l'Ukraine et l'élargissement de l'OTAN. La diplomatie du millésime.

En 1986, lors de la première visite en Chine d'un monarque britannique, Elizabeth II surmonte sa phobie de la cigarette en autorisant le Premier ministre chinois Deng Xiao-ping à fumer en sa présence. « Ce petit rien a détendu l'atmosphère difficile des négociations sur la rétrocession de Hong-Kong », se souvient Douglas Hurd.

Enfin, en 1992, lors de la visite de la reine dans l'Allemagne réunifiée, l'étape de Dresde s'annonce difficile. Cette ville aux trésors baroques a été dévastée par la RAF en 1945 pour hâter la fin d'une guerre interminable. La population a été ulcérée par la présence de la reine mère à l'inauguration, à Londres, de la statue de bronze de Sir Arthur « Bomber » Harris, commandant en chef de l'aviation de bombardement britannique pendant la Seconde

Guerre mondiale. La reine a l'idée de se faire accompagner par l'évêque de Coventry, ville également martyre, détruite par la Luftwaffe. Ce geste a désamorcé l'hostilité des édiles.

Sur ses interlocuteurs étrangers, la reine évite, même en présence de ses ministres, de faire des jugements tranchés par peur des indiscrétions à la presse. Tout au plus se limite-t-elle à lâcher : « C'est un coriace » ou « Je ne lui ferais pas confiance à celui-là », voire « Après cette rencontre, j'ai besoin d'un gin tonic bien tassé ». Mais pour son entourage qui sait la décoder, de tels propos ont valeur de sentence. Seules les visites de Mobutu, en 1973, et de Ceaucescu, en 1978, lui ont fait perdre son flegme. Le comportement odieux des deux despotes et de leur entourage la choque profondément. Mme Mobutu a emmené avec elle son chien préféré à Windsor, à l'insu des douanes britanniques, à l'époque intraitables en matière de quarantaine par peur de la rage. Paniquée, la reine fait évacuer tous ses corgis du château. La visiteuse exige du steak pour l'animal. La reine en personne téléphone au directeur de la douane et exige le départ du chien présidentiel raccompagné *manu militari* à la fourrière. Quant à Ceaucescu, il amène avec lui à Windsor un goûteur pour parer aux éventuelles tentatives d'empoisonnement. Il ne franchira jamais la porte du château. Bien des années plus tard, le « Conducator » s'était vengé de cet affront en se prévalant dans la presse de son pays d'un télégramme de félicitations particulièrement élogieux de la souveraine à l'occasion de son soixante-dixième anniversaire. La reine n'avait jamais envoyé ce message, et, selon la formule, cette impertinence ne l'a

254 ELIZABETH II, LA DERNIÈRE REINE

pas fait rire. « Il s'agit d'une insulte à Sa Majesté qui n'envoie pas de télégramme d'anniversaire aux autres chefs d'État », s'indigne le Foreign Office.

Dans le domaine diplomatique, la reine sait faire preuve d'humour. À l'un de ses conseillers qui lui fait remarquer que, vu le grand âge de Benoît XVI, il ne pourra être qu'un pape de transition, elle réplique : « Je vous rappelle qu'il est plus jeune que moi de six mois. »

Pourtant, sa marge de manœuvre sur le front diplomatique n'a cessé de se rétrécir face à son Premier ministre. Elle a dû accepter la politique gouvernementale de restriction des titres nobiliaires. Désormais, les ambassadeurs britanniques du pays qu'elle visite ne seront plus automatiquement élevés à la pairie comme le voulait la tradition.

* * *

Elizabeth II occupe une place centrale dans le panthéon des monarchies européennes. Outre le Royaume-Uni, six États européens sont des monarchies constitutionnelles : Espagne, Belgique, Pays-Bas, Norvège, Suède et Danemark. Il faut ajouter un grand-duché, le Luxembourg, et une principauté, Monaco, à cet ensemble incarnant, au-delà d'une fausse image réductrice et désuète, la pérennité des pays parmi les plus modernes de la planète.

Quels sont les liens entre Elizabeth II, à la tête de la monarchie constitutionnelle la plus éclatante et la plus médiatisée, et ses homologues du nord et du sud du Vieux Continent ? L'étroitesse de ces rapports dépend de considérations surtout familiales.

Dans son bureau de Grosvenor Square, au cœur de Londres, l'ex-roi Constantin de Grèce affecte à la fois l'assurance d'un homme d'affaires international et la solennité tranquille qui sied aux personnalités royales. « La reine est imbattable en matière de généalogie des monarchies européennes. Mon épouse mise à part, c'est la plus grande experte que je connaisse dans ce domaine extrêmement ardu, car nous sommes tous liés par des liens familiaux complexes », dit l'ancien monarque. Un exemple ? Le prince Philip est le fils du prince André de Grèce. Côté anglais, la reine Alexandra, épouse d'Edward VII, était la sœur de son arrière-grand-père, le roi Georges Ier de Grèce. Vous avez dit complexe… Lui-même est le frère de la reine Sophie d'Espagne et beau-frère de la reine Margrethe du Danemark.

Le roi Constantin insiste : « Ce que le monde extérieur a du mal à saisir, c'est que les dynasties européennes forment une grande famille. Il y a entre nous des liens intimes qui n'ont rien de protocolaire. On se voit régulièrement, lors des anniversaires, des décès, des naissances. Regardez la prochaine génération. Elle est très motivée, très bien éduquée et en phase avec le monde d'aujourd'hui. Les mariages arrangés, c'est du passé. »

En exil dans la capitale britannique depuis 1974, Constantin est proche de tous les Windsor. Il est un ami du prince de Galles et du duc d'Édimbourg et parrain du prince William. Cet homme à la jovialité assagie d'austères costumes bleus est aussi très lié à Elizabeth II. Elle l'a affublé d'un diminutif, « Tino ». Signe de la robustesse de ses liens, la reine a assisté au mariage, en 1995, du fils aîné de l'ex-roi, le prince Pavlov, avec une riche héritière américaine. La rumeur, impossible à prouver, dit aussi qu'aux côtés des armateurs grecs de Londres, Elizabeth II aurait apporté une aide financière à l'exilé londonien souvent à court d'argent. Pour les Windsor, la filiation grecque de Philip n'est pas exempte de controverses. Lors de la visite officielle à Londres, en 1963, du roi Paul et de la reine Frederika de Grèce, les deux couples ont été copieusement sifflés à leur arrivée dans un théâtre londonien. Le public protestait contre les sympathies pour l'extrême droite grecque prêtées à la reine Frederika, d'origine allemande. Le leader de l'opposition travailliste et futur Premier ministre Harold Wilson boycotta le banquet. Créée par les Britanniques, la lignée grecque a été sauvée par leur appui militaire, lors de la guerre civile de 1947 provoquée par une insurrection communiste.

Destitué en 1967, en raison de son rôle ambigu lors du coup d'État des colonels grecs, Constantin est aujourd'hui considéré comme membre à part entière de la famille royale britannique. Le contraste est saisissant avec le manque de rapports entre les Windsor et l'autre exilé royal londonien, Alexandre de Yougoslavie, fils de Pierre II, déchu en 1945. La raison en est l'absence de liens dynastiques entre les deux maisons plutôt qu'une affaire d'atomes crochus.

Les liens affectifs avec les descendants de deux monarques dont la reine était très proche, le roi de Norvège, Haakon VII, et le grand-duc Jean du Luxembourg, sont solides. Le premier était son cousin ; le second avait combattu dans les rangs de l'armée britannique. Avec les dynasties belge, néerlandaise ou danoise, c'est d'estime qu'il faut parler plutôt que de relations suivies. La reine Elizabeth était proche du roi Baudouin de Belgique dont elle appréciait la rectitude morale. Elle avait pardonné le refus du jeune roi des Belges d'assister aux funérailles de George VI, en 1952, en raison des attaques venues de Londres contre l'attitude pro-allemande de Léopold III pendant la Seconde Guerre mondiale. Exceptionnellement, la monarque, qui ne se déplace jamais aux funérailles à l'étranger, sera présente à la messe funèbre, 7 août 1993, en la cathédrale Saint-Michel-et-Gudule pour Baudouin Ier.

Avec la reine Beatrix des Pays-Bas et la reine Margrethe du Danemark, les relations manquent de spontanéité. Ce sont deux intellectuelles et la reine, qui n'a pas fait d'études, s'est toujours méfiée de l'instruction chez les femmes. À Buckingham Palace, on ne parle guère de Carl Gustav, roi de Suède. Les monarchies du nord de l'Europe, aux yeux de la reine d'Angleterre, ont été dévoyées par leur absence de faste. Quant aux frasques sentimentales du prince Albert II de Monaco et de ses deux sœurs, elles laissent indifférente Sa Majesté, qui en a vu d'autres dans ce registre-là. Elle n'avait pas assisté à l'éblouissant mariage du siècle entre Rainier et Grace, le 19 avril 1956.

Les Windsor couvrent de lauriers le rôle du roi Juan Carlos dans l'éclosion de la démocratie espagnole, restaurée grâce à lui et avec lui. À titre personnel, Elizabeth II pense le plus grand bien de la reine Sophie, liée sur le plan familial au duc d'Édimbourg, qui a la royauté dans le sang. Le différend entre Madrid et Londres sur le sort de **Gibraltar**, occupé par l'Angleterre depuis 1704, empoisonne toutefois les relations officielles entre les deux pays. C'est la raison pour laquelle Juan Carlos n'a pu se déplacer au mariage de Charles et de Diana. Les deux familles se voient toutefois souvent à titre privé.

Dans les affaires dynastiques, comme le montre sa sollicitude envers Constantin de Grèce, Elizabeth II se laisse plutôt guider par les impératifs familiaux que par la raison d'État. En cela elle se distingue de son grand-père George V qui avait refusé d'intervenir pour sauver la maison impériale de Russie, le Kaiser et la dynastie impériale austro-hongroise. Voire de son propre père, George VI, qui avait abandonné à leur sort les familles régnantes roumaine, bulgare ou albanaise. L'esprit de famille avant tout.

Parallèlement, parmi la confrérie des rois et reines européens, Elizabeth II fait bande à part en s'identifiant totalement à son pays. Elle y passe toutes ses vacances. Ses enfants ont tous épousé des Britanniques.

VIII

LA FEMME D'IMAGE

Elizabeth II est une personnalité réservée, timide, distante qui n'aime pas se livrer en public. Or, dans cette société archi-médiatisée, cette femme, où qu'elle aille, attire projecteurs, caméras et micros. Cette relation difficile, mais indispensable avec la presse, a dominé son règne.

Le 26 avril 2002, à l'occasion de la célébration du cinquantième anniversaire de son règne, Sa Majesté a convié 750 journalistes au château de Windsor. Des consœurs à beaux bijoux et à robe griffée, des scribes déguisés en hommes du monde, plus de chuchotements que de cris, et la cohue autour des « Royals » présents au grand complet. Cette première dans l'histoire tumultueuse des relations entre la reine et le quatrième pouvoir est un vrai succès. Les invités s'extasient devant toiles, armures, armes à feu et souvenirs qui semblent trôner au-dessus du brouhaha. Les yeux sont tous braqués sur l'hôtesse, le sourire de circonstance au visage. Son regard bleu et direct semble scruter l'infini. Il n'est pas impossible d'essayer de deviner ses pensées : si cela ne tenait qu'à moi, tous ces scélérats de la presse populaire seraient jetés du haut du donjon. « Elle est charmante », répètent les journalistes qui boivent les paroles anodines de la souveraine, bredouillent une réponse à peine audible comme une pluie fine et remercient leur souveraine d'un « Thank you, Ma'am » en inclinant la tête.

Les correspondants royaux ne sont pas les derniers à jouer des coudes sur ce sentier balisé pour approcher la reine. Même ces journalistes accrédités à la cour d'Angleterre ne rencontrent quasiment jamais la souveraine. Le métier de chroniqueur royal n'est pas aussi prestigieux que sa réputation. Si vous couvrez la politique, la City ou la religion, vous vous entretenez régulièrement avec ministres, syndicalistes ou évêques. Le correspondant à la cour, en revanche, ne parle jamais à la souveraine. Il est impensable de lui lancer une question de loin comme les correspondants à la Maison Blanche le font au président des États-Unis. La reine ne donne jamais de conférence de presse, ne reçoit pas les journalistes à titre individuel, comme c'est le cas, au demeurant, du roi des Belges ou de Juan Carlos d'Espagne. Les grands commis de Buckingham Palace fuient la presse. Les anciens dignitaires, plus royalistes que la reine elle-même et parfois carrément condescendants, débitent les mêmes éloges convenus, dépourvus du moindre intérêt. Ils sont là comme paravent pour protéger la monarque, un service qui vaudra aux plus zélés titres nobiliaires et décorations. Lors des voyages à l'étranger, la marge de manœuvre des envoyés spéciaux est bien cadrée : pas de citations directes des officiels qui doivent rester anonymes et maintien à distance du couple royal pour respecter la majesté de la fonction. Quand vous recevez le programme, ces principes sont fermement réaffirmés.

Les membres de la presse présidentielle française sont choyés en comparaison. La cellule voyage de l'Élysée s'occupe du transport et des chambres d'hôtel du corps de presse accompagnant le président de la République à l'étranger. Les journalistes britanniques, eux, se déplacent indépendamment, chaque journal faisant ses propres arrangements. Lors des visites, il n'y a pas d'aparté entre les officiels et les médias. La BBC est mise sur le même plan que le petit quotidien de province, le chroniqueur chevronné que le jeune agencier. Pas de cercle magique au milieu de cet empilement de discours minutés, de poignées de main et d'inaugurations. Contrairement à ce qui se passe en France, le journaliste ne se projette pas à titre individuel et reste en marge du *star system*. La vedette est la reine. Seule, elle occupe le terrain. Qu'elle prononce un discours toujours convenu n'a pas beaucoup d'importance car, si les foules se déplacent, ce n'est pas pour l'entendre mais pour la voir.

Lorsqu'elle se rend à l'étranger, elle n'est jamais accompagnée d'invités personnels, d'artistes, d'intellectuels ou de grands patrons. Et pour cause, les frais de transport de la royauté étant passés à la loupe par le Parlement et les médias.

Le temps où le *court correspondent* se rendait chaque semaine à Buckingham Palace pour être informé de l'agenda royal est révolu. Il n'est plus question de fouler le gravier rose avant de gagner l'aile droite et le bureau du secrétaire de presse, l'air supérieur, devant les touristes ébahis. Toute l'information est diffusée sur un site Internet très bien fait. Le renforcement des mesures de sécurité des palais royaux explique en partie ces restrictions, mais pas seulement.

L'information venue du palais s'est restreinte par rapport à la super-médiatisation de l'ère Diana. La presse populaire est bannie. Au Royaume-Uni, elle a un poids considérable et des tirages astronomiques. La diffusion d'un journal comme le *Sun*, titre-phare du groupe Murdoch, plus de trois millions d'exemplaires, est supérieure à celle de l'ensemble de la presse quotidienne nationale française. Le *Sun*, quotidien populaire par excellence, fait ses choux gras des scandales qui se conjuguent depuis des siècles avec la monarchie.

La politique d'ouverture aux tabloïds, lancée dans le cadre du jubilé de 2002, n'a pas fait long feu. Un an plus tard, la reine y met un terme après les révélations du *Mail on Sunday* du 2 novembre 2003 faisant état d'un prétendu « incident » de nature sexuelle impliquant le prince Charles et un valet.

Revers de la médaille, cette nouvelle politique restrictive de l'information a donné lieu à la propagation de fausses nouvelles. Les informations révélées par les tabloïds sont souvent de seconde main, avec les dérives que cela entraîne. Les buckinghamologues ne font que frôler ces altesses qui les obsèdent tant. Ils ont rencontré l'homme ou la femme qui a vu la reine. Les sources de renseignement des journaux populaires sont souvent, moyennant finance, des gouvernantes, valets et soubrettes, employés dans les châteaux. Cela fait beaucoup de monde. Tous les tuyaux sont bons à prendre, en particulier lorsqu'il s'agit de secrets d'alcôves.

Jennie Bond a assuré pendant quatorze ans la correspondance royale pour la BBC. Son élégance, sa liberté de ton cependant exempte de familiarité, son assurance et son anglais châtié lui avaient conféré un énorme prestige. Elle était la Claire Chazal des têtes couronnées. En 2005, la journaliste star claque la porte de la BBC, convoque une conférence et règle ses comptes avec le palais. « Au fond, je n'ai jamais aimé les membres de la famille royale. Ils sont hautains, distants, inabordables. Durant toutes ces années, mes contacts ont été quasi inexistants. J'ai rencontré la souveraine deux fois par an à un cocktail pour les médias. La conversation était toujours superficielle et surtout extrêmement brève. » Jennie Bond évoque un incident survenu à Séoul lors de la réception marquant la fin de la visite royale en Corée du Sud, en 1999. La reine, feignant de ne pas la reconnaître, lui demande si elle est venue spécialement de Grande-Bretagne pour la rencontrer. « Elle savait pertinemment qui j'étais. J'avais envie de lui répondre : "Oh non, Ma'am, j'étais de passage et je suis entrée à la résidence de l'ambassadeur pour vous serrer la main." Elle m'a traitée comme un paparazzi. » Jennie Bond n'épargne pas le duc d'Édimbourg, qui est décrit comme « un goujat qui est passé maître dans l'art de me dire bonjour et au revoir en même temps ».

Les hostilités font la une des journaux. La perfide Jennie distille ensuite son venin anti-Windsor sur les ondes d'une radio privée. La reine charge alors le secrétaire de presse de contre-attaquer : « Jennie est une très bonne journaliste, remarquablement bien informée. Le problème est qu'elle se considère un peu comme la reine *bis*, avec ses grands airs, sa coiffure de duchesse et ses tailleurs classiques de grands couturiers. Or, à Buckingham Palace, il n'y a de la place que pour une reine. » Le coup fait mouche. On ne parle plus guère de Jennie Bond.

Chacun sait que le poste de secrétaire de presse du palais relève de la catégorie des « missions impossibles ». En effet, face au rouleau compresseur des médias britanniques, l'issue est connue d'avance pour l'énorme majorité des titulaires de ce siège éjectable. Être appelé à une autre fonction royale est peu probable en raison des inévitables erreurs de stratégie commises. Soit le porte-parole parle ouvertement, avec tous les risques de dérapage que cela comporte, soit il se tait, auquel cas on le soupçonne de couvrir un scandale et la presse l'assassine. Généralement l'impétrant épuisé part, soulagé, après quelques années de calvaire, pour entamer une nouvelle carrière rémunératrice dans le privé, généralement dans les relations publiques.

Ce titre ronflant cache une charge passionnante, affirment tous ceux qui l'ont exercée. « C'est la seule fonction qui vous permet d'échapper à l'atmosphère raréfiée du palais. Vous êtes en contact avec le public », insiste Charles Anson, porte-parole de 1990 à 1997.

Dans le monde compliqué de la royauté britannique, l'intéressé doit voyager avec des idées claires, avoir le mot juste, la distance des choses, le tout sans drame. Dans la presse, il doit éviter de se faire des amis, qui l'obligeraient à se départir de sa langue de bois, et des ennemis qui s'en prendraient directement à la reine.

Après 1997, prise de panique par la série de scandales causés par le comportement de sa famille, Elizabeth II se dote d'un directeur de la communication au sens où l'entend le secteur privé, chargé de la planification de la stratégie de l'image à long terme. L'expérience est abandonnée après le succès du jubilé de 2002. Trop de gadgets médiatiques, la reine déteste cela.

À l'extrémité sud de Fleet Street, l'ancienne rue où la presse avait ses enseignes, se dresse, dans un superbe immeuble Art déco, l'ex-siège du *Daily Express*. En 1952, son propriétaire, Beaverbrook, avait donné pour consigne à ses rédacteurs en chef : « Rien que de l'actualité royale heureuse. » Cette consigne avait été partagée par toute la presse. Rien ne devait transpirer de la vie privée de la famille royale à l'abri des caméras jusqu'en 1969. C'est sans doute pourquoi, à l'époque, les Windsor n'étaient pas un sujet très porteur. La couverture du mariage de la princesse Margaret et de Snowdon, grand photographe playboy au style de vie bohème, a été minimale. À toutes choses égales, c'est comme si le prince Harry épousait aujourd'hui la rappeuse française Diam's. Imaginez l'hystérie médiatique que cette union provoquerait. Mise en scène par le même Snowdon, l'investiture, le 2 juillet 1969, du prince Charles comme prince de Galles n'a pas suscité grand intérêt. Le triomphe populaire du jubilé d'argent de 1977 et les fêtes de rues spontanément organisées partout dans le pays déclenchèrent, pour la première fois, une « Windsormania ». Le palais entretient alors encore de bonnes relations avec les journalistes qui se cantonnent à la chronique d'une actualité à la guimauve.

Cet arrangement vole en éclats, quatre ans plus tard, avec le mariage de Charles avec Diana.

Et à partir de la mi-1985, la machine médiatique s'emballe jusqu'à l'explosion quand la crise du couple est mise en évidence. À plusieurs reprises, Diana et Charles sont piégés par des écoutes téléphoniques. Des fantasmes téléphoniques de Charles rêvant d'être réincarné en pantalon de sa maîtresse, Camilla, aux révélations croustillantes de l'ancien moniteur d'équitation de la princesse en passant par la publication de photographies de cette dernière s'adonnant au body-building : rien n'est épargné aux lecteurs un peu voyeurs et avides d'histoires salaces.

Au début des années 90, les meilleurs informateurs sur les démêlés du couple princier sont les dizaines de paparazzi, planqués jour et nuit devant les palais, les restaurants à la mode, les clubs branchés ou les gymnases fréquentés par Diana. Ils font le guet, jour et nuit, au restaurant Garfunkel, un fast-food qui fait face à Kensington Palace, la résidence des Wales, puis, après la séparation, de la princesse. Jason Fraser est alors le roi des chasseurs de scoops : « Ce genre de boulot réclame de la patience et de la persévérance. Les membres de la famille royale ont leurs habitudes. Mais il ne suffit pas de connaître leurs restaurants ou clubs favoris, les amis qu'ils fréquentent, il faut avoir le goût du travail en solitaire. » Visage tranquille, voix lisse, fausse allure de gentleman, mais sourire de prédateur, Fraser appartient à cette petite confrérie d'une douzaine de membres au maximum, qui font leurs vaches grasses des frasques les plus rocambolesques des joyeux héritiers Windsor. Sa méthode ? Une organisation militaire avec voitures suiveuses, zooms puissants, micro audio, un carnet de chèques et d'adresses bien rempli, et un savoir-faire journalistique acquis dès l'âge de quinze ans au *Sun*.

Extrêmement habile et roublard, prêt à tout pour se faire de l'argent, quitte à dépasser la ligne rouge, il est devenu millionnaire grâce à ses clichés chocs dont il exploite les droits mondiaux. Le condottiere a fixé sur la pellicule des « coups » qui ont figuré sur les couvertures du monde entier. À l'image de l'escapade de Diana, seule, le visage caché par des lunettes noires, pour retrouver un amant ou du petit prince William urinant contre un arbre. « Ne m'appelez surtout pas un paparazzi, mais un journaliste photo », m'avait-il déclaré alors. Mais Fraser est un journaliste impitoyable dès qu'il entre en piste avec téléobjectif cellulaire à la ceinture. « Je préfère travailler à distance. Je choisis ensuite le journal et je négocie directement avec la rédaction en chef, me disait-il. À mes yeux, tout est permis, sauf photographier quelqu'un sur un lit d'hôpital ou une famille en deuil. Diana en bikini sur un yacht ? La mer appartient à tout le monde. Exposer Fergie, seins nus, dans une villa de Saint-Tropez en compagnie de son prétendu conseiller financier ? C'est du domaine public. Quand les princes renâclent contre les charges qui sont la contrepartie de leurs privilèges, ils n'ont qu'à s'en prendre à eux-mêmes... » Aux pires heures de l'*annus horribilis* de 1992, son patron au *Sun* incitait les paparazzi et les échotiers à mettre le paquet sur les membres de la famille royale : « Ne vous en faites pas si les informations sont fausses. »

Les scoops sont toujours obtenus de manière douteuse grâce à une caisse noire servant, via différents circuits ou de la main à la main, à payer le réseau d'informateurs. Les journaux passent par des agents, certains peu recommandables. Les tabloïds n'hésitent pas à tendre des pièges aux « Royals ». Le journaliste du *News of the World*, Mazher Mahmood Mahmouz, as controversé du déguisement, en a fait son fonds de commerce.

Imagine-t-on aujourd'hui le *Daily Express* devenu une feuille à scandale faire preuve de la même retenue qu'en 1952 ? Même la règle d'airain, « ce qui est dit dans un club de gentlemen de Pall Mall ne s'ébruite jamais au dehors », n'est plus respectée. Les journaux dénouent les langues des plus fidèles serviteurs et femmes de chambre moyennant espèces trébuchantes.

C'est au nom de cette stratégie de harcèlement poussée à l'extrême que les photographes poursuivront Dodi et Diana dans le tunnel de l'Alma. Avec les conséquences que l'on sait...

Une nouvelle génération de paparazzi a pris la relève des vedettes de la profession. Les « rats » violeurs d'intimité doivent répondre aujourd'hui à deux attentes contradictoires : la maîtrise de leur agressivité depuis la mort de Diana et les demandes d'un public de plus en plus voyeur. Alors, à l'instar de Julian Parker, spécialisé dans les photos « volées », mais tellement plus vraies, à Sandringham et Balmoral, ils font le gros dos : « Je m'efforce d'éviter les photos sensationnelles. Je veux obtenir la photo la plus glamour, montrant sous un angle original la famille royale comme une famille normale. » Personne n'est dupe.

Comment les Windsor gèrent-ils leur image face au moloch médiatique prêt à les dévorer ? Comme le Premier ministre ou la City, ils font des sondages. C'est la tâche du fondateur de l'institut d'enquêtes d'opinion Ipsos Mori, Bob Worcester. Il se présente comme le trait d'union entre le palais et les « vraies gens », comme il dit en bon langage publicitaire. Ses conclusions alimentent également les débats du Way Forward Group, le groupe de réflexion sur l'avenir de la monarchie présidé par la reine et son mari. Il affirme avoir mis au point « la Rolls Royce » des enquêtes d'opinion.

À l'écouter, la monarchie se porte bien, sa popularité dépassant celle de toutes les autres institutions du pays, comme l'Église, les forces armées, la police ou le Parlement. La reine est plébiscitée : symbole historique du pays, promotion de l'image de marque nationale à l'étranger, assiduité à la tâche, stabilité, sens de la continuité. Malgré son grand âge, six Britanniques sur dix sont favorables à son maintien à la tête du pays. Mais si l'abdication est rejetée, deux tiers des sujets estiment qu'elle doit davantage partager sa charge avec le prince de Galles ou d'autres membres de sa famille. Près d'un sur quatre juge toutefois que la monarchie ne reflète pas la société multiculturelle — on ne voit pas comment il pourrait en être autrement. « Il n'y a pas vraiment de points négatifs en ce qui concerne la reine. Ce n'est pas le cas d'autres membres de la famille royale, comme le prince Charles ou le duc d'Édimbourg qui expriment de fortes opinions, ce qui ne peut pas plaire à tout le monde. Elizabeth II n'a pas commis la moindre erreur. Ses sujets lui en sont gré, conclut Bob Worcester. La politique de communication a rendu la monarchie plus familière, donc populaire. »

La reine ne comprend rien aux équations laborieuses des sondeurs et se méfie des gourous à la Jacques Pilhan. Mais après le drame de la mort de Diana, elle a compris que l'adhésion de l'opinion ne peut être prise pour argent comptant. Bob Worcester lui permet de mieux contrôler ses intuitions pour mieux être en communion avec ses sujets. Elle est consciente que la « com » fait partie de la panoplie des acteurs d'une société moderne. Plus que d'en faire trop, la question est de le faire bien. La souveraine maîtrise le verbe... en en disant le moins possible. Elizabeth II n'a jamais donné d'interviews à la presse. Même si elle en a eu peut-être parfois envie, sa mère l'en a toujours dissuadée. En 1923, lors de ses fiançailles avec le duc d'York, cette dernière avait accordé un entretien maladroit à un quotidien du soir londonien qui lui avait valu les foudres de son beau-père, George V. Au cours de sa longue existence, la reine mère n'a plus rien confié aux journaux. Dans les discours d'Elizabeth II, tout est dit brièvement, sans trop de lyrisme, ni effets théâtraux. Le ton est sobre, tranquille. Devant les photographes ou les caméras, elle ne connaît pas le trac.

Pour une femme de sa génération, elle est très attentive au visuel, à la symbolique de sa fonction. C'est pourquoi, lors de leur mission de reconnaissance avant une visite officielle, à l'étranger ou au Royaume-Uni, ses conseillers établissent le programme en fonction de l'emplacement des caméras. « Elle ne pose jamais devant les caméras. Elle déteste avoir une caméra dans les yeux, se donner en spectacle. Elle ne joue jamais, elle est naturelle, confie un cameraman qui la suit depuis longtemps. Je ne la filme jamais en train de manger ou de boire ou descendant un escalier. C'est une vieille dame qui mérite le respect. Je la filme comme je le ferais de ma mère. » La priorité est donnée aux prises de vue dans des lieux mythiques : cathédrale, château, abbaye, plages du Débarquement, Congrès américain, Parlement européen ou la prison de Nelson Mandela... Elle a fait sienne la réflexion du publicitaire Jacques Séguéla, conseiller de l'image de François Mitterrand : « Le message, c'est la télé puisqu'elle est le premier des médias. Or la télé est émotion, donc le message est émotion. Nous quittons l'ère de l'opinion publique pour entrer dans celle de l'affectivité publique. »

Elizabeth II considère les médias comme un mal nécessaire. Car l'existence de la monarchie dépend beaucoup de son image publique. Ce facteur explique la collaboration aux trois ambitieux documentaires de la BBC qui ont fait date dans l'histoire télévisuelle nationale.

Le fameux reportage de Richard Cawston, *Royal Family*, diffusé en 1969, exaltait la simplicité d'une vie familiale, montrant la reine et sa famille au milieu de leurs chevaux et de leurs chiens ou bien en train de faire cuire des saucisses lors d'un pique-nique en Écosse. Pour l'émission *Elizabeth R* diffusée en février 1992, la reine a autorisé les caméras à la filmer pendant un an dans ses activités officielles. « J'ai voulu simplement montrer ce que fait la reine et par ce moyen répondre à cette sempiternelle question : "Qui est-elle ?" » explique le producteur Edward Mirzoeff. Son équipe restreinte n'a compris qu'un preneur de son et un cameraman, ceux-là mêmes déjà utilisés pour le long métrage de 1969. Le palais lui a laissé toute liberté de mouvement, à l'exception de l'entrevue entre la souveraine et ses évêques anglicans. Un simple signe de sa main a fait comprendre à l'équipe que la foi doit demeurer un jardin secret. Le troisième volet, en 2006, déroule le tapis rouge d'interminables platitudes flagorneuses. Derrière cette trilogie se profile à chaque fois une remarquable opération de relations publiques destinées à proposer l'image qu'Elizabeth II souhaite donner d'elle.

* * *

À l'inverse du prince Charles ou du duc d'Édimbourg, la reine ne se met jamais en colère contre les propriétaires de journaux qui publient les photos « volées » par les paparazzi. Elle est consciente que c'est une perte de temps et que cela pourrait ternir son image. Poursuivre les journaux en justice est risqué, même en cas de victoire, des retombées négatives sont à craindre. La législation britannique sur la protection de la vie privée est beaucoup plus laxiste qu'en France, au nom de la défense de la liberté de la presse. La loi ne protège pas expressément la vie personnelle mais interdit de divulguer une information ou un fait transmis dans le cadre d'une relation de confiance. Le régulateur, la Commission des plaintes en matière de presse, créée pour protéger les personnes mises en cause par les médias, rend des avis, exprime des réserves ou des indignations, mais sans contrainte. Pour la famille royale, user du droit de réponse est inutile car il est relégué en pages intérieures. Loin d'atteindre son objectif, un démenti ne peut qu'attiser la curiosité populaire via la presse ou Internet, envers une rumeur qui ne semble jusqu'alors intéresser qu'un petit cercle médiatique restreint.

Mais il y a des limites à la célèbre remarque de Disraeli, Premier ministre favori de la reine Victoria, le « *never complain, never explain* » (ne jamais se plaindre, ne jamais se justifier).

Comment arrêter un roman-photo sans cesse alimenté par de nouvelles péripéties ? La question s'était posée à propos de l'idylle entre le prince William et Kate Middleton. La presse populaire ne les lâchait pas. William a exigé le respect de l'intimité du couple en mobilisant un cabinet d'avocats, spécialiste de la protection des célébrités. Mais à travers cette prise de position, la reine se protège elle-même. L'action de son petit-fils lui permet de rappeler que, même au royaume de la presse *people*, des garde-fous existent. Les conseillers et serviteurs félons qui pourraient être tentés par la trahison sont prévenus des risques encourus en violant l'Acte sur les secrets d'État qu'ils ont signé lors de leur engagement.

L'affaire du *News of the World*, plus gros tirage dominical (3,3 millions d'exemplaires chaque semaine), illustre cette nouvelle politique « musclée » du palais. Vétéran des chroniqueurs royaux, Clive Goodman vivait mal la chute de l'intérêt de ses lecteurs pour la famille royale. En quête de scoops sur les Windsor, il s'était introduit à plus de six reprises dans les messageries des téléphones portables de trois collaborateurs du prince William. La condamnation, en janvier 2007, de Goodman à quatre mois de prison ferme et la démission de son rédacteur en chef, Andy Coulson, soulignent la plus grande sévérité de la justice devant les excès du « journalisme de chéquier ». Il y a quelques années, j'ai rencontré Goodman au sujet de mon livre sur Diana. Cheveux en brosse, oreille percée d'une boucle d'oreille, éminemment sympathique, il m'a déclaré à propos de l'impitoyable traque médiatique de la princesse de Galles : « Tous les paparazzi, sans exception, aiment leur monarchie et la vénèrent. Mais que voulez-vous que j'écrive quand la royauté elle-même se comporte comme le font les gens du show-business ? Nous reprocher de vivre des règlements de comptes au sein du couple princier est injuste. » La princesse de Galles était championne du double jeu, entretenant des rapports amicaux avec certains reporters de tabloïds. Ainsi de Richard Kay, du *Daily Mail*, devenu son confident quand il s'agissait de donner sa version de ses démêlés conjugaux. Le 30 août, dans l'après-midi, quelques heures avant sa mort et le bouclage des éditions dominicales, elle avait d'ailleurs téléphoné audit Kay pour lui « confier » son bonheur au côté de Dodi. De même, les responsables du service photo de plusieurs tabloïds se souviennent d'avoir été prévenus par la princesse elle-même, ou par son secrétariat, de visites privées et « impromptues » réalisées dans des hôpitaux ou des institutions caritatives. Il s'agissait pour la femme la plus photographiée du monde de contrer les offensives médiatiques lancées à partir de 1991 par son propre époux et sa belle-famille.

En fin de compte, la presse populaire ne fait que refléter l'héritage du puritanisme d'antan comme quoi l'attitude privée d'une personnalité, ses mœurs et ses manies influencent sa conduite officielle. Un être qui se conduit mal dans sa vie personnelle ne peut pas occuper de position éminente. Ajoutez le voyeurisme et le besoin de dénoncer, de déconsidérer, sur le plan personnel comme social, celui ou celle dont la moralité laisse à désirer et vous avez les manchettes « too much » orchestrant l'émotion populaire.

Ancien directeur de tabloïd, aujourd'hui professeur de journalisme à la City University de Londres, Roy Greenslade a consacré vingt années de sa vie à disséquer les journaux de son pays. Cet auteur d'une monumentale histoire de la presse écrite britannique depuis 1945 est formel : la famille royale ne fait plus tourner les rotatives. « Diana en couverture pouvait faire bondir de 20 % les ventes. Après sa mort, le thème n'est plus porteur. C'est pourquoi les Windsor ont besoin de nouveaux personnages. Ce n'est pas Kate Middleton [ex-petite amie du prince William] qui a passionné les foules. Pour relancer l'intérêt, il faudrait une nouvelle Diana. » À l'entendre, une nouvelle génération de journalistes a grandi dans l'ère de l'irrévérence envers l'institution royale associée désormais aux autres célébrités. Ils ne cherchent pas à démolir les Windsor, mais au moindre écart ils tirent à boulets rouges sur eux, sans état d'âme.

Le problème pour les Windsor, c'est qu'aujourd'hui il n'y a plus de journaux ouvertement monarchistes. Ceux qui l'étaient ont tourné casaque après la mort de Diana. Le *Daily Mail*, qui n'a jamais oublié qu'il avait été l'organe de presse favori de la princesse de Galles, s'est opposé jusqu'au bout au mariage entre Charles et Camilla. Le *Daily Express* s'est fait le porte-parole de la campagne de Mohammed Al Fayed accusant la famille royale d'avoir assassiné Diana et son fils Dodi Fayed. Jadis bastion de l'Angleterre traditionnelle, le *Daily Tele-*

graph a mécontenté le palais en évoquant longuement les relations difficiles entre le prince Charles et son père, le prince Philip. Le sort des Windsor laisse indifférent son jeune directeur de la rédaction, très représentatif de sa génération. La seule exception est la presse de province, restée révérencieuse, mais pour combien de temps ?

Les titres ouvertement républicains, comme le *Guardian*, l'*Observer* et l'*Independent,* hésitent entre indifférence et dénonciation de l'institution. L'*Independent,* le journal le plus snob qui ne relate jamais l'agenda de la famille royale, est représentatif de ce courant. Lors de son lancement, en 1986, le quotidien de centre gauche avait refusé d'écrire quoi que ce soit ayant trait à la vie de la famille royale, arguant que la monarchie est trop ennuyeuse et réservée aux classes inférieures, lectrices de tabloïds. Il ne publie qu'un entrefilet lors du mariage d'Andrew et de Sarah. Il s'en tient aujourd'hui à cette ligne éditoriale.

Ancien directeur de la rédaction du quotidien populaire *Daily Mirror,* Piers Morgan ne partage pas le jugement de Greenslade : « La monarchie fait toujours vendre mais à condition de publier des scoops. » Pour preuve, son coup de 2003 quand l'un de ses journalistes, Ryan Parry, est parvenu à se faire embaucher comme valet de pied à Buckingham Palace. Il s'ensuivit une incroyable description, photos à l'appui, du train de vie royal et du protocole antédiluvien. Publiées le 19 novembre 2003, au deuxième jour de la visite officielle du président américain George Bush au Royaume-Uni, ces révélations sont l'occasion d'un immense scandale. À la suite d'une décision de justice, le *Mirror* a dû interrompre la narration du récit de Ryan Parry. Le tabloïd a été condamné à 30 000 livres de dédommagement à la souveraine. Il s'agit bien sûr d'une bagatelle, comparée à l'explosion des ventes du quotidien populaire ce jour-là.

Fort de ce coup, le quotidien réussit par la suite à doubler ses concurrents en obtenant en exclusivité les meilleures pages du livre de Paul Burrell, l'ancien majordome de Diana.

Le décès de Diana a signé l'arrêt de mort des histoires juteuses sur les « Royals ». En 2002, l'année du jubilé d'or, seul un Britannique sur cinq, âgé de seize à vingt-quatre ans, connaît le prénom des quatre enfants de la reine. Alors que les mêmes jeunes connaissent tout sur les footballeurs. Aujourd'hui, une manchette sur un Wayne Rooney ou Thierry Henry est une affaire beaucoup plus rémunératrice que des révélations sur Charles et Camilla. On est loin de l'âge d'or, en 1992, où le *Mirror* consacrait neuf pages aux frasques amoureuses de la duchesse d'York avec son conseiller financier. Le plus grand danger pour la monarchie n'est pas le mouvement républicain, mais le désintérêt des jeunes envers le trône.

* * *

Le cliché controversé de la reine paru à la une de toute la presse britannique en juillet 1999 témoigne des risques de la popularisation de la monarchie. La photographie en question montre la reine prenant le thé chez une habitante d'une HLM de Glasgow, Susan McCarron. Au second plan, le fils de cette dernière se cure consciencieusement le nez sous le regard horrifié de la dame de compagnie. L'idée du palais, au départ, était de promouvoir

une nouvelle image de la souveraine, soulignant sa simplicité et son empathie à l'égard de l'exclusion sociale. L'un
des membres de la suite exalte, à propos de cette opération, le sens de la mission divine des Stuart, le côté casa-
nier des Hanovre et le sérieux germanique des Saxe-
Cobourg rebaptisés Windsor. Bref, un raccourci succinct
de toute l'histoire de la monarchie.

Patatras, l'opération HLM est un fiasco. Aucune chaleur ne se dégage de la photographie qui fait ressortir le
clivage entre ceux « d'en haut » et ceux « d'en bas ». Le
quotidien anti-monarchiste *Guardian* s'esclaffe : « La pro-
babilité d'une telle rencontre est égale à celle de deux élé-
phants assis l'un à côté de l'autre dans un autobus. »

Le contraste est saisissant entre la photo réaliste de la
visite de Glasgow et le portrait sage et bienveillant de
Cecil Beaton, le grand photographe de la société de son
temps, lors du couronnement de 1953. Dans cette pose
académique, la reine, couronne sur la tête, sceptre dans
une main, globe impérial dans l'autre, est couverte d'hermine. Le décor est une plongée nostalgique dans un
monde révolu d'une théâtralité faite de bijoux, d'uniformes, de toiles de maître, de tapisseries flamandes et
autres symboles de la fonction royale.

Quelques semaines plus tard, la jeune reine pose pour
James Gunn. Le portrait très solennel est le seul qui ait
pris place dans la Collection Royale. Exposé à Windsor, le
tableau est sans doute celui qui tient le plus à cœur à la
monarque même si elle s'est toujours refusée à l'avouer
par peur d'être accusée de vanité. Tout aussi fidèle à
l'héroïque tradition royale, « l'Annigoni Bleu » de 1954,
qui représente la jeune souveraine dans la dignité confé-

rée par l'ordre de la Jarretière, exprime à la fois la solitude et la proximité avec ses sujets. Ce n'est pas son préféré.

On est dans les années 50-60, dans une phase de respect de la royauté. Les journaux publient des photos d'une grande bourgeoise de la campagne, vêtue de robes simples rehaussées d'un bijou discret et de chaussures de sport, les cheveux couverts d'un foulard Hermès. Ces photos sont prises par les plus grands noms de la photographie en qui la reine a confiance. Cecil Beaton, bien sûr, pour qui elle pose une dernière fois en 1968. Son beau-frère, Snowdon, avec qui elle a toujours gardé de bons rapports malgré son divorce acrimonieux avec sa sœur, la princesse Margaret. Jusqu'à sa mort, en 2005, elle fera confiance à son cousin Patrick Lichfield, figure de la jet-set. Le quatrième photographe royal a été Norman Parkinson, l'expert des stars d'Hollywood qui, en dévoilant le côté glamour de la reine, participe à l'opération de modernisation de l'image de la monarchie. Lors des séances de photos familiales, la reine indique où chacun doit prendre place. Elle se tient toujours au centre du cliché.

1977 est une date charnière. Le jubilé continue de distiller des images à l'eau de rose. Mais la pochette du disque du groupe punk Sex Pistols, *God Save the Queen,* montre Elizabeth II avec une épingle de nourrice dans le nez. Dans sa chanson, Sid Vicious hurle à propos de la reine : « C'est une crétine. » Unanimement dénoncée, à gauche comme à droite, l'injure faite à Sa Majesté propulse le groupe en tête des hit-parades. Autre signe de la fin de l'ère de la déférence, mais dans un registre différent, le journaliste Robert Lacey publie *Majesty,* la première biographie non autorisée de la monarque au même moment. Persuadés de l'échec commercial d'un tel ouvrage mêlant savantes analyses et potins, les grands éditeurs britanniques refusent de le publier. Une petite maison américaine sauve son projet. Responsable de la section « Style » du *Sunday Times*, Lacey s'était lié d'amitié avec Snowdon, qui l'introduit auprès de Mountbatten, lequel lui fait rencontrer le prince Philip. Le succès populaire du jubilé d'argent, en 1977, assure le lancement du livre qui connaît un triomphe mondial. La reine, en tout cas, a mis longtemps à pardonner au scribe du théâtre Windsor son crime de lèse-majesté. Lacey devra attendre près d'un quart de siècle avant d'être présenté pour la première fois à son modèle.

Le succès de la poupée royale de *Spitting Image*, l'équivalent du *Bébête Show*, écorne encore davantage son image. On la voit sous les traits d'une grand-mère excentrique entourée d'une famille de fous dans le cadre d'un soap-opéra désopilant. Dans la même veine, l'hebdomadaire satirique *Private Eye* l'a baptisée « Brenda », la Bécassine anglaise. En 1991, la publication de la photo de son discours à Washington où, faute de tabouret, on ne distingue que son chapeau, est prémonitoire de l'*annus horribilis* à venir.

« L'ère du portrait officiel flatteur, éliminant les petites marques de la vie comme les rides et les cicatrices, est révolue. Aujourd'hui, le portraitiste montre le sujet comme il est », insiste, en spécialiste, Hugh Roberts, le directeur de la Royal Collection à propos des plus récents portraits d'une lady vieillissante.

Le peintre russo-anglais, Sergei Pavlenko, qui a réalisé son portrait en 2002, témoigne : « Peindre la reine est très stressant car vous n'avez pas beaucoup de temps et il n'y a pas de séance de rattrapage. J'ai eu droit à cinq sessions d'une heure et dix minutes, une pose seulement sur le Grand Escalier, cinq ensuite dans un salon. Je me suis concentré sur le plus difficile, le visage et les mains. Elle n'a pas beaucoup de rides. Elle a un visage ouvert. Elle a l'habitude de poser et fait la conversation. Je l'ai montrée comme elle se voit, correcte, sympathique, en phase avec son époque. » La reine a aimé son portrait puisqu'elle a accepté de poser à nouveau pour Pavlenko, cette fois avec sa famille, lors de la cérémonie de remise des barrettes d'officier au prince Harry, à l'académie militaire de Sandhurst, en 2006. Depuis, un autre diplômé célèbre, le roi de Jordanie Abdallah II, lui a commandé son portrait officiel.

Si la reine peut faire rire à l'écran, au théâtre ou dans les pubs, il demeure des barrières à ne pas franchir. Peut-être parce qu'elle incarne l'État. Une réception à Buckingham Palace en l'honneur de sujets méritants le confirme. Parmi eux figure David Williams, le coanimateur de la comédie satirique télévisée *Little Britain*.

« Elle. — Qu'avez-vous fait pour être ici ?

» Lui. — J'ai traversé la Manche à la nage au bénéfice d'une association venant en aide aux sportifs nécessiteux.

» Elle. — C'était dur ?

» Lui. — Très dur, Madame.

» Elle. — Que faites-vous dans la vie ?

» Lui. — Je suis comédien.

» Elle. — Oh, intéressant. »

La reine a été très polie avec lui, sans jamais mentionner son show irrévérencieux qu'adorent ses deux petits-fils, William et Harry. Il affirme que, malgré le caractère totalement provocateur de l'émission, il n'est pas question d'y brocarder la reine. « On a essayé un sketch où l'on voit deux retraitées vomir sur la reine. Cela ne faisait rire personne. La scène a été abandonnée, explique le comédien, je ne suis pas un royaliste mais il faut éviter le mauvais goût qui porte atteinte à la dignité de la charge. » À moins que la réalité n'ait fini par dépasser la fiction.

IX

LA REINE ET SA COUR

Qui dit monarque, dit cour. Une véritable cour, comme il sied à une vraie reine. L'immensité de son palais de Buckingham, avec ses huit cents pièces, s'y prête. En comparaison, les palais de la Zarzuela, à Madrid, ou de Laeken à Bruxelles, sont des maisons de maître avec une poignée de domestiques.

Le salon d'attente permet au visiteur ordinaire entré par la « Privy Purse Door », porte de la cassette privée, à l'extrême droite de la façade, de se faire une première idée du type de cour. La petite pièce aux murs jaunes, à la moquette verte et aux meubles un peu démodés, est décorée de trois peintures, l'une d'inspiration militaire, l'autre équestre, la troisième représentant la ville de Québec. Sur une console au dessus de marbre est posée une lourde pendule dorée, à côté d'une photo récente de la reine en tailleur jaune, l'une de ses couleurs favorites, et du programme mensuel des activités des membres de la famille royale. Le *Daily Telegraph* et le *Times* traînent sur une table près du modèle réduit d'un Hurricane qui s'est écrasé sur Buckingham Palace Road en septembre 1940. À côté, une plante verte et un canapé. Un décor typique de l'intimité anglaise.

L'organisation de la maison royale est à l'image de la reine. Maître du temps, elle règne sur son administration, faisant et défaisant les carrières, forgeant les fidélités ou éliminant les dissidences. Au fil des décennies, la reine a imprimé de son sceau les rouages de la monarchie. Ainsi, sa cour est très hiérarchisée. L'accès à la cantine ou à la salle à manger, réservée aux conseillers et invités de marque, est déterminé par le rang et le statut de l'employé.

Trois cercles concentriques composent la machine administrative de la monarchie : les dames de compagnie, la maison royale, les opérationnels qui font tourner la « machine » Windsor : employés et ouvriers, secrétaires, femmes de chambre, huissiers et valets, artisans.

* * *

La lady sourit, le regard pétillant : « La reine est sublime. » Mais la grande aristocrate se raidit à la vue du bloc-notes quand je lui demande s'il est exact que Sa Majesté déteste les œillets mais adore les pois de senteur. La question n'est pas saugrenue, après tout, lors d'une visite, la reine repasse à sa dame de compagnie les montagnes de bouquets de fleurs qu'elle reçoit et dont elle n'a que faire. La conversation s'arrête net. Dites-lui, de surcroît, que vous écrivez une biographie sur le « Boss », comme ces dames appellent la reine, et elle s'éclipse. Avec un demi-sourire, la marque de la fonction, l'air ni trop sérieux ni trop décontracté.

Mon interlocutrice, dont j'ai promis de cacher le nom, est l'une des douze dames de compagnie de la souveraine, son premier cercle. La reine a une confiance absolue dans ces représentantes de l'aristocratie et de la haute bourgeoisie qu'elle a personnellement choisies. Les ladies Grafton, Airlie, Hussey ou Rupert-Neville portent des titres bizarres qui ne correspondent pas à leurs responsabilités. Ainsi, Mistress of the Robes et dames d'atour ne sont plus des fonctions liées à la garde-robe royale. La première est la principale dame d'honneur alors que les secondes sont le pendant féminin des écuyers. Leur tâche consiste à devancer pensées, désirs et volontés de la monarque et à prendre le relais de la conversation quand la reine s'éclipse pour un autre dignitaire. Au palais, elles doivent lire le courrier, épauler la souveraine lors des cérémonies officielles ou lui tenir simplement compagnie. Au profane, cette charge peut apparaître comme une interminable corvée. À leurs yeux, c'est servir la reine comme son pays. Comme on ne sert plus. La tâche n'est pas rémunérée, mais donne droit à une note de frais.

Les dames de compagnie appartiennent, en général, mais pas nécessairement, au cercle des amies d'Elizabeth II. C'est aussi une façon pour la souveraine de garder le contact avec ses « copines ». Les élues au pedigree impeccable ont des bonnes manières qui ne s'apprennent pas dans un manuel de savoir-vivre. De surcroît, elles doivent être intelligentes, car il n'est pas question de rester bouche cousue devant la reine. Il s'agit d'avoir la manière de s'adresser à la monarque sans détour mais toujours respectueusement et surtout de savoir instinctivement quelles limites ne pas dépasser.

Ayant à régler toutes sortes de problèmes, elles doivent faire preuve d'esprit d'initiative. Leurs qualités sont similaires à celles de la reine : maîtrise de soi, urbanité, courtoisie, modestie, avec cette petite propension très anglaise à l'auto-dénigrement consistant à se faire passer pour moins intelligent qu'on ne l'est en réalité. Elles doivent avoir une résistance physique à toute épreuve, car il n'est pas question de quitter son poste « pour aller se rafraîchir » face à un emploi du temps réglé avec une ponctualité de coucou suisse. Ni flatteuses ni enjôleuses, encore moins obséquieuses. Adeptes de la continuité en toutes choses. Elizabeth Windsor n'a pas besoin d'être aimée, rassurée, adulée. À cause de leur longue expérience de la royauté, les dames d'honneur peuvent être à son service pendant des décennies. Typiquement, elles entrent au service royal une fois leurs enfants élevés.

* * *

Deuxième cercle de la cour : les conseillers. Au sommet, le Lord Chamberlain est l'administrateur général de la maison royale. Les engrenages de la monarchie tournent autour de six pivots : le chef du cérémonial, le régisseur, le secrétaire privé, le trésorier de la Cassette royale, le grand écuyer et le conservateur de la Collection royale. Le palais de Buckingham est géré par ces six gentilshommes. Ces hauts fonctionnaires de la Couronne portent un costume deux pièces, strict mais élégant, et non plus, comme au temps de George V, culotte bouffante et bas de soie. Ils se trouvent à la tête de fonctions aux noms désuets et vaguement ridicules, vus de l'extérieur ; historiques et efficaces, vus de l'intérieur. Ces charges donnent automatiquement droit à un titre nobiliaire. Mais les titulaires ne se donnent jamais du « Sir » à l'intérieur du palais, ils s'appellent par leur prénom comme dans n'importe quelle entreprise. Il s'agit d'une sorte de chevalerie que la reine a personnellement choisie. Généralement, en raison du long apprentissage que nécessite ce type de tâches, le premier adjoint succède au titulaire après avoir gravi tous les échelons.

Enfin, le troisième cercle est constitué par leurs collaborateurs, les opérationnels qui font tourner la « machine » Windsor : presse, comptabilité, service du personnel, service juridique, secrétaires.

Le Lord Chamberlain Office est une fonction honorifique à temps partiel consistant à superviser la bonne marche de la maison royale. En 2007, le poste était occupé par le comte Peel, descendant de sir Robert Peel, Premier ministre de Victoria et fondateur de Scotland Yard. Ce diplômé du très aristocratique collège d'agriculture de Cirencester, gros propriétaire terrien, cumule toutes les légitimités, à la ville et aux champs, qui font de lui un beau fleuron de la haute société. Ami personnel du prince Charles, il a épousé l'une des petites-filles de Churchill. Jusqu'en 1968, le titulaire avait aussi la charge de la censure des pièces de théâtre. Instituée quatre siècles auparavant pour protéger la monarchie et plus tard la morale, cette fonction a été immortalisée par le film *Shakespeare in love*.

Mais, au Royaume-Uni, il ne faut pas s'attacher aux étiquettes. Le chambellan, comme le président non exécutif d'une société, n'a qu'une fonction de représentation, dénuée de pouvoir réel.

« Je suis le coordinateur du cérémonial, qui reflète les qualités de la Nation : précision, discipline, gravité, formalité, charme et décence. Nous apportons de l'ordre à un événement royal pour éviter toute mauvaise surprise au monarque. Rien ne doit être laissé au hasard. Chaque participant connaît sa mission et sa place. » La tâche d'Andrew Ford, chef du cérémonial et du protocole, est d'organiser les manifestations royales. Affable, mais énergique, homme de sang-froid et d'obstinées convictions, l'ancien commandant des grenadiers gallois a l'habitude de diriger, comme l'atteste son regard impérieux. À partir de son bureau qui se trouve au bout d'un dédale de couloirs sombres, l'organisateur des fastes windsoriens est à la tête d'un petit empire aux attributions impressionnantes. Il organise les visites au Royaume-Uni des chefs d'État étrangers, deux par an, qui chacune nécessite six mois de préparatifs. Sauf à de rares exceptions, le programme est immuable : arrivée le mardi, départ le vendredi, logement à Buckingham Palace et parfois à Windsor, avec au menu un déplacement en province choisi par l'invité. Ensuite viennent les manifestations qui rythment le calendrier royal, comme l'ouverture de la session du Parlement, la réunion des récipiendaires de l'ordre de la Jarretière, les quatre garden-parties, la réception pour le corps diplomatique, etc. Il s'occupe aussi de la cérémonie de la relève de la Garde qui a lieu tous les jours à 11 h 30 dans la cour de Buckingham au son des cuivres et des tambours pour le plus grand plaisir des touristes agglutinés aux grilles ou sur le monument doré de Victoria.

La mission d'Andrew Ford s'est compliquée au fil des années en raison des réductions budgétaires. Les missions militaires à l'étranger ont également limité le nombre de soldats disponibles pour le cérémonial militaire. On imagine qu'un pays doté d'une armée professionnelle et d'une réputation qui n'est plus à faire peut facilement déployer ses soldats lors de cérémonies d'apparat. Aussi étonnant que cela puisse paraître, les casernes sont vides en raison des missions à l'étranger, Irak, Afghanistan, Malouines, Chypre, Kosovo. Andrew Ford peine à déployer suffisamment d'hommes pour les défilés ou les commémorations. Il faut du doigté. Pour maintenir le faste avec des moyens diminués, il est par exemple obligé de faire des coupes sombres dans les effectifs. L'écart entre les soldats de la garde d'honneur a dû être agrandi.

Dans une parade militaire royale, chaque position est indiquée une fois pour toutes dans un guide rarement remis à jour. Tout est réglé comme un mécanisme d'horlogerie et il suffit d'appliquer ce qui se fait depuis la nuit des temps. Dès lors, on comprend l'admiration du monde entier pour l'organisation des défilés militaires britanniques. Andrew Ford reconnaît que sa tâche est facilitée par l'habitude du travail en commun en vigueur dans la haute fonction publique et sa formation de soldat. La cour ne s'accommode guère des batailles d'ego ou de territoire quand il s'agit de déployer son faste.

Le deuxième personnage clé est le secrétaire particulier de la reine. Le titulaire est de la race des grands commis, de ceux qui n'amusent pas les reines, mais sans lesquels les reines ne seraient rien. Dans son esprit, servir Elizabeth II, c'est avant tout servir l'État.

Papier peint couleur sang de bœuf, meubles anciens, lustre gigantesque et grand tableau représentant Pitt et

Wellington ensemble, le bureau du secrétaire particulier semble ne pas avoir été refait depuis la reine Victoria, au XIXᵉ siècle. Cette pièce cafardeuse aux hauts plafonds est pourtant au cœur du pouvoir royal. La présence des fameuses boîtes rouges, marquées ER (Elizabeth Regina), déposées sur la cheminée contenant les télégrammes diplomatiques, rapports des services secrets et papiers officiels dont la reine prendra connaissance l'atteste. Elles sont transmises cinq jours sur sept à la souveraine, qu'elle soit au Canada, en Tanzanie ou à Balmoral. C'est le secrétaire particulier qui filtre les informations officielles et confidentielles dont la reine prend connaissance. Il est les yeux de la reine sur son royaume et le monde. Sur une étagère adjacente à la table de travail, on découvre le fameux panier d'osier, dans lequel sont placés chaque matin la correspondance et les documents à parapher. Il lui sera remis en main propre par le secrétaire ou l'un de ses deux adjoints. N'oublions pas que la reine est aussi l'arbitre suprême du peuple face à l'exécutif. L'énorme correspondance qui lui est adressée par ses sujets transite par ce département.

Le bureau de la reine est situé au premier étage, juste au-dessus de celui du secrétaire particulier, son conseiller principal. Ce dernier est la personne qui a l'accès le plus direct à Elizabeth II. Ils peuvent se voir plusieurs fois par jour. Son champ d'intervention est vaste. Il est l'intermédiaire entre le monarque et son Premier ministre à propos des « domaines réservés » de Sa Majesté : le Commonwealth, les relations avec les autres familles royales, les territoires d'outre-mer, les visites à l'étranger, les organisations caritatives ou les régiments qu'elle parraine.

Ensuite, il tient l'agenda des rendez-vous de la souveraine. À lui de ménager, pour l'hôtesse de Buckingham Palace, des petites plages de liberté : nourrir ses chiens et ses canards — sur un plateau d'argent —, se promener seule dans le parc ou regarder une course hippique en début d'après-midi à la télévision. Même les enfants doivent obligatoirement prendre rendez-vous avec leur mère par son entremise.

Le secrétaire particulier sert également de tampon entre le palais et la police, les forces armées, le secrétariat général du Commonwealth, installé à Londres, et l'Église d'Angleterre. Doté d'une équipe d'une cinquantaine de personnes, le département a également la responsabilité du service de presse, des voyages, des archives, et de la rédaction des discours avec l'aide des ministères concernés. Les télégrammes aux centenaires sont de son ressort, la reine gratifiant chacun d'entre eux d'un message personnel.

Cette fonction, la plus convoitée du gotha de la haute administration, n'a pas d'équivalent en France. C'est un peu comme si on conjuguait en un seul poste à l'Élysée le secrétaire général de la présidence de la République, le chef de cabinet, les responsables du protocole, de la cellule diplomatique et du service de presse.

Le directeur général de l'entreprise Windsor doit cumuler un certain nombre de compétences : l'expérience des rouages de l'État, la rigueur naturelle, l'esprit de synthèse et le sens de la hiérarchie de l'information. La reine ne pouvant tout lire, c'est à lui de choisir les documents qui seront soumis à son attention. Souvent, pour lui faciliter la tâche, il souligne les passages importants. Il doit savoir aller à l'essentiel, éviter l'accessoire et surtout donner à la reine le meilleur conseil, si déplaisant soit-il à entendre, sans jamais lui manquer de respect. C'est pourquoi, pour ce poste, la reine a toujours préféré à ses côtés des diplomates aux autres fonctionnaires ou aux cadres venus du privé.

La permanence à ce poste dure en général une dizaine d'années au cours desquelles le secrétaire particulier partage avec la reine les crises comme les heures de gloire. Sa loyauté n'a jamais été prise en défaut. À l'image de la reine, ce dépositaire de tous les secrets maintient une cloison étanche avec la presse. Il élude les questions sensibles d'une politesse achevée. L'intéressé doit surveiller son propos.

Le secrétaire particulier est choisi par la reine et elle seule. À la mort du souverain, il perd théoriquement son emploi pour laisser la place à l'équipe du nouveau monarque.

Le maître de la maison du souverain, chargé de l'intendance, est traditionnellement un militaire en raison du talent d'organisateur que nécessite ce poste. Le titulaire est choisi à tour de rôle parmi les trois armes au grade d'amiral ou de général. Avec deux cent vingt employés, dont vingt valets de pied, c'est le département le plus important du palais. L'intendance est composée de trois sections. Le département « F » (Food) concerne la restauration. Responsable de l'établissement des menus et de leur exécution, le cuisinier du palais, un Britannique, doit nourrir la souveraine, les conseillers et le petit personnel tout comme les « grands » du royaume comme du monde. « G » (General) regroupe la centrale d'achats et les services techniques, les magasiniers, les ébénistes, doreurs, couvreurs, valets et pages, porteurs, sans oublier le remonteur des pendules. « H » (Housekeeping) est chargé de l'entretien au sens large, femmes de ménage et femmes de chambre, une cinquantaine de personnes au total.

Deux adjoints assistent le maître de la maison. Le premier a pour unique tâche de dresser la liste des invités et d'arranger les plans de table. Le second est chargé de la supervision des trois sections, FGH. Quatre personnages jouent un rôle clef dans la vie quotidienne de la reine : l'habilleuse, l'huissier personnel et les deux pages privés. Ces derniers servent ses repas et s'occupent des chiens. Ils ont besoin de souffle pour courir d'un étage à l'autre via d'interminables couloirs.

C'est avec émotion qu'on parcourt le catalogue de la Collection royale : huit mille toiles de maître, dont des chefs-d'œuvre exceptionnels de Rembrandt, Rubens ou Canaletto, vingt mille dessins et pastels dont plusieurs Léonard de Vinci, la plus belle collection au monde de porcelaines de Sèvres, des meubles d'époque français, des milliers de livres anciens... Cette richesse donne le vertige. À l'image du Mobilier national en France, réparti dans les divers palais nationaux, la Collection royale est disséminée dans les châteaux, les ministères et les musées. La reine prête très souvent ses tableaux lors de grandes expositions.

Aujourd'hui, Elizabeth II est la seule monarque au monde à posséder en son nom propre la collection de la nation. Le seul chef d'État dans la même situation est le pape qui possède à titre personnel les trésors du Vatican.

Par le nombre, le choix et la variété, la Collection royale est l'une des plus importantes au monde. À Buckingham Palace, le visiteur se promène le nez en l'air en contemplant les tableaux et œuvres d'art.

Créée en 1987 pour centraliser les collections dispersées entre huit établissements royaux — outre Buckingham et Windsor, Kensington Palace, Hampton Court, la Tour de Londres, le Banqueting Hall et Kew Palace —, la Royal Collection emploie aujourd'hui trois cent cinquante personnes. Organisé en trust, l'établissement est financièrement autonome. Ses recettes proviennent de la billetterie et des souvenirs vendus au palais de Windsor, à Holyroodhouse et à la Queen's Gallery de Buckingham Palace. S'ajoutent les revenus provenant de l'ouverture de Buckingham Palace au public. Au total, la Collection royale accueille cinq millions de visiteurs par an, soit plus que le British Museum. Composée de trois grands départements, tableaux, porcelaine, livres et dessins, l'institution a ses propres ateliers de réfection.

Le roi George IV (1762-1830) est considéré comme son vrai fondateur. Ce souverain à la vie dissolue pouvait à sa guise acheter et vendre des objets. Ce n'est plus le cas de nos jours. La reine ne peut rien vendre pour renflouer sa trésorerie personnelle, elle détient ces trésors au nom de la nation. Et pour cause, les œuvres d'art ont été soit pillées, soit reçues en cadeaux, soit achetées avec de l'argent public. Les retombées financières de la Grande Exposition victorienne du Crystal Palace ont ainsi permis d'étoffer la collection. Les achats sont rares. « Cela me simplifie la vie », souligne, d'une voix douce et pesée, Hugh Roberts, le directeur de la Royal Collection. Ayant

grandi au milieu de ces objets magnifiques, la reine a-
t-elle développé un sens esthétique particulier ? « Si elle
n'aimait pas ce qui est exposé, je suis certain qu'elle nous
le ferait savoir », répond le directeur en plantant un
regard bleu comme de la porcelaine de Sèvres dans le
mien. Il n'y a pas à proprement parler de style
Elizabeth II comme il y a eu une empreinte Pompidou
dans la décoration de l'Élysée. À l'exception du général
de Gaulle et de Jacques Chirac les présidents de la
Vᵉ République n'habitaient pas l'Élysée. Elle n'a pas fait
de ses appartements privés une vitrine du design contemporain, de l'architecture d'intérieur ou de la décoration.
Seuls les anciens appartements princiers du second étage
ont été décorés, dans un style cossu et confortable, par
David Hicks, le gendre de Mountbatten. La reine, qui n'a
jamais apprécié Buckingham Palace, est pourtant tenue
de résider en semaine dans son palais officiel. Elle y
déjeune, dîne et s'y couche. Pas question de s'en échapper pour retrouver des amis au restaurant ou participer à
un repas amical chez de vieilles connaissances. Elle y vit
en recluse.

* * *

À l'inverse de la présidence française, la reine
n'impose pas sa personnalité sur le fonctionnement du
palais. « Elle est totalement dépourvue d'ego. Elle est
consciente qu'elle n'a aucun mérite à être reine, c'est dû
au hasard de la naissance et des circonstances. Calme et
pondérée, la reine accepte les décisions prises par ses
conseillers. C'est une patronne non directive qui a une
confiance totale en ses subordonnés. Si elle pense qu'une

décision est mauvaise, elle vous le dira. Mais elle est trop polie pour vous indiquer la solution. » À écouter un ancien courtisan, la reine a toute la vie devant elle et elle fait changer les choses avec lenteur.

« Pour un bureaucrate, c'est le rêve : vous savez toujours exactement à quoi vous attendre » : tous les témoignages soulignent son sens de l'organisation dans le travail. Les documents qui lui sont soumis sont rapidement renvoyés, dûment annotés et paraphés. Douée d'une excellente mémoire, elle se contente de donner son accord ou non aux solutions proposées sans entrer dans les détails. Il faut savoir interpréter un code. Par exemple, un « Êtes-vous sûr ? » signifie un refus définitif. Un « En quoi cela peut-il aider ? » veut dire une idée saugrenue.

Sur les grandes questions, elle décide seule sans jamais demander l'avis de son époux alors que George VI consultait sans cesse sa femme. Elle a l'esprit logique, disent ses subordonnés qui tous louent sa ponctualité, sa courtoisie et surtout son sens de l'écoute. Quand son interlocuteur s'éternise, elle le regarde sans expression pour lui indiquer le déplaisir royal.

Les commérages du palais, univers claustrophobe par excellence, ne sont pas pour lui déplaire. L'isolement, les privilèges, la stratification exacerbent les rancœurs, les jalousies et les états d'âme de chacun. Les valets lui servent d'« indics » sur ce qui se passe dans sa propre famille. Ce sont eux qui l'ont prévenue, par exemple, des problèmes conjugaux du couple Charles-Diana.

Étrangement, malgré son existence ouatée, Elizabeth II jauge bien les hommes, sans illusion ni indulgence excessive. « Il faut gagner sa confiance. Vous lui expliquez le problème, la solution et elle décide très rapidement sans manifester trop d'exigences. Mais s'il y a une chose qu'elle déteste, c'est bien perdre son temps et les mauvaises surprises », insiste un collaborateur.

La fille de George VI est imbattable sur l'étiquette et le protocole, corrigeant de sa main les plans de table lors des banquets royaux. La royauté a ses symboles et son cérémonial auxquels il n'est pas permis de toucher. La reine n'est pas très au fait de la haute technologie, tout juste connaît-elle l'existence d'Internet qu'elle ne maîtrise pas, contrairement à ce que racontent ses hagiographes. En revanche, les cadres de la reine sont équipés d'un BlackBerry. Elle se déplace toujours avec son téléphone portable dissimulé dans son sac mais qu'elle n'utilise jamais en public. Son numéro est un secret d'État.

« Je suis conventionnelle », se plaît à répéter Elizabeth II. Conventionnelle et fière de l'être, pourraient ajouter ses critiques. À leurs yeux, c'est une souveraine stricte, conservatrice dans l'âme, qui subit les changements au lieu de les anticiper. Pourquoi changer ce qui marche, si cela marche bien ? Tel pourrait être son leitmotiv. Elle vénère les usages établis et considère que toute innovation dérange le système existant. « C'est une personnalité complètement passéiste qui n'aime pas prendre des risques », regrette un ex-conseiller.

Il insiste sur l'incapacité de la reine à exprimer ses émotions. « Lorsqu'elle s'adresse à vous, vous avez l'impression d'être invisible, de ne pas exister. Un regard de batracien. »

* * *

Imaginons qu'un jeune homme ou une jeune fille souhaite travailler au palais. Comment doivent-ils s'y prendre ? D'abord, comme dans n'importe quelle entreprise, il faut faire la distinction entre les cadres et le petit personnel. Jusqu'à récemment, pour les premiers, le Foreign Office était le principal vivier d'emplois. Remarqué lors d'une visite en Inde, son dernier secrétaire privé, Robin Janvrin, jeune diplomate alors, avait été engagé comme numéro trois du service de presse avant de monter un à un les échelons.

Les critères politiques sont bannis, à l'inverse de la tradition française ou américaine. Le salaire n'est pas particulièrement intéressant, mais le prestige de l'employeur vaut toutes les primes mirobolantes de la City. S'ajoute l'espoir d'obtenir un jour un titre de Sir ou de Lady. L'organigramme du palais fait d'ailleurs penser à une armée mexicaine comptant une kyrielle de pairs, chevaliers, membres de l'Empire britannique ou simples récipiendaires de la croix de Saint-George.

À Buckingham Palace, l'ère des rejetons de grandes familles et des aristocrates dilettantes, tous sortis du même moule, est bel et bien révolue.

Le petit personnel, lui, est divisé en quarante catégories salariales. La plupart du temps, le recrutement se fait par petites annonces dans les journaux.

La méritocratie, dont se vante le palais, est toutefois entachée de sexisme. La reine préfère travailler avec les hommes, et de préférence de beaux hommes. Barbus et moustachus s'abstenir, Elizabeth II a la phobie de la pilosité. À la cour d'Angleterre, pas d'obèses, de boutonneux, de tenues négligées. Elle déteste le port du gilet chez ses conseillers les plus proches, associé sans doute dans son esprit aux huissiers et majordomes.

Certains voient là l'effet d'une adolescence passée en compagnie du sexe fort. L'enfance d'Elizabeth a été rythmée par les goûters offerts par sa mère aux militaires, particulièrement les aviateurs américains, néo-zélandais, canadiens et australiens, les réceptions données aux étudiants d'Eton, les visites aux régiments royaux. À l'exception des dames de compagnie, son environnement reste totalement masculin — conseillers, politiciens, soldats, ecclésiastiques, éleveurs de chevaux et chasseurs. Elle pense comme un homme et déteste les conversations « de femmes ». Lors de ses déjeuners thématiques, les épouses sont considérées un peu comme des appendices de leur mari. Il en est de même avec les politiciens, britanniques comme étrangers. Ses rapports avec Mmes Thatcher, Bandaranaïke ou Gandhi étaient empreints de froideur. Deux femmes seulement ont occupé une fonction clé dans l'administration royale, comme secrétaire particulière adjointe. À Buckingham, les femmes sont surtout représentées au service de presse, à la direction des relations humaines et à la comptabilité. Colonel en chef d'une vingtaine de régiments, la reine n'a jamais eu d'écuyère.

* * *

Les minorités ethniques au sein de la maison royale sont également mal représentées. Sur six cent cinquante employés, une cinquantaine seulement sont issus de l'immigration. Coleen Harris, porte-parole du prince Charles entre 1998 et 2003, est la seule Antillaise à avoir

accédé à un poste de responsabilité au sein de l'institution royale, composée de Buckingham Palace et de la
cour du prince Charles. À son arrivée à la cour du prétendant au trône, l'ancienne responsable de la communication ministérielle, recrutée via un chasseur de têtes, est
certes accueillie les bras ouverts. Mais cette cour-là est
mieux disposée à l'égard de la société multiculturelle en
raison de la personnalité de Charles.

« Buckingham Palace reste un monde hiérarchisé, peu
sensible au politiquement correct et à la diversité culturelle. La prime à la loyauté et à l'ancienneté, l'habitude,
la peur de l'inconnu et la hantise de la presse favorisent le
statu quo », regrette Coleen Harris.

Démonstration des propos de Mme Harris, les célèbres grenadiers de la Garde de la reine. Longtemps hostile, malgré une campagne musclée du prince de Galles,
au recrutement de militaires antillais ou issus du sous-
continent indien, ce régiment vieux de plus de trois siècles a accueilli son premier officier noir en 2007. Mais il
ne vient pas du ghetto de Brixton, c'est un fils de chef
coutumier nigérian, diplômé de la très prestigieuse école
privée d'Harrow et de l'Académie militaire de Sandhurst
où il a été formé aux côtés du prince William.

Autre exemple, le poste de numéro deux du service de
presse. Réservé traditionnellement à un citoyen du Commonwealth, il a toujours été occupé par des Blancs. Le
prétexte selon lequel le poste est financé par le pays d'origine du titulaire ne trompe personne. En 2007, un seul
Noir du Commonwealth a occupé une fonction d'importance, celle d'écuyer de la reine, mais ce fut pour quel-

ques semaines en vue de préparer la visite officielle de la souveraine dans son pays.

Certes, la famille royale ne peut être soupçonnée de racisme puisqu'elle est au-dessus de toutes les classes sociales. Il n'en demeure pas moins que certains de ses membres ont été accusés de propos désobligeants vis-à-vis des minorités. La princesse Michael de Kent a demandé au cours d'un dîner dans un restaurant new-yorkais à la mode à un groupe de Noirs attablés et bruyants de « retourner dans leurs colonies ». Au cours d'une visite à Chicago, dans la foulée de l'assassinat par l'IRA de lord Mountbatten, la princesse Margaret a traité les Irlandais d'être « tous des porcs... des porcs indécrottables ». Quant au prince Philip, il a fait rire aux dépens des yeux bridés des Chinois.

« Ce serait fantastique si la reine dénonçait un jour le racisme et la discrimination. Sa force est de produire le ciment qui soude la société à des moments difficiles. Elle n'a pas utilisé cette arme puissante. Au XXIe siècle, il faut être un peu plus courageuse pour démontrer la pertinence de l'institution monarchique à des groupes en majorité socialement défavorisés », souligne Coleen Harris. Dans ses discours de Noël, très écoutés, épluchés, analysés, la reine n'a jamais osé inclure des remarques contre la xénophobie.

Sur le plan racial, Elizabeth II vit un paradoxe : favorable idéologiquement à la décolonisation, elle reste marquée comme toute sa génération par le souvenir de l'empire dans lequel elle a grandi. Elle accepte la société multiculturelle britannique mais ne la comprend pas. Une incompréhension qu'elle partage avec les « petits

Blancs » du royaume, appuis traditionnels de la monarchie. Dans ses efforts d'ouverture aux minorités, le palais
est, certes, victime du mode de fonctionnement des
familles antillaises ou asiatiques. Les parents préfèrent
voir leurs enfants les plus doués choisir les professions
libérales, les médias ou la fonction publique traditionnelle, jugés plus accueillants. À tort ou à raison, aux yeux
des immigrés de couleur, la royauté est toujours perçue
comme un bastion du vieil ordre impérial blanc.

Toutefois, l'Antillaise Coleen Harris tient à relativiser
le débat autour de la non-représentation des minorités
ethniques au palais : « Le jour de mon engagement, j'ai
demandé à deux collègues de déjeuner avec moi. Embar-
rassés, ils ont refusé. Racisme ? Non. Ils n'avaient pas
accès à la salle à manger des cadres et devaient se contenter de la cantine. »

* * *

Le contraste est saisissant entre la grandeur pompeuse
de Buckingham Palace et la modestie de St. James Palace
qui accueille les bureaux du prince Charles. Avec ses plafonds bas, ses gravures de chasse et ses chinoiseries, les
locaux abritant les services du prince de Galles dégagent
une sympathique impression de cottage. Ce cadre est
sans doute là pour rappeler que, traditionnellement, la
cour de l'héritier au trône est sans commune mesure avec
celle du monarque. Une douzaine de conseillers doivent
suffire pour épauler un homme dont la seule fonction est
d'attendre.

Toutefois, étant donné l'âge avancé de sa mère, le
prince héritier a été amené à reprendre une partie de ses

fonctions de représentation, comme les remises de décorations ou les visites sur le terrain lors de catastrophes. À cette fin, l'organisation de St. James Palace a été totalement bouleversée en répliquant, à une plus petite échelle, la structure de Buckingham Palace. Outre mieux préparer le prince à la succession, cette réforme devait éliminer les tiraillements permanents entre les deux maisons.

Après le fiasco de son interview télévisée de 1994 dans laquelle il avait confessé ses infidélités, le prince de Galles fait le ménage, se séparant de son secrétaire privé et de son porte-parole. En 1996, Mark Bolland, précédemment directeur général de la commission des plaintes en matière de presse, est recruté comme directeur de cabinet adjoint. Sa nomination surprend car le nouveau conseiller n'a pas le profil exigé : fils de maçon, Bolland est diplômé en chimie d'une petite université du nord de l'Angleterre. Bref, il n'aurait jamais passé l'ancien test du Foreign Office, manger des cerises et recracher les noyaux avec distinction. Ou savoir se servir de son couteau pour pousser les petits pois sur le dos de la fourchette. Mais il y a urgence, la cote de popularité du prince de Galles tenu pour responsable de l'échec de son mariage est alors au plus bas. Bolland a pour lui une connaissance intime des rouages de la presse populaire. De plus, c'est un ami proche de Rebekah Wade, directrice de la rédaction du *Sun*. Ces liens vont permettre de neutraliser l'hostilité envers le prince du titre phare de la presse populaire.

Très vite Mark Bolland devient une sorte de gourou pour un prince de Galles déstabilisé par son divorce. Le 1er septembre 1997, il est à ses côtés à Paris pour rapatrier le corps de Diana. Le « Machiavel du prince », comme l'a rudement surnommé la presse, négocie l'accord avec les directeurs de journaux pour laisser William et Harry en paix jusqu'à la fin de leurs études. Mais sa principale mission est ailleurs, faire accepter Camilla Parker-Bowles, la maîtresse du prince, par une opinion foncièrement hostile à son égard. Le calcul du prince est simple : si le peuple accepte Camilla, la reine ne pourra plus s'opposer à son remariage. Le stratégie de Bolland est double. D'abord, multiplier les apparitions de Charles aux côtés de vedettes de la chanson, de la télévision et du cinéma et lui faire reprendre certaines activités caritatives de Diana, comme la lutte contre le sida. L'autre tactique du *spin doctor*, beaucoup plus risquée, consiste à ternir l'image des autres Windsor pour rehausser celle de l'héritier et de Camilla. Sa cible principale est Edward, le plus jeune fils de la reine et son épouse. Le couple Wessex va servir le noir dessein du maître à penser de Charles. Alors que la presse respecte l'intimité du prince William, la maison de production télévisée appartenant à Edward le filme secrètement à l'université de St. Andrews. Edward a enfreint le pacte médiatique. La retranscription du « savon » passé par Charles à son frère, « tu es totalement con », fait les délices des tabloïds déchaînés.

La reine est furieuse de voir son fils et sa femme, le seul couple de ses enfants à ne pas avoir divorcé, défrayer à son tour la chronique. Mark Bolland devient un ennemi de la reine. L'outil de sa vengeance se nomme Michael Peat, directeur financier de Buckingham Palace. La souveraine l'envoie remettre de l'ordre à St. James Palace en le nommant secrétaire particulier du prince Charles. « Mike », comme aime se faire appeler ce petit homme chauve, persuade le prince de Galles que s'il veut épouser Camilla, il doit se rapprocher de sa mère. Bolland, qui a alimenté les querelles au sein de la famille Windsor, doit disparaître. Charles en convient. Bolland est limogé comme un malpropre, sans la moindre récompense pour ses efforts. Grande maladresse. Ayant créé son propre cabinet de relations publiques, il n'a de cesse de distiller du venin sur le prince Charles, allant jusqu'à provoquer des incidents diplomatiques. C'est Bolland qui révélera à la presse tabloïde que le prince Charles a boycotté le dîner donné par la reine en l'honneur du président Jian Zemin, en raison de son hostilité à l'occupation chinoise du Tibet. « Être du côté de Camilla s'est révélé une tâche très solitaire et m'a valu une rancœur énorme », reconnaît aujourd'hui l'as de la communication. Cette chute a quelque chose d'essentiellement, de désespérément anglais, la fracture de classes.

Depuis l'affaire Bolland, la stratégie de communication du prince Charles consiste à mettre l'accent sur son activité caritative et celle de son épouse et à faire parler le moins possible de leur vie privée. Cette mission est réalisée avec un zèle méritoire par le directeur de la communication princière, Paddy Harverson, ancien porte-parole du club de foot Manchester United. Un footeux à St. James : Beckham-Charles, même combat !

Comme toutes les grandes institutions du royaume, la monarchie dispose de ses réseaux, un maillage serré d'organisations et d'individus dont les fidélités éparses ont été sédimentées au fil des ans. Il ne s'agit pas d'amitiés comme celles qui ont entouré ou soutenu un Jacques Chirac ou un François Mitterrand.

Lors de son couronnement, en 1953, la reine s'était appuyée notamment sur trois piliers qui lui sont restés fidèles : l'armée, l'Église d'Angleterre, la noblesse. Si l'influence de ces trois pôles de pouvoir sur la société britannique s'est fortement réduite, ils demeurent un relais important de l'influence royale.

Le réseau proprement dit de la reine est d'abord politique, traditionnellement basé sur le parti conservateur, la droite anglaise et les travaillistes de la vieille école, par essence monarchistes. Le réseau dans l'administration n'est pas négligeable, en particulier le Foreign Office, sensible à l'aura de la monarque au sein du Commonwealth et auprès des pétro-monarchies du golfe Persique. Il y a aussi le terrain associatif, qui représente beaucoup de monde, avec ses permanents, ses volontaires et ses donateurs. Le soutien des patrons, en particulier l'appui de la City chargée de faire fructifier l'argent royal, est acquis à la reine. À l'heure de leur retraite, bon nombre de courtisans choisissent de pantoufler dans les grandes banques.

La reine, en revanche, n'inspire guère les intellectuels. La défiance est réciproque. Seuls les historiens de la monarchie et les experts militaires semblent trouver grâce à ses yeux.

La haute hiérarchie royale a ses habitudes et ses lieux de rendez-vous aussi huppés que fermés. Diriger une royauté de nos jours, c'est aussi entretenir des relations. La loge royale de l'Albert Hall, la grande salle de concerts londonienne, est l'un de ces endroits discrets où la cour peut inviter de gros calibres de la politique, de l'Église, du monde des affaires, des médias et des arts. Lors des longs entractes d'un opéra, on peut procéder à des échanges de vues tout en passant une excellente soirée. Ce type de contacts est une source précieuse d'informations. Les clubs de gentlemen — le White's, le Garrick, le Brooks's — jouent leur rôle. Ce sont des endroits où, entre le porto et le stilton, les dossiers épineux, méritant doigté et attention, peuvent être réglés. Sans oublier les raouts annuels rassemblant tout ce que le royaume compte de décideurs — le tournoi de Wimbledon, les régates d'Henley, l'opéra de Glyndebourne ou les courses hippiques d'Ascot ou d'Epsom qui disposent de loges spéciales réservées à la famille royale.

Le lobby royal n'est pas composé d'obligés qui réclameront leur dû au moment voulu. La reine obtient l'appui des « réseaux » sans rien donner en échange... si ce n'est sa gracieuse considération.

X

LA REINE ET L'ARGENT

Contrairement à tant de grandes fortunes, la reine n'a pas de revanche à prendre sur le destin. Elle n'a jamais dû se battre pour accumuler ses biens. Son bas de laine est du vieil argent d'héritière rentière. Elle n'a pas d'entreprise à gérer et à développer dans l'espoir de créer une dynastie industrielle. Ce n'est pas une star du show-business, des médias ou du sport, contrainte de vendre son image, son seul capital, jour après jour. Au contraire des autres milliardaires, le chef de l'État ne redoute ni cambriolage ni kidnapping. Elizabeth II considère l'avenir de ses avoirs dans une optique patrimoniale, au profit de ses enfants et petits-enfants. Comme les riches Français, la souveraine se consacre au bénévolat, aide ses proches dans le besoin, vit au milieu des toiles de maîtres anciens, de meubles et de porcelaine exquis et cultive une discrétion confinant à la paranoïa à propos du montant de ses avoirs, fidèle à son autre devise, financière celle-là : « Pour vivre heureux, vivons cachés. » Elle n'a pas à craindre les foudres du fisc, sa « cagnotte » privée n'étant pas dissimulée derrière un écheveau de sociétés-écrans immatriculées dans des paradis fiscaux. Les grandes fortunes s'efforcent de gagner des faveurs politiques. Pas elle. C'est la reine.

Habit, col blanc et chaussures noires qui crissent : les financiers de la Coutts Bank semblent sortis tout droit d'un roman de Dickens. Gare aux apparences, ces gentlemen aux allures compassées sont les banquiers de la reine. *By Appointment Of Her Majesty the Queen*, selon la formule rituelle. L'établissement londonien, fondé il y a plus de trois siècles, symbolise l'alliance entre l'argent et la Couronne. « Les membres de ma famille, pendant des générations, ont bénéficié de vos conseils sages et prudents », a déclaré Elizabeth II en inaugurant le nouveau quartier général du Strand, en 1978. Curiosité de l'histoire, à la même adresse, Elizabeth Ire avait fait décapiter le traître Thomas Howard, quatrième duc de Norfolk au XVIIe siècle. Depuis, le fantôme du supplicié hante les couloirs de la banque. En 1993, quatre réceptionnistes furent hospitalisées après avoir vu le fantôme emprunter l'escalier mécanique. La direction avait alors engagé un *ghostbuster*. Ce dernier avait intimé au fantôme de renoncer à sa vengeance sur les descendants d'Elizabeth Ire. Depuis, tout est rentré dans l'ordre.

« La reine ? C'est une cliente comme les autres. » Je me permets de mettre en doute ce propos d'un des directeurs de la Coutts Bank. En effet, la souveraine n'a pas de chéquier ni de carte de crédit. Elizabeth ignore l'argent et n'a jamais un sou sur elle. Sa dame de compagnie s'occupe des rares paiements en liquide que la reine est amenée à faire. L'établissement communique avec Buckingham par courrier électronique sécurisé. On peut concevoir la joie du tabloïd *News Of the World* s'il réussissait à s'emparer du relevé bancaire de la monarque.

Dans le classement des grandes fortunes britanniques établi par le *Sunday Times*, en 2007, la reine n'arrive qu'en 229e position avec des avoirs de 320 millions de livres. Elle se situe au même niveau que l'armateur John Goulandris, le duc de Northumberland ou les fondateurs de la chaîne d'opticiens Specsavers. Fortune « moyenne » en Angleterre, la reine fait figure de parent pauvre par rapport au sultan de Brunei, au roi Fahd d'Arabie saoudite, à l'émir du Koweit et même à la reine Beatrix des Pays-Bas, principale actionnaire indépendante du groupe pétrolier anglo-néerlandais Shell.

Dix-sept ans plus tôt, Elizabeth II avait été sacrée première fortune de son royaume. Que s'est-il passé ?

Auteur du classement du *Sunday Times*, Philip Beresford est le spécialiste de la fortune des Windsor. « Jusqu'au début des années 90, dans l'évaluation de la richesse de la reine, ses biens personnels et ceux qu'elle possède au nom de l'État et dont elle ne peut pas se séparer étaient mélangés. Depuis 1994, ils sont séparés. La publication des comptes annuels de Buckingham Palace a été utile pour mieux comprendre la gestion de l'enveloppe officielle, mais il existe bien des interrogations sur la partie privée. Seule la divulgation fort improbable de sa déclaration fiscale permettrait d'y répondre. »

Il convient donc de séparer, dans la fortune de Sa Majesté, l'argent « privé » de l'argent « public », les deux termes devant être pris avec circonspection. Cette dualité, Alan Reid, l'incarne. *Keeper of the Privy Purse*, directeur financier, cet ancien auditeur a deux casquettes : gestionnaire de la fortune privée de la reine et trésorier de la dotation de l'État et des biens royaux non aliénables.

La simplicité de ce personnage chargé des finances royales étonne. Son modeste bureau avec vue sur la cour intérieure de Buckingham Palace n'a pas de double porte calfeutrée protégée par un huissier et le responsable du coffre-fort des Windsor sert lui-même le thé qu'il verse d'un thermos. Davantage comptable que voltigeur de la finance, cet Écossais sympathique dresse un rideau de fumée devant les châteaux, chevaux, bijoux et surtout le portefeuille de placements d'Elizabeth II.

« Mais je peux vous affirmer une chose. Toutes les estimations de la fortune de la reine, et nous le regrettons bien, sont exagérées. Même le chiffre de 250 millions de livres de capital divulgué en 2004 n'est pas exact. »

Il n'en dira pas plus. Essayons tout de même d'y voir plus clair dans sa fortune privée. Dans cette liste, chaque détail est parlant.

La partie la plus importante du patrimoine royal est les placements financiers. La valeur actuelle et la constitution du portefeuille d'actions et d'obligations sont la grande inconnue. La dernière valorisation de ces investissements, donnée par Buckingham Palace, datant de 1971 (!), est de 21 millions de livres. Transposé aujourd'hui, ce bas de laine est estimé dans la City entre 861 millions de livres et 1,25 milliard de livres. « C'est beaucoup trop. Ces montants sont franchement ridicules », se borne à répliquer, sans apporter de détails, Alan Reid, le grand argentier du palais. Une centaine de millions de livres paraît plus probable, ce qui dégagerait un dividende annuel de 1 à 3 millions de livres. Si Coutts est la banque de dépôt de Sa Majesté, les vieilles enseignes bancaires de la City, Barclays, les courtiers au sang bleu, les Cazenove, Schroder ou Barings sont ses agents de change. Ils privilégient les sociétés britanniques, sûres et solides de l'indice FT100 des plus grosses valeurs industrielles de la Bourse de Londres. Les investissements à l'étranger sont proscrits en raison de possibles conflits d'intérêts diplomatiques. Certains secteurs — les casinos, les loisirs, les compagnies de défense, la recherche médicale — jugés controversés seraient évités. Le palais veut éviter les déconvenues du Vatican qui a découvert avoir des participations importantes dans des laboratoires pharmaceutiques fabriquant des préservatifs. En revanche, les gestionnaires de la cassette royale s'aventurent dans les eaux controversées de la gestion alternative ou des marchés émergents, avec grande prudence. Le palais favorise les placements à long terme sur le profit immédiat. C'est bien dans la nature mesurée de la monarque.

La reine possède ensuite, en son nom propre, les bénéfices du duché de Lancaster, fondé en 1399 pour fournir au souverain un revenu indépendant de celui de l'État. Les revenus du duché proviennent essentiellement de trois sources : le domaine foncier, soit 12 500 hectares de terres agricoles dans les comtés du Yorkshire et du Cheshire, l'immobilier avec surtout les bâtiments du centre de Londres et un portefeuille d'actions et d'obligations. Le duché a dégagé en 2006-2007 un profit de 10 millions de livres reversés à la reine. Ce bénéfice est taxé. En revanche, le monarque ne peut pas toucher au capital. Tant que le duché, comme le veut la coutume, passe d'un souverain à l'autre, ce dernier ne devra pas régler de droits de succession.

Le patrimoine immobilier personnel comprend trois châteaux : Balmoral en Écosse, Sandringham dans le Norfolk et Kensington Palace à Londres. De style gothique, Balmoral est entouré de 20 000 hectares de terres arables et emploie une cinquantaine de personnes à temps plein. De style victorien, Sandringham inclut 8 000 hectares mais dispose de plus d'une centaine d'employés en raison de son ouverture toute l'année aux touristes. Alors que le premier domaine est déficitaire, le second est bénéficiaire. Résidences, terres arables, rivières et forêts de chasse, Balmoral et Sandringham feraient d'excellentes résidences secondaires pour milliardaires. Leur valeur marchande est estimée par les experts à 300-400 millions de livres. Kensington Palace est un cas particulier. Le rez-de-chaussée est transformé en musée, le premier étage est occupé par des membres mineurs de la famille Windsor. Ils louent à la reine des appartements somptueux pour un montant ridiculement bas, équivalent du loyer d'un F3. La reine possède également, à titre personnel, des appartements dans le quartier de la gare de Victoria loués également à des membres de l'entourage royal.

Contrairement à l'idée répandue, les châteaux les plus connus de la reine — Buckingham, Windsor et Holyroodhouse, en Écosse — appartiennent à l'État qui en assure l'entretien.

À Balmoral et à Sandringham, la reine possède des œuvres d'art (20 millions de livres), des meubles d'époque (20 millions) et un parc de voitures anciennes (10 millions de livres) auquel il convient d'ajouter une Daimler Jaguar et une Vauxhall.

Les experts évaluent la collection de bijoux entre 70 et 130 millions de livres. Les fameux joyaux de la couronne, enfermés dans la Tour de Londres, sont, eux, propriétés de l'État depuis 1760.

Évaluée entre 790 et 800 millions de livres, la collection de timbres laissée par George V, enrichie par George VI, est propriété privée d'Elizabeth. En revanche, celle constituée depuis 1952, sous Elizabeth II, peu intéressée, au demeurant, par ce passe-temps, ne lui appartient pas en nom propre. En effet, cet apport est essentiellement formé des nouvelles émissions philatéliques offertes gratuitement par le Royal Mail et les postes des pays du Commonwealth.

La reine possède quatre-vingts pur-sang, destinés aux courses de plat, quinze chevaux de steeple-chase hérités de la reine mère élevés à Sunninghill Park, dans le Berkshire, une vingtaine d'étalons et les poneys élevés à Balmoral. Mais les chevaux qui tirent les carrosses royaux appartiennent à l'État.

Quels sont les bénéfices du Royal Studs, les écuries royales ? « Les comptes sont à l'équilibre », affirme son directeur, Michael Oswald. Cette entreprise, gérée selon des critères commerciaux, serait toutefois déficitaire, estiment les spécialistes.

Depuis que la reine a accepté de payer des impôts, Royal Studs ne peut plus être gérée comme une association à but non lucratif si elle veut continuer de bénéficier des dégrèvements fiscaux visant à encourager l'investissement. Mais que ce soit en termes de saillies ou de revenus des courses, l'entreprise est une PME comparée aux écuries mastodontes des Maktoum, la famille régnante de Dubaï ou des éleveurs irlandais. Parfois, pour améliorer les chances de victoire, la reine s'associe à un syndicat de propriétaires de pur-sang.

* * *

En tant que reine, Elizabeth II perçoit la « liste civile », somme qui lui est allouée chaque année par l'État pour couvrir les dépenses de sa fonction. Il ne s'agit pas du salaire de la reine — ce serait trivial —, mais d'une dotation, donc exempte d'impôts. Ces 7,9 millions de livres par an couvrent ses dépenses courantes, ses frais de représentation et le coût du personnel de Buckingham Palace, de Windsor et de Holyrood House. Les frais de l'entretien des châteaux et les déplacements de la souveraine et de ses collaborateurs dépendent d'une autre enveloppe. Le coût total de la monarchie britannique pour le contribuable est de 37 millions de livres par an. C'est l'équivalent du coût d'un Eurofighter ou du budget annuel du Victoria & Albert Museum. En 2005, la facture d'Elizabeth II par tête d'habitant s'est élevée à 62 pence. Soit un litre de lait biologique dans un supermarché ou le tiers du tarif d'un ticket d'autobus à Londres. Les activités philanthropiques des membres de la famille royale rapportent entre 100 et 200 millions de livres aux associations caritatives qu'ils président.

À titre de comparaison, l'Élysée coûte deux fois plus cher. Les comptes publics, à l'inverse des revenus privés, sont indépendamment audités, par le ministère des Finances et un cabinet comptable. Le budget royal, à l'inverse de celui de l'Élysée, n'est pas protégé par une chape de mystère. La transparence y gagne. Reste que la sécurité financière de la reine dépend du bon vouloir du gouvernement. Avec tous les risques que cela représente. Chaque augmentation de son budget provoque un vaste débat public. Et porte de l'eau au moulin des partisans de la république qui s'insurgent contre le financement public de celle qu'ils considèrent comme l'une des femmes les plus riches au monde. L'argument est assez malhonnête car il mélange volontairement liste civile, biens personnels et biens inaliénables. L'addition d'une poire, d'une pomme et d'un melon. Et évaluer Buckingham Palace ne sert à rien. En effet, même Christie's, la maison de vente attitrée de la noblesse, se déclare incapable d'estimer la valeur de la collection de tableaux, dessins, meubles et porcelaine de la Royal Collection. « Elle ne peut pas mettre ses richesses aux enchères et dépenser le fruit de leur cession. Elle détient ces incroyables trésors au nom de nous tous. Seul l'avènement très improbable d'une république pourrait voir ces objets venir sur le marché », insiste Philip Beresford, l'expert du *Sunday Times*.

Il n'est pas question non plus d'inclure dans la fortune de la reine le Crown Estate gérant des énormes avoirs immobiliers de la Couronne d'Angleterre. Cet incroyable portefeuille comprend plus d'un millier d'édifices historiques administrés par l'organisme public. Il s'agit de quartiers entiers qui appartiennent à la monarchie, Kensington, Regent's Park, High Holborn, Regent's Street, St. James, etc. À ces actifs urbains, incluant une série de centres commerciaux en province, s'ajoutent de vastes domaines agricoles et la propriété de la moitié du littoral et des fonds marins situés dans les eaux territoriales britanniques. La valeur de ce parc immobilier est estimée à six milliards de livres.

Dans sa forme actuelle, le Crown Estate a été créé en 1760, à l'initiative du roi George III (1738-1820) en proie à des troubles mentaux et qui avait de grands besoins d'argent. En échange de l'octroi des revenus de son patrimoine immobilier au gouvernement, celui-ci a accepté de lui donner une somme forfaitaire appelée liste civile. « La monarchie a fait une mauvaise affaire, le contribuable a gagné », sourit Roger Bright, directeur général du Crown Estate, organisme public autonome mais placé sous la supervision du ministère des Finances. En effet, les profits du Crown Estate sont cinq fois supérieurs au montant alloué à la liste civile dont bénéficient la reine et son époux, le duc d'Édimbourg.

* * *

Après la Seconde Guerre mondiale, la monarchie est au pinacle de sa popularité. Le coût de l'institution n'est pas remis en question. Au demeurant personne n'est capable d'en évaluer le prix. À l'exception de la liste civile votée par le Parlement, les dépenses sont éclatées entre plusieurs ministères. Confiée à des militaires à la retraite dotés de rudiments de comptabilité, la gestion est très approximative. L'achat d'une ampoule réclame le contreseing du ministère de l'Environnement. L'absence de double vitrage fait exploser la note de chauffage. Au lieu d'être remplacées, les machines à laver antédiluviennes sont réparées à grand coût. Un petit service du personnel doit gérer plus de cent vingt grades hiérarchiques différents. Outre encourager l'ivresse au travail, le bar gratuit mis à la disposition du personnel grève lourdement les dépenses. L'absence d'appels d'offre gonfle les devis. Résultat de cette gabegie et de l'inflation galopante, la monarchie est à court d'argent à la fin des années 70. À ce moment-là, deux conceptions s'affrontent qui peuvent être simplifiées ainsi : nationalisation ou privatisation de la cour.

Le gouvernement Callaghan propose alors de créer un ministère de la Couronne reprenant toutes les attributions de la maison royale. « Inacceptable », juge la reine qui voit là une mise sous tutelle de la monarchie, sa « nationalisation ».

La City, une nouvelle fois, va venir à la rescousse de la dynastie. En 1983, David Airlie, président de la banque d'affaires britannique Schroder et cacique de la place boursière britannique, est nommé au poste de Lord Chamberlain. Cet aristocrate écossais a un pedigree irréprochable, son frère, Angus Ogilvy, a épousé la princesse Alexandra, cousine de la reine. Le patricien de la haute finance découvre avec horreur l'absence de contrôles de gestion, la faible informatisation, la surreprésentation des militaires qui ne servent à rien, des centaines de strates hiérarchiques.

Pour remettre de l'ordre, Airlie commande en 1986 un audit à l'une de ses connaissances, Michael Peat, expert issu de la dynastie comptable Peat Marwick. Son étude de 1 383 pages préconise la création d'une « entreprise » Windsor en regroupant à Buckingham les services disséminés dans l'administration. C'est la « privatisation ».

Peat est chargé de rationaliser la gestion chaotique de l'institution. Il remplace progressivement les courtisans dilettantes par des professionnels. En 1991, le rattachement des palais de St. James et de Windsor à Buckingham Palace sous l'appellation de Royal Household supprime les doubles emplois et crée des synergies. Son zèle de sabreur du superflu sacrifie le gras pour laisser intact le muscle. En 1993, issue du regroupement des trésors royaux disséminés à la National Gallery, la Tate et la National Portrait Gallery, la Royal Collection est créée. Les expositions prestigieuses payantes et la vente de souvenirs permettent aujourd'hui à la collection de s'autofinancer et de se passer de subventions publiques.

En 1994, afin de dissiper l'impression que les Windsor vivent aux crochets de l'État, la liste civile, la dotation publique, avait été réduite à la reine, à son époux et à la reine mère, aujourd'hui décédée. La souveraine règle, désormais, de sa propre poche les dépenses de ses rejetons, cousins et autres membres nécessiteux du clan.

À cette époque, l'opinion publique trouvait anormal que la reine ne paie pas d'impôt sur le revenu. Michael Peat, comprenant que cette exemption fiscale est impopulaire en ces temps de récession économique, veut y mettre fin. La reine refuse. Pire, après l'incendie du château de Windsor, le 20 novembre 1992, elle estime que l'État doit prendre en charge les coûts exorbitants de la restauration de l'aile dévastée par le feu. C'est la goutte d'eau qui fait déborder le vase. Face à la jacquerie médiatique, le Premier ministre, John Major, intervient et met la reine devant le fait accompli. Pour protéger la Couronne, comme il sied, c'est officiellement la reine qui a fait le geste de payer « volontairement » l'impôt sur le revenu. Elle échappe toutefois aux droits de succession.

Après la mort de Diana, en 1997, l'heure est plus que jamais à la réduction des dépenses de fonctionnement, comme en témoigne la création d'un service de voyages royaux, le Royal Travel Office. Au titre des économies budgétaires, l'accent est mis sur l'utilisation de vols civils plutôt que des appareils de la Royal Air Force. Un hélicoptère Sikorsky 76 est acheté en leasing. La reine doit signer tout programme de voyage et justifier ses dépenses. Elle rembourse à l'État les dépenses engagées pour ses voyages privés, ainsi que ceux de sa famille.

Près de sept cents personnes travaillent directement au service de Sa Majesté. Quatre cent cinquante d'entre elles sont payées par la liste civile. La reine paie donc de sa poche les traitements de deux cent cinquante salariés.

Pour les syndicats, les salaires du petit personnel royal sont modestes, comparés à la norme de la fonction publique ou du privé. Un valet de pied gagne en moyenne 13 000 livres par an. Mais nourri et blanchi, bénéficiant d'une retraite jugée généreuse, sa rémunération est en fait estimée à 20 000 livres par an, correspondant à la moyenne nationale pour un emploi non qualifié.

La refonte de l'administration de la monarchie a porté ses fruits.

Par rapport à 1990, le coût de son fonctionnement a été réduit de 65 %. Le budget officiel de l'Élysée a été multiplié par neuf sous la présidence de Jacques Chirac.

* * *

George VI surnomma un jour la famille royale « la Firme ». L'expression est restée. Et Elizabeth II s'est coulée facilement dans le moule de PDG de cette entreprise. À elle les grandes affaires, aux autres un département particulier. Les neuf membres de la famille Windsor se concentrent chacun sur un domaine de compétence particulier : le prince Philip (armée et sport) ; le prince de Galles (agriculture, architecture, minorités ethniques) ; la duchesse de Cornouailles (santé) ; la princesse Anne (tiers monde, santé) ; le duc d'York (commerce extérieur) ; le comte de Wessex (arts) ; le duc de Gloucester (architecture) ; le duc de Kent (milieux économiques).

Une caricature montre la reine en tenue régalienne, diadème et médailles, dans une salle d'opérations de la Royal Air Force lors du Blitz de 1940. La souveraine déplace à sa guise des pions à l'effigie des membres de sa famille. C'était bien vu, dès qu'un Windsor se conduit mal, elle le met à l'écart et en place un autre au centre de l'échiquier, sous la lumière des projecteurs. La reine exerce également son magistère un peu à la manière d'un entraîneur de football. Comme les stars du ballon rond, les « Royals » ont besoin de périodes de repos sur le banc de touche pour se ressourcer. Il faut renouveler l'équipe en engageant de nouveaux joueurs à l'occasion de mariages.

Toutefois, même lorsqu'ils tombent en disgrâce, les Windsor peuvent compter sur sa générosité. La Firme est un cercle d'entraide financière. « À tous les coups, la reine trouve l'argent nécessaire pour régler leur rémunération ou en cas d'urgence pour aider les membres de la famille en difficulté », souligne le journaliste Philip Beresford. Elizabeth Windsor a ainsi régulièrement versé plusieurs millions de livres pour éliminer le découvert bancaire accumulé par sa mère qui menait grand train de vie. Elle a réglé une partie des frais d'entretien des quatre châteaux occupés par cette dernière. Elle permet au prince et à la princesse Michael de Kent désargentés d'occuper un appartement de fonction à Kensington Palace. La souveraine, en bonne mère, a aidé son plus jeune fils, Edward, après son mariage en le logeant à Bagshot Park. Elle a également payé de sa poche Gatcombe Park, la résidence d'Anne, et Sunninghill Park, la maison d'Andrew. Peut-être Elizabeth II espérait-elle compenser par sa générosité son manque d'affection maternelle.

La plupart des membres de la famille royale tirent une part de leurs revenus de cette structure informelle. La Firme fonctionne comme un grand cabinet d'avocats au service d'un fondateur autour duquel gravitent des associés avec des titres, des fonctions et des revenus différents. La reine joue le rôle, on l'aura deviné, de l'associé principal.

Apôtre de l'agriculture biologique, le prince Charles profite de sa notoriété pour vendre les produits originaires du duché de Cornouailles, sa cagnotte personnelle. Estampillés « Duchy Originals », biscuits, confitures, chocolats, cidre ou bacon sont d'ailleurs servis à Buckingham Palace. Son frère, le prince Andrew, est président de l'organisme de promotion du commerce extérieur, chargé de représenter les compagnies britanniques à l'étranger. Son ex-femme Sarah continue pour sa part d'utiliser son étiquette royale pour promouvoir toute une série de produits — des jus de fruits aux pilules amincissantes — aux États-Unis. Le neveu de la reine, le vicomte David Linley, crée les boîtes artisanales offertes en guise de cadeaux d'État par la souveraine, profitant de l'occasion pour faire l'éloge de la société de design de ce dernier. James Ogilvy, fils de la princesse Alexandra, publie une revue professionnelle du luxe, *Luxury Briefing*, qui a fait de la famille royale son fonds de commerce. La princesse Michael de Kent a une entreprise de vente d'antiquités de haut standing. Son mari, le prince de Kent, figure au conseil d'administration de sociétés et organise des séminaires payants en se servant de son titre. Le comte de Wessex a fondé Ardent, une société de production de documentaires télévisés consacrés surtout aux familles royales. Sa femme, Sophie, de son côté, s'est laissé piéger par un journaliste déguisé en cheikh arabe qui a prouvé qu'elle utilisait la marque royale pour attirer des clients vers sa maison de relations publiques.

La reine est au cœur de ce système d'entreprises qui, même si elles ne dépendent pas directement d'elle, ne survivraient pas sans sa bénédiction. C'est la « royal connection ».

Qui dit affaires, dit dérapages, voire scandales. La controverse autour de Sophie Wessex, en 2001, a amené la reine à ordonner une enquête administrative sur les possibles conflits d'intérêts entre le statut et les activités professionnelles de membres de la famille royale. La mise en place d'un nouveau code de conduite destiné à protéger l'institution et son chef a provoqué une foire d'empoigne au sein de la famille. D'un côté, le groupe des réformateurs, menés par le prince Charles, qui entend, au nom de l'éthique, forcer les membres de sa famille à choisir entre fonction royale et activités commerciales. De l'autre le prince Philip, libéral de choc, pour que le cumul soit possible et même utile. La reine a tranché finalement en faveur de son mari, comme toujours. S'inspirant assez librement du code de conduite de la fonction publique, les directives adoptées ne sont pas très restrictives. De l'avis général, sur ce chapitre il n'y a rien de plus à attendre du vivant de la reine. L'interdiction du cumul devrait être l'une des priorités du prince Charles, s'il devait accéder au trône. Il entend faire taire ainsi les critiques selon lesquelles la Firme a tendance à confondre les biens de l'État avec les intérêts privés de ses membres.

Autre aspect discutable de la Firme, selon ses critiques, elle accapare les biens de l'État pour son usage personnel. La Collection royale, disent-ils, l'atteste.

La Queen's Gallery, le musée de Buckingham Palace ouvert au public, n'accueille, en effet, qu'une partie infime de la plus riche collection privée d'art en Europe. Si trois mille œuvres sont disséminées dans les grands musées et palais du Royaume-Uni, la Royal Collection, dit-on, rechigne à prêter ses possessions. Chaque prêt est sujet à l'assentiment du souverain qui aime rester entouré des mêmes objets et répugne à s'en séparer, même temporairement. La Firme assure le contrôle de la Collection Royale par le truchement du président du Royal Collection Trust, l'organisme de tutelle, le prince Charles en personne. « À l'inverse des chefs-d'œuvre de la National Gallery, le public n'a pas l'impression de posséder ces trésors. Les visiteurs du musée de la reine ont l'impression d'être accueillis à contrecœur. La présence du personnel en livrée, le peu d'informations sur les œuvres exposées et la vente de souvenirs Windsor renforcent cette impression », se plaignait récemment le *Guardian* sous le titre «Trésors enfouis : le moment n'est-il pas venu pour la reine de partager ses richesses artistiques avec la nation ? ». C'est ainsi qu'un tableau considéré pendant quatre siècles comme une copie d'une œuvre disparue, restée pendant des décennies dans une pièce de l'ancien palais de Hampton Court à Londres, s'est récemment révélé être une authentique œuvre du peintre italien Le Caravage. Le directeur de la Royal Collection, Hugh Roberts, dément les abus : « Chaque jour, je reçois une lettre d'un conservateur, quelque part dans le monde, qui me demande de lui prêter un objet pour une exposition thématique. La requête est soigneusement examinée, mais le problème est que bon nombre de ces œuvres sont exposées dans des espaces publics. À Buckingham Palace, il n'est pas question de laisser un mur blanc avec la mention : ce tableau a été prêté. » Servir la reine tout en dirigeant une collection appartenant à l'État est une gageure.

* * *

Si la royauté a un coût, elle contribue également à l'essor économique du royaume. Ainsi, le label *By Appointment Of Her Majesty the Queen* est accordé gratuitement par le palais à certains fournisseurs de la cour.

Octroyée pendant cinq ans, renouvelables, cette citation, accompagnée des armoiries royales, vaut son pesant d'or en haut d'un papier à lettres, sur une carte de visite, un rapport de conseil d'administration, sur une camionnette de livraison ou la devanture d'un magasin. Seulement 682 compagnies sont détentrices du *royal warrant*, le brevet des fournisseurs de la cour d'Elizabeth II (le duc d'Édimbourg et le prince Charles ont chacun le sien). « Ce label n'est pas décerné pour des motifs commerciaux, mais comme reconnaissance par la reine pour l'excellence d'un service rendu. Les récipiendaires ne peuvent l'exploiter pour faire de la publicité. La raison du contrôle draconien sur son utilisation est simple : le brevet peut s'avérer un atout important, surtout à l'exportation, aux États-Unis, en Europe de l'Est et en Asie », affirme le palais. L'épicerie de luxe Fortnum & Mason a reçu le *royal warrant*. « Son aura revêt un caractère historique. La continuité, la tradition, la loyauté vont de pair avec une affaire comme la nôtre », déclare le grand magasin où les serveurs en jaquette perpétuent la qualité d'un service digne de la Couronne.

Si le label est prisé, car il peut faire grimper le chiffre d'affaires, les responsables du palais passent pour des hommes d'affaires durs et impitoyables dans la protection des deniers de la reine. La rumeur veut qu'ils exigent souvent des ristournes, ce que dément le palais. Toutefois, l'intérêt commercial du brevet semble diminuer. Les jeunes générations y sont moins sensibles que les plus âgées. Les goûts royaux ont tendance à être conservateurs et prudents, mieux adaptés, par exemple, à des intérieurs traditionnels que modernes.

Mais outre le *royal warrant*, les Windsor défendent les intérêts économiques du pays.

C'est la tâche d'Andrew Albert Christian Edward Mountbatten-Windsor, mieux connu sous le nom d'Andrew, duc d'York, représentant britannique spécial pour le commerce international et l'investissement.

Tempes argentées, regard accueillant, diction nette et distinguée comme *Mother* et style bien sûr *british* : le deuxième fils de la reine offre une idée haut de gamme d'un plénipotentiaire du commerce extérieur de son pays. Plus classe qu'un ministre, plus amène qu'un chef de gouvernement, moins volubile qu'une star.

La royauté fait-elle « vendre » ? Le VRP d'Albion va droit au but d'une voix légèrement autoritaire, révélant son passé d'officier de la Navy : « Les membres de la famille royale peuvent aider la reine dans sa tâche de deux manières. Tout d'abord, à sa demande, nous pouvons être amenés à assurer certaines fonctions de représentation. Elle a trop à faire. Ensuite, individuellement, nous sommes un peu dans la situation d'un responsable d'une filiale d'une entreprise diversifiée relativement autonome tout en suivant la stratégie définie par la maison-mère. La mission de ma filiale est de promouvoir les intérêts économiques à l'étranger. La famille royale est un outil supplémentaire pour appuyer nos industriels. Ces derniers sont la salle des machines de notre société. »

On verrait bien le prince Andrew rallier les consommateurs étrangers aux vertus des parapluies, du whisky, des biscuits sablés ou des paniers de pique-nique. Institution compassée, la royauté peut-elle « vendre » la bioéthique, les supermarchés, les services financiers ou les missiles ? Un prince à la tête d'une mission économique ou le parrainage royal d'une foire commerciale peut ouvrir des portes aux hommes d'affaires, en particulier au Proche-Orient, dans le Commonwealth, voire aux États-Unis, toujours sensibles au label royal. Le patronat parle de « valeur ajoutée ».

La mission du prince dépasse le cadre de la simple promotion des séductions des produits d'Albion. À ses interlocuteurs étrangers, le duc d'York vante les qualités d'un savoir-faire britannique : partenariat privé-public dans la construction des infrastructures, rénovation urbaine, ingénierie financière. Il se fait également le porte-parole des compagnies étrangères installées au Royaume-Uni, comme les constructeurs d'automobiles japonais.

L'armée symbolise le service public. Le monde de l'entreprise, par sa nature, est davantage sous les projecteurs des médias assassins. Le quadragénaire ne mérite pas les critiques de la presse britannique, prompte à le décrire comme un être pataud, pas très intelligent, vivant aux crochets du contribuable. Sa bonne volonté est indiscutable. La reine paie de sa propre poche sa rémunération, 250 000 livres par an. Le gouvernement prend en charge les émoluments de ses conseillers, ses déplacements et frais de séjour et sa protection rapprochée.

Le secteur touristique, dont la contribution au produit national est substantielle, fait ses choux gras de « Windsor Inc ». La Collection Royale, la Tour de Londres, Windsor, Kensington Palace, Hampton Court et autres possessions royales ont plus de visiteurs que le British Museum. Ces attractions touristiques sont une source inestimable de revenus. Victime de la concurrence des pays à faible coût de main-d'œuvre, l'industrie de la céramique aurait disparu sans le coup de pouce régulier des événements royaux, jubilés, mariages ou naissances. Le mariage du prince Charles et de Diana, en 1981, tout comme le jubilé d'or de 2002 ont fait tinter les caisses des commerçants. Les chaînes hôtelières, les brasseurs, l'industrie des souvenirs, l'épicerie de luxe, les fabricants de drapeaux pour les fêtes de quartier ont bénéficié de ces célébrations. Le jubilé d'or a fait oublier l'épidémie de fièvre aphteuse, les attentats du 11 septembre 2001 et la désaffection touristique des Américains qui s'était ensuivie. Le Lord Chamberlain, dont la mission est entre autres de contrôler l'usage des portraits et des armoiries de la famille royale, a été débordé par les demandes d'utilisation de ces symboles. La simplicité, qui devait marquer le style des cérémonies, a quelque peu souffert de cette commercialisation à tous crins. Toute cette pacotille évoquait davantage un marché aux puces qu'un événement royal. Au grand dam des organisateurs, le parcours du défilé populaire a même été dévié pour privilégier les quelque cinq cents représentants des sponsors et de leurs familles. Plus de cent cinquante compagnies — dont British Airways, Kellog's et Walker Snackfood — ont pris à leur charge une partie du budget, le reste provenant de la caisse privée de la reine.

« Nous ne voulons pas d'une monarchie bon marché, mais d'un bon rapport qualité/prix », aime répéter le grand argentier de la cour, Alan Reid, à propos des retombées économiques de l'institution. À la lumière du nouveau caractère commercial de la monarchie, il conviendrait sans doute de moderniser le label royal sans toucher aux symboles mêmes qui font sa magie. Sur le plan financier, la monarchie est entrée dans la modernité par rapport à l'amateurisme du passé. En ce sens, elle suit l'évolution du pays depuis Thatcher. Pour les spécialistes de marketing, cette mise à jour n'est pas terminée. « La monarchie reste un concept fort, mais sa gestion a été déplorable, avec un manque de contrôle de ses sous-produits qui sont les différents membres de la famille royale. La stratégie a été constamment modifiée au fil des crises sans plan d'ensemble », affirme Alec Rattray, directeur de recherche au bureau de marketing Landor Associates. Il est essentiel de lui redonner une nouvelle image, le *rebranding,* comme on dit en marketing. « Il faut choisir le créneau du marché que la royauté veut occuper, les valeurs qu'elle colporte afin de déterminer une stratégie de relance et s'y tenir à tout prix. » Le prochain hôte de Buckingham Palace devra être à la fois roi et chef d'entreprise.

CONCLUSION
LA DERNIÈRE REINE

La dernière reine ? Ce titre peut paraître provocateur. Alors que la popularité du mouvement républicain est au plus bas, celle de la souveraine est au zénith. Le lion et la licorne, l'étendard royal résume bien cette réussite : d'un côté la puissance et le réalisme, de l'autre l'imagination et la fantaisie.

La question de l'abdication n'est du reste pas à l'ordre du jour. Une souveraine britannique ne rend pas sa couronne. À l'occasion de ses quatre-vingts ans, la monarque a réitéré qu'elle avait « un job pour la vie ». Le chef de l'État a déclaré à un dignitaire de l'Église anglicane : « Vous prenez votre retraite ? Hum ! Mais moi je ne le peux pas. » Ce refus s'explique. En dehors de son oncle Edward VIII en 1936, les souverains britanniques n'ont jamais abdiqué. La reine garde les marques de ce traumatisme et continuera à servir jusqu'à sa mort. À l'instar de la reine Victoria son modèle, qui a régné pendant soixante-quatre ans, la reine considère ses fonctions

comme une vocation religieuse. Le service de couronnement anglais est un rite religieux alors que, dans les
autres monarchies, il n'est qu'une prestation de serment.

Pourquoi notre titre la « dernière reine » ? Pas au sens
d'Elizabeth la dernière femme de la lignée puisque ce
sont des hommes qui devraient lui succéder. Mais au sens
symbolique du terme, de la manière dont elle a conçu sa
fonction et dont elle s'est acquittée de sa charge. La souveraine sera difficile à égaler.

Tout d'abord, à notre époque, si rare en grands
acteurs politiques, elle représente l'Histoire, et quelle
Histoire ! La souveraine fait rêver, ce qui sera certaine-
ment plus difficile à ses successeurs. Née en 1926,
l'année de la grève générale, adolescente pendant la
Seconde Guerre mondiale, couronnée en 1953, elle a
connu toutes les émotions de la nation, portant à terme
un cycle historique durant lequel son royaume s'est réin-
venté. Elizabeth II est l'un des derniers grands personnages de la planète à avoir traversé les tragédies du siècle
dernier, et à y avoir pris toute sa part, dans un style qui
n'appartient qu'à elle. Par ses souvenirs familiaux, elle
appartient à la fois à la génération de l'entre-deux-guerres
qui a profondément marqué son enfance et à celle de
l'après-guerre. L'originalité de son parcours est dans la
continuité au milieu des ruptures, socialisme d'État et
conservatisme bon teint, thatchérisme et blairisme. Grâce
à son génie d'adaptation aux circonstances, intérieures ou
extérieures.

Dans son esprit, le protocole, le cérémonial, la préséance, toutes ces règles qui peuvent paraître inutiles et
d'un autre âge aux non-initiés assurent la pérennité de la

monarchie britannique. Le discours du trône, au cours duquel elle lit un texte qu'elle n'a même pas écrit, est le symbole même, à ses yeux, de la monarchie constitutionnelle. Si elle se rend au Parlement en carrosse inconfortable, une couronne sur la tête et revêtue d'un manteau d'hermine, ce n'est pas pour les caméras de télévision mais parce qu'elle est la représentation du lien historique entre la Chambre des communes et la Chambre des lords et la royauté. En respectant la tradition, elle maintient la distance nécessaire entre la monarchie et l'exécutif et le législatif qui ont la primauté.

On imagine mal son petit-fils William, lui qui aime porter jeans, polo Ralph Lauren et bracelet brésilien, se rendre à la Chambre des lords, couronne sur la tête, entouré du même décorum que sa grand-mère. Voyageant incognito à bord d'un ferry de P & O reliant Douvres à Calais avec quelques amis, le prince et sa petite bande ont voulu s'installer dans le salon des premières. Un employé de la compagnie leur a interdit l'accès. William est parti normalement sans faire d'esclandre. Face aux protestations de la presse, P & O s'est borné à déclarer : « Le prince n'a pas jugé bon de nous prévenir. Il a pu découvrir ce qu'est l'existence du commun des mortels. » Le prince fait ses courses au supermarché, joue au Loto et aime les discothèques à la mode. Il lui faut du bonheur simple comme les Smith ou les Dupont. Il parle d'ailleurs comme eux. Avec le prince Charles, le discours royal avait déjà perdu cette intonation compassée et haut perchée au profit d'une élocution standard. Fini, par exemple, ces drôles de voyelles palatalisées qui faisaient dire jadis à Elizabeth II : « *Thet men in the bleck het* » au

lieu de « *that man in the black hat* » (cet homme au chapeau noir). Ou bien « *dutay* » à la place « *dutee* » (devoir)...
L'ouverture de la cour sur le monde extérieur, le recrutement moins élitiste des courtisans, l'effet de la télévision
dont le jeune prince est friand et l'influence de ses pairs
de l'université de St. Andrews, comme de l'académie de
Sandhurst, expliquent cette mini-révolution linguistique.

La dernière reine ? Sa conception d'un monarque au-
dessus de la mêlée politique n'a jamais été prise en
défaut. Dans ce royaume de Constitution non écrite où
tout repose sur l'usage et la jurisprudence, elle n'est
jamais sortie de son rôle comme ont pu le faire certains
des autres monarques. Le roi Baudouin de Belgique,
catholique congénital, refuse en 1990 de signer la loi sur
l'avortement, préférant abdiquer pendant trente-six heures. En refusant de condamner le coup d'État des colonels en 1967, Constantin de Grèce perd son trône. Ou
Rainier qui, au nom de la protection du paradis fiscal
monégasque, s'oppose à l'instauration de lois antiblan-
chiment. La monarque n'a jamais donné d'avis sur les
questions du moment, sur l'évolution de la société, des
mœurs, du multiculturalisme, de la religion, de la famille.
En politique étrangère, elle suit à la lettre les directives du
Foreign Office, sans le moindre état d'âme, d'où la plati-
tude de ses discours qui ne prêtent jamais à la controverse.

Malgré les adaptations, elle représente une certaine
idée de la monarchie, blanche, anglicane, impériale. Alors
que l'Angleterre n'est plus blanche, mais multi-ethnique,
de moins en moins chrétienne et que l'Empire n'est plus
qu'une page de l'Histoire, elle incarne l'Angleterre

d'« avant », profondément conservatrice, attachée à la hiérarchie. Propriétés, privilèges, accent aristocratique et bonnes manières sont les signes de cette division de classes, voire plutôt de castes, toujours présentes malgré les coups de boutoir du thatchérisme ou de la troisième voie blairiste. Ce qui distingue toujours le Royaume-Uni, c'est son régime de classe plus codifié qu'ailleurs en raison d'un système éducatif à deux vitesses. Le pays demeure dirigé par le cercle magique associé aux pensionnats privés et aux universités d'Oxford et de Cambridge. Cette prééminence n'a pas empêché le développement d'une méritocratie, plus dynamique que sur le continent, dont ont particulièrement tiré profit les minorités ethniques qui représentent aujourd'hui 7 % de la population. Ces minorités ne se reconnaissent pas dans la monarchie. Le peu de goût du prince Charles pour la méritocratie (« Qu'est-ce qui ne va pas de nos jours ? D'où cela vient-il qu'ils pensent tous être qualifiés pour accomplir des tâches qui sont au-dessus de leur capacité ? ») souligne la persistance d'un élitisme aristocratique. La nouvelle société cohabite avec la précédente plus qu'elle ne la remplace.

Son monde ne reviendra plus, mais il vit encore dans son message de Noël, dans ses tenues, dans sa voix. Dans tout. Il y a certes eu une séparation entre la monarchie et l'aristocratie, comme le démontrent les mariages des enfants royaux. La monarchie est devenue plus petite-bourgeoise que noble.

L'ère élisabéthaine s'achèvera avec la mort d'Elizabeth II. Les prochains rois ne seront pas entourés des mêmes attributs de la royauté — châteaux, tableaux, bijoux, etc. — que cette souveraine. Plus en phase avec la société égalitaire, ils devront s'adapter à un cadre de vie moins majestueux. Il n'est pas certain que le prince Charles puisse partager sa vie entre sept châteaux, entouré d'une multitude de courtisans et de valets. Pourra-t-il nourrir ses Jack Russels comme sa mère le faisait avec ses corgis sur un plateau d'argent ? Ou continuer à ordonner à son personnel de cuire sept œufs à la coque pour lui permettre d'en choisir un à la cuisson parfaite ? Sans doute pas. L'Al Gore de la dynastie ne peut pas à la fois chercher à mobiliser les foules face aux dangers du réchauffement climatique et continuer à produire les émissions de gaz carbonique provenant des avions et voitures royales ou de ses palais chauffés toute l'année.

Dernière reine ? Sur le papier rien n'empêche Charles de nommer Camilla reine. D'ailleurs, le prince entend que son épouse règne à ses côtés. Il était convenu lors de son mariage qu'elle prenne le titre de princesse consort lors de l'accession de Charles au trône. Toutefois, pour l'empêcher de devenir souveraine, il faudrait une législation dans ce sens promulguée après un vote de la Chambre des communes mais aussi de dix-sept pays du Commonwealth où le monarque britannique est le chef de l'État. C'est peu probable. Et même si Camilla devait être couronnée, on ne pourra jamais la comparer à Elizabeth II, en raison de son passé.

De toute manière, chaque monarque définit son règne. Elizabeth II s'est consacrée au Commonwealth, à l'armée, à la religion. Son successeur pourrait se trouver un rôle dans la promotion de l'écologie, de l'agriculture bio ou de l'architecture, causes populaires aussi bien à gauche qu'à droite.

Comme l'a fait remarquer le prince Philip en personne, la survie de la monarchie est basée sur l'approbation de ses sujets. Aux XXe et XXIe siècles, bon nombre de monarchies ont disparu sans laisser de traces, la seule restauration étant l'Espagne. La race des princes n'est pas éternelle. Le charisme disparu avec Elizabeth II, l'institution ne pourra survivre qu'en se réinventant.

La tournure que prendra la monarchie est difficile à évaluer dans la mesure où les efforts de modernisation de l'institution n'ont pas totalement porté leurs fruits. Quelle sorte de roi peut bien faire un presque sexagénaire prince de Galles, comte de Chester, duc de Cornouailles, duc de Rothesay, comte de Carrick, baron de Renfrew, lord des îles, grand intendant d'Écosse et autres titres de moindre envergure ? La question n'est pas essentielle. Après tout, l'Angleterre a connu des monarques ivrognes, débauchés ou dérangés, quand ce n'était pas les trois à la fois, sans que la survie de la royauté soit durablement affectée. C'est là que réside la principale différence entre la monarchie britannique et un président de la République, insiste le prince Andrew : « Un président arrive au pouvoir à un moment donné et le quitte à un autre. Il souhaite laisser un bilan. Le monarque monte sur le trône à la mort du précédent souverain sans savoir quand il cédera la place. Son rôle est d'être là, jour après jour, aux côtés de son peuple, démontrant constance, leadership, stabilité et sens de l'État. Son souhait n'est pas de changer l'avenir, mais d'être là, aujourd'hui. »

Avec son viatique associatif, le profil qui se dessine du futur Charles III est celui d'un homme de convictions qui a le courage de ses opinions, au point de se heurter parfois à l'incompréhension. Aujourd'hui trop dispersé, trop enthousiaste, trop bavard, il va devoir dompter sa nature interventionniste. Avec le prince Charles, qui se définit comme un dissident politique, la neutralité prendra une autre forme. En tant que souverain constitutionnel, se contentera-t-il de commander aux esturgeons, aux cygnes et aux baleines ? Apparemment non, à en croire Linda Colley, professeur d'histoire britannique à l'université de Princeton (États-Unis) : « En plaçant des limites au pouvoir royal, la monarchie constitutionnelle émascule les rois qui ne peuvent plus mener leurs troupes au combat ou intervenir dans le jeu politicien. Comme le montre le succès des règnes de Victoria et d'Elizabeth II, ce régime convient mieux aux femmes qu'aux hommes. Il y a la monarque mais aussi la femme, la mère de famille, la dame patronnesse. » Le régime constitutionnel anglais ressemble, à s'y méprendre, au mythologique Koh-I-Noor, cadeau offert en 1849 par la Compagnie des Indes à la reine Victoria. Sa malédiction frappe les hommes, mais pas les femmes. Les reines qui l'ont porté, de Victoria à Elizabeth II en passant par Alexandra, Mary et Elizabeth, ont eu la vie longue.

Les trois successeurs de Victoria ont marqué leur époque grâce à la haute diplomatie (Edward VII et l'Entente cordiale) ou la guerre (George V en 1914-18 et George VI en 1940-45). Un modèle scandinave ou bénéluxien est plus adapté à un souverain de paix. Mais le prince Charles, aujourd'hui, écarte l'idée d'une monarchie à la bicyclette plus adaptée à un petit pays comme les Pays-Bas ou à la Norvège qu'à une grande puissance. Dernière reine également car les sujets de Sa Majesté sont devenus des citoyens, à l'échelon associatif comme européen. Cette mutation nécessite une réforme de fond en comble des institutions vers une plus grande démocratisation : Constitution écrite, séparation de l'Église et de l'État, levée des interdits pesant sur la minorité catholique, élection au suffrage direct de la Chambre des lords. Mais au Royaume-Uni les derniers grands bouleversements d'une telle magnitude datent du XVIIe siècle. Dans l'Hexagone, les changements de régime à l'époque contemporaine ont toujours eu lieu dans la douleur, sous l'effet de révolutions (Ire et IIe République), de guerres (IVe et V[e]), d'occupations étrangères (la Commune, la IIIe République, Vichy).

Enfin, dernière reine car les institutions qui lui sont associées ont perdu leur influence. Sous son règne, l'aristocratie a dû céder les dernières miettes de ses pouvoirs au profit de la haute bourgeoisie (Tony Blair, David Cameron) ou des classes professionnelles (Gordon Brown). L'armée, en particulier sa chère Royal Navy, a été ramenée à la portion congrue. L'Église anglicane a moins de fidèles que sa grande rivale catholique, musclée par l'arrivée des immigrants de l'Est et d'Asie. L'image traditionnelle du bobby flegmatique, débonnaire et sans arme, travailleur social plutôt que chasseur de primes, est périmée à la suite de la montée des incivilités, du trafic de drogue, de la menace terroriste ou de l'immigration illégale. Les médias ont eu raison de la déférence. Le Commonwealth n'est plus qu'une relique du passé face à

l'appel du large, des États-Unis comme de l'Union européenne. La domination protestante sur l'Irlande du
Nord, totale en 1952, a été remplacée par un partage du
pouvoir avec la minorité catholique.

Le royaume d'Elizabeth a profondément changé
depuis 1952. Le pays est devenu plus tolérant, plus
ouvert, plus cosmopolite. Mais il est plus divisé que
jamais. L'Écosse flirte avec l'indépendance. Sous l'effet
de la poussée démographique catholique, l'Irlande pourrait être réunifiée. Confrontée à ces forces centrifuges,
l'Angleterre est à son tour la proie d'une crise identitaire,
regimbant devant l'effort de solidarité nationale envers
les Gallois, les Écossais ou les Nord-Irlandais. Le pays a
perdu un peu de son âme. Les petits magasins ont disparu au profit des grandes chaînes unifiant le paysage
urbain sous les enseignes Vodafone ou Tesco. L'alcoo-
lisme des jeunes, en particulier des filles, est terrifiant. Le
royaume a le plus haut taux d'obésité en Europe et de
natalité chez les moins de seize ans. La politesse, « ce
besoin vital », selon Jankélévitch, tout comme la courtoisie ne sont plus ce qu'elles étaient. La munificence de
Londres, nombril du monde, écrase la province. Malgré
la glorification du profit et l'antienne à l'efficacité, la
menace de black-out plane. Les services publics craquent
sous toutes les coutures. La City domine l'économie avec
ses salaires mirobolants, l'arrogance de ses opérateurs et
sa culture de l'âpreté au gain. Les commodités personnelles des jeunes nouveaux riches qui se donnent bonne
conscience en soutenant des causes philanthropiques
l'emportent sur l'esprit civique qui avait permis à la
nation de résister seule à Hitler en 1940. L'éducation bat

de l'aile, comme l'attestent le manque de scientifiques ou d'ingénieurs et la pléthore de diplômés en communication. Le succès d'un film comme *The Queen* cache l'américanisation de la culture encouragée par une presse et des médias audiovisuels en grande partie contrôlés par le magnat américain Rupert Murdoch. Les intellectuels sont muets. Le *dumbing down* (la crétinisation) de la télévision a même amené la BBC à revoir ses ambitions en sacrifiant la qualité au profit de l'Audimat et de la téléréalité. Dans les grandes agglomérations, les riches partent à l'assaut des quartiers des pauvres refoulés dans les banlieues à grand fracas de spéculations. À force de permettre à chaque communauté de préserver son identité culturelle comme elle l'entend, les adeptes de la société multiculturelle ont créé des ghettos dont les habitants vivent de plus en plus repliés sur eux-mêmes. Le vœu d'allégeance imposé aux candidats à la naturalisation n'a pas permis d'établir une loyauté claire envers la nation et son souverain. Lors des matches internationaux de foot, les spectateurs chantent le *God Save the Queen* mais en connaissent-ils les paroles ? Jusqu'au début des années 80, il était joué avant le lever du rideau dans les théâtres et les cinémas. Parfois la blessure se fait tendresse : le pays du plein emploi, de la dérégulation du marché du travail et de la nouvelle élite sociale tend de nouvelles boussoles. « *I Love London* », clame le *New Yorker* devant cette capitale qui construit, rénove, se régénère. Londres est une ville folle, folle, folle, un bouillon de cultures où l'on parle cent dix langues. Les deux faces se complètent comme le double visage de Janus, l'un la somptueuse vitrine des Windsor, l'autre l'arrière-cour de leur royaume.

Voit-elle tout cela, la reine, en contemplant la large avenue impériale du Mall à travers ses fenêtres sécurisées ? Ce ne sont pas ses conseillers ou les membres de sa famille qui vont l'informer de ces dysfonctionnements. Mais qu'importe, comme le note l'anthropologue Nigel Barley : « Elle est censée être au-dessus de ce capharnaüm d'individualisme. Elle n'est pas comme vous et moi. En se tenant à distance de la réalité quotidienne, elle assure la continuité avec le passé qui sous-tend le sentiment d'infaillibilité du peuple britannique. La reine est supposée être meilleure que nous, meilleure que notre société, créant ainsi un sentiment de confort, de nostalgie nécessaire pour nous permettre de supporter la vie en société. »

Une chose est claire, l'ordre de succession sera respecté. La reine le veut. Au nom du légitimisme, elle ne sautera pas une génération. Le prince Charles devrait tout naturellement monter sur le trône et régner, même tardivement. Dans cette hypothèse, il devrait se contenter d'un rôle de roi de transition. Ce fut le cas d'Edward VII, qui n'occupa le palais de Buckingham qu'une petite décennie au début du siècle, après que Victoria eut monopolisé la place pendant soixante-quatre ans. Ou George VI, couronné à quarante et un ans, mort à cinquante-six ans. Le précédent belge devrait faire réfléchir. Après la mort de Baudouin, en 1993, ce n'est pas son neveu, le prince Philippe, qui lui succéda, comme beaucoup le supposèrent, mais bien le frère du défunt, le prince Albert, comme le stipulait la Constitution.

Le vœu des réformistes partisans d'un successeur assez jeune pour replacer la cour dans une société moderne ne sera sans doute pas comblé. Le prince de Galles est aujourd'hui perçu comme un bon futur roi, même par ceux qui lui étaient jadis les plus hostiles. Le mariage avec Camilla a scellé la réconciliation entre l'héritier au trône et l'opinion. En tant qu'héritier au trône, celui dont la devise proclame « Je sers » ne sert à rien si ce n'est à attendre que la place se libère pour pouvoir exercer une fonction à laquelle ce diplômé d'histoire de Cambridge, ex-commandant d'un dragueur de mines, est bien préparé. Elizabeth II souhaitant s'adapter à un mode de vie convenant plus à son âge, le prince a eu un accès plus grand aux documents officiels et a été amené à remplir des fonctions de représentation de sa mère.

Dans la foulée de la célébration du quatre-vingtième anniversaire de la souveraine, le 21 avril 2006, un événement est passé inaperçu. L'honorable Alex Galloway a écrit à chacun des cinq cents membres du Conseil privé de la reine (c'est en effet le Conseil privé qui doit se réunir dans les vingt-quatre heures suivant la mort du monarque pour signer les documents d'accession), dont il est le secrétaire, pour leur demander de mettre à jour leurs coordonnées téléphoniques et e-mail en cas d'urgence. Le message était clair : il faut être prêt pour les funérailles d'Elizabeth II et le couronnement de son successeur.

« La reine est morte, vive le roi »... Le faste qui présidera au dernier voyage d'Elizabeth II, la foule immense assemblée sur le parcours du cortège funéraire, la présence en l'abbaye de Westminster de toutes les têtes cou-

ronnées et de tous les chefs d'État de la planète, réveille-
ront de folles nostalgies au Royaume-Uni mais aussi dans
le reste du monde. L'organisation devrait être exactement
la même que lors des obsèques de George VI, en 1952.
Le catafalque sera gardé par les membres de la garde
funéraire faisant tourner lentement leur sabre, la pointe
au sol pour s'y appuyer avec une inclinaison de la tête en
signe de deuil. Elizabeth II reposera dans la chapelle
St. George au château de Windsor près de ses parents et
de sa sœur, la princesse Margaret.

Après cet adieu viendra le couronnement du nouveau
roi. Suivant les traces de son grand-père et de son père, la
reine a fait savoir que cette cérémonie n'est pas son
affaire. C'est donc à son successeur d'en fixer les modali-
tés. Le prince Charles, qui avait tout juste quatre ans,
avait assisté à la cérémonie de 1953 à l'abbaye de Westminster. Il en a apparemment tiré une impression dura-
ble. Mais le rituel de l'époque n'est pas applicable à
l'Angleterre du XXIe siècle.

Tout d'abord, les pairs héréditaires omniprésents alors
ne siègent plus à la Chambre des lords. Ensuite, comment garder des heures durant l'attention du public, repu
d'images, habitué à zapper entre les chaînes ? Le télé-
spectateur qui suivra le couronnement de Charles III n'a
rien à voir avec celui qui plein de déférence a suivi le sacre
d'Elizabeth II. La question du serment religieux est
d'une tout autre envergure pour le futur chef de l'Église
anglicane. La reine s'était engagée à « maintenir dans le
Royaume-Uni la religion protestante réformée établie par
la loi ». La seule innovation qu'elle avait apportée par rapport au sacre de son père avait été la présence du modéra-

teur de l'Église presbytérienne d'Écosse. Fidèle à ses engagements passés, le prince entend donner une dimension œcuménique à son couronnement. C'est pourquoi le serment de fidélité à la religion d'État serait suivi quelques jours plus tard d'une cérémonie à laquelle seraient conviées les autres confessions.

On prête à Farouk, alors roi d'Égypte, ce mot prophétique. Saisissant à Deauville les rois d'un jeu de cartes, il s'écria : « Encore quelques années et il n'y aura plus que cinq rois au monde : ceux de ce jeu et celui d'Angleterre. » Farouk n'avait pas tort. Il a perdu son trône. La couronne d'Angleterre est plus solide aujourd'hui qu'elle ne l'a jamais été. Grâce à Elizabeth II. La dernière reine.

ANNEXES

Arbre généalogique

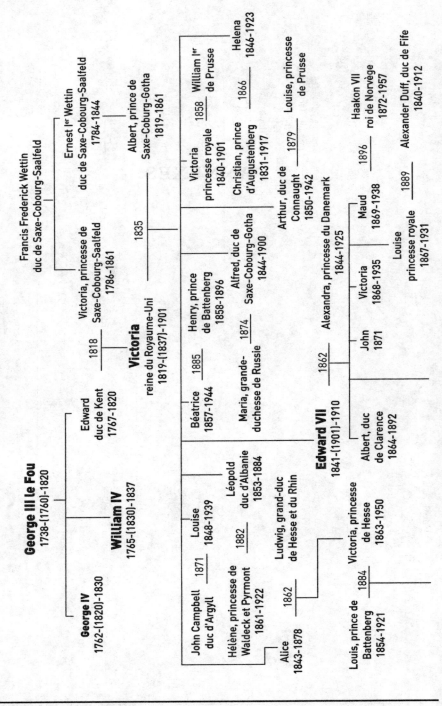

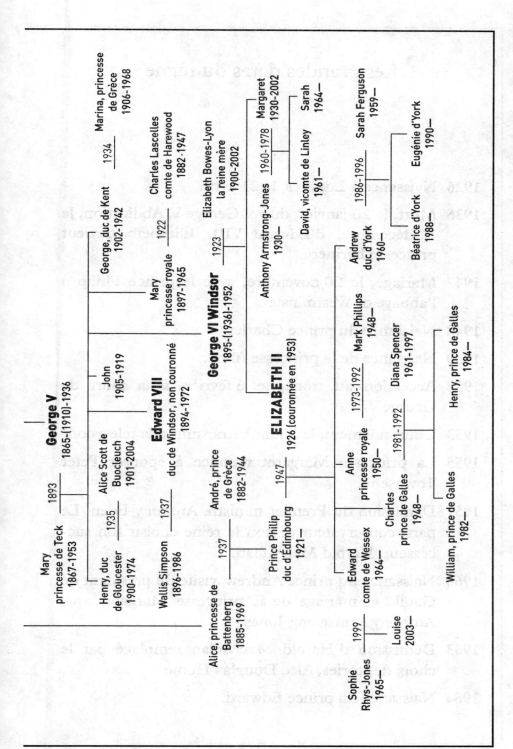

Les grandes dates du règne

1926 Naissance à Londres, le 21 avril.

1936 Mort, le 20 janvier, du roi George V. Abdication, le 11 décembre, d'Edward VIII. Elizabeth devient princesse héritière.

1947 Mariage, le 20 novembre, avec le prince Philip à l'abbaye de Westminster.

1948 Naissance du prince Charles.

1950 Naissance de la princesse Anne.

1952 Accession au trône, le 6 février, à la mort de George VI.

1953 Couronnement, le 2 juin, retransmis à la télévision.

1955 La princesse Margaret renonce à épouser Peter Townsend.

1957 Démission du Premier ministre Anthony Eden. Le parti conservateur et non la reine choisit son successeur, Harold MacMillan.

1960 Naissance du prince Andrew, visite du président de Gaulle et mariage de la princesse Margaret avec Anthony Armstrong-Jones.

1963 Démission d'Harold MacMillan remplacé par le choix des tories, Alec Douglas-Home.

1964 Naissance du prince Edward.

1965 Mort de Winston Churchill.

1969 Sortie du film *Royal Family* à l'instigation du duc d'Édimbourg.

1972 Mort du duc de Windsor.

1973 Adhésion du Royaume-Uni à la Communauté européenne.

1974 Ted Heath échoue à former une coalition avec les libéraux. Le travailliste Harold Wilson est appelé à former un gouvernement.

1977 Jubilé d'argent.

1979 Margaret Thatcher devient Premier ministre. Lord Mountbatten est assassiné par l'Armée républicaine irlandaise.

1981 Mariage, le 29 juillet, du prince Charles et de lady Diana Spencer à la cathédrale St. Paul.

1982 Naissance du prince William. Guerre des Malouines.

1984 Naissance du prince Harry.

1986 L'inquiétude de la souveraine à propos des risques d'éclatement du Commonwealth a raison du refus de son Premier ministre, Margaret Thatcher, d'approuver des sanctions économiques d'envergure contre l'Afrique du Sud de l'apartheid.

1991 Premier chef d'État britannique à s'adresser au Congrès américain.

1992 « Annus horribilis ». Scandales et catastrophes en série : séparation Andrew-Sarah et divorce Anne-

Mark, publication, en juillet, du livre *Diana, sa vraie histoire*, écrit par Andrew Morton où il est ouvertement fait allusion à sa tristesse et à une tentative de suicide. Le 20 novembre, incendie du château de Windsor. En décembre, le Premier ministre, John Major, annonce la séparation « à l'amiable » de Charles et de Diana. La reine accepte de payer ses impôts.

1994   Dans un entretien télévisé resté célèbre, Charles reconnaît avoir trompé Diana après l'échec de leur mariage. Dans une biographie autorisée, publiée ensuite, la liaison de Charles et de Camilla est confirmée.

1995   Diana donne à son tour une interview télévisée, dans laquelle elle lance : « Il y avait embouteillage, nous étions trois dans ce mariage. »

1996   Divorce de Charles et de Diana.

1997   Mort de Diana. Le silence de la reine soulève de vives critiques. Tony Blair vient à la rescousse de la famille royale.

2000   Gel de la liste civile pour dix ans.

2002   Jubilé d'or. Mort de la princesse Margaret et de la reine mère Elizabeth.

2005   Mariage de Charles et Camilla, le 9 avril, à la mairie de Windsor.

2006   Célébration des quatre-vingts ans de la souveraine.

2007   Célébration du soixantième anniversaire de son mariage avec Philip.

Principaux membres
de la famille royale et leurs titres

La reine Elizabeth II.

Fille aînée du roi George VI, elle accéda au trône après la mort de son père, le 6 février 1952, et fut couronnée le 2 juin 1953.

Elle est reine du Royaume-Uni de Grande-Bretagne et d'Irlande du Nord, mais aussi de quinze autres États du Commonwealth. Elle est également gouverneur suprême de l'Église d'Angleterre et commandant en chef des forces armées britanniques.

Le prince Philip, duc d'Édimbourg, est le mari de la reine depuis le 20 novembre 1947. Il est aussi comte de Merioneth et baron Greenwich.

Né le 10 juin 1921, il avait renoncé en se mariant à son titre de prince de Grèce et de Danemark, et pris le nom de Philip Mountbatten.

La reine Elizabeth et le prince Philip ont quatre enfants et sept petits-enfants :

Le prince Charles (Philip Arthur George Mountbatten-Windsor) est leur fils aîné, premier dans l'ordre de succession au trône.

Prince de Galles, il est aussi duc de Cornouailles et de Rothesay, comte de Chester et de Carrick, baron Renfrew, lord des îles et prince et grand sénéchal d'Écosse.

Né le 14 novembre 1948, marié en 1981, divorcé en 1996 et remarié en 2005. Il devrait devenir le roi Charles III, mais préférerait, dit-on, le titre de George VII.

Sa première épouse Diana Spencer, devenue par mariage princesse de Galles à quoi s'ajoutaient tous les titres de son époux (comtesse de Chester, duchesse de Cornouailles…), a été l'une des femmes les plus célèbres au monde dans les années 80 et 90, apportant à la monarchie britannique un glamour depuis disparu. Elle est morte dans un accident de la circulation à Paris le 31 août 1997, à trente-six ans.

Le prince **William** (Arthur Philip Louis) de Galles, fils aîné du prince Charles et de Diana Spencer, est né le 21 juin 1982. S'il est un jour couronné, William devrait devenir le roi William V.

Le prince **Henry** (Charles Albert David) de Galles, surnommé Harry, frère du prince William, est né le 15 septembre 1984.

La **duchesse de Cornouailles**, Camilla, née le 17 juillet 1947, est la deuxième épouse du prince Charles. Ils se sont mariés après une liaison de plus de trente ans, le 9 avril 2005. Camilla a deux enfants adultes d'un premier mariage, Tom et Laura.

La **princesse Anne** (Elizabeth Alice Louise Mountbatten-Windsor), princesse royale, est la seule fille de la reine et du duc d'Édimbourg. Née le 15 août 1950, elle est divorcée et remariée. De son premier époux, le *captain* Mark Phillips, elle a eu deux enfants, Peter Phillips et Zara Phillips, les seuls à n'avoir aucun titre de noblesse. Leurs parents ont refusé tout titre offert par la reine. La princesse Anne est remariée au commandant Timothy Laurence.

Le **prince Andrew** (Albert Christian Edward), né le 19 février 1960, duc d'York, comte d'Inverness et baron Killyleagh, est le deuxième fils de la reine Elizabeth. Lui aussi divorcé, de Sarah Ferguson, avec laquelle il a eu deux filles : la princesse Béatrice d'York, née le 8 août 1988, et la princesse Eugénie d'York, née le 23 mars 1990.

Le **prince Edward** (Antoine Richard Louis), né le 10 mars 1964, comte de Wessex, est le dernier enfant de la reine. Il est marié depuis juin 1999 à Sophie Rhys-Jones (née en 1965), devenue comtesse de Wessex. Ils ont une fille, Louise Windsor, née le 8 novembre 2003.

Ordre de succession au trône britannique

Il y a, en tout, plus de cinq cents prétendants dans l'ordre de succession, dont plusieurs monarques européens. Certains ont été supprimés de la liste, parce qu'ils se sont mariés à un ou une catholique, ont adopté la religion catholique, sont nés en dehors du mariage ou ont été adoptés.

Voici les premières personnes ayant une prétention à la Couronne britannique :

Descendants de la reine Elizabeth II :

1. SAR le prince de Galles (né en 1948), Charles, fils aîné d'Elizabeth II.

2. SAR le prince William de Galles (né en 1982), fils aîné du prince de Galles.

3. SAR le prince Henry de Galles (né en 1984), fils cadet du prince de Galles.

4. SAR le duc d'York (né en 1960), Andrew, fils cadet d'Elizabeth II.

5. SAR la princesse Beatrice d'York (née en 1988), fille aînée du duc d'York.

6. SAR la princesse Eugénie d'York (née en 1990), fille cadette du duc d'York.

7. SAR le comte de Wessex (né en 1964), Edward, fils benjamin d'Elizabeth II.

8. SAR la princesse Louise de Wessex (née en 2003), fille unique du comte de Wessex.

9. SAR la princesse royale (née en 1950), Anne, fille unique d'Elizabeth II.

10. Peter Phillips (né en 1977), fils unique de la princesse royale.

11. Zara Phillips (née en 1981), fille unique de la princesse royale.

Descendants du roi George VI (1895-1952, règne 1936-1952) :

12. Le vicomte Linley (né en 1961), David, petit-fils de George VI.

13. L'honorable Charles Armstrong-Jones (né en 1999), fils unique du vicomte Linley.

14. L'honorable Margarita Armstrong-Jones (née en 2002), fille unique du vicomte Linley.

15. Lady Sarah Chatto (née en 1964), sœur du vicomte Linley.

16. Samuel Chatto (né en 1996), fils aîné de lady Sarah Chatto.

17. Arthur Chatto (né en 1999), fils cadet de lady Sarah Chatto.

Descendants du roi George V (1865-1936, règne 1910-1936) :

18. SAR le duc de Gloucester (né en 1944), Richard, petit-fils de George V.

19. Le comte d'Ulster (né en 1974), Alexander, fils unique du duc de Gloucester.

20. Lady Davina Lewis (née en 1977), fille aînée du duc de Gloucester.

21. Lady Rose Windsor (née en 1980), fille cadette du duc de Gloucester.

22. SAR le duc de Kent (né en 1935), Edward, petit-fils de George V.

23. Lady Marina Charlotte Windsor (née en 1992), petite-fille du duc de Kent.

24. Lady Amelia Windsor (née en 1995), petite-fille du duc de Kent.

25. Lady Helen Taylor (née en 1964), fille unique du duc de Kent.

26. Colombus Taylor (né en 1994), fils aîné de lady Helen Taylor.

27. Cassius Taylor (né en 1996), fils cadet de lady Helen Taylor.

28. Héloïse Taylor (née en 2003), fille aînée de lady Helen Taylor.

29. Estelle Taylor (née en 2004), fille cadette de lady Helen Taylor.

30. Lord Frederik Windsor (né en 1979), arrière-petit-fils de George V.

31. Lady Gabriella Windsor (née en 1981), arrière-petite-fille de George V.

32. SAR la princesse Alexandra de Kent (née en 1936), sœur du duc de Kent.

33. James Ogilvy (né en 1964), fils unique de la princesse Alexandra de Kent.

34. Alexander Ogilvy (né en 1996), fils unique de James Ogilvy.

35. Flora Ogilvy (née en 1994), fille unique de James Ogilvy.

36. Marina Ogilvy (née en 1966), fille unique de la princesse Alexandra de Kent.

37. Christian Mowatt (né en 1993), fils unique de Marina Ogilvy.

38. Zenouska Mowatt (née en 1990), fille unique de Marina Ogilvy.

39. Le comte de Harewood (né en 1923), George, petit-fils de George V.

40. Le vicomte Lascelles (né en 1950), David, fils aîné du comte de Harewood.

41. L'honorable Alexandre Lascelles (né en 1980), fils cadet du vicomte Lascelles.

42. L'honorable Edward Lascelles (né en 1982), fils benjamin du vicomte Lascelles.

43. L'honorable James Lascelles (né en 1953), fils cadet du comte de Harewood.

44. Rowan Lascelles (né en 1977), fils aîné de l'honorable James Lascelles.

45. Tewa Lascelles (né en 1985), fils cadet de l'honorable James Lascelles.

46. Sophie Lascelles (née en 1973), fille aînée de l'honorable James Lascelles.

47. L'honorable Jeremy Lascelles (né en 1955), troisième fils du comte de Harewood.

48. Thomas Lascelles (né en 1982), fils unique de l'honorable Jeremy Lascelles.

49. Helen Lascelles (née en 1984), fille aînée de l'honorable Jeremy Lascelles.

50. Amy Lascelles (née en 1986), fille cadette de l'honorable Jeremy Lascelles.

51. Henry Lascelles (né en 1953), arrière-petit-fils de GeorgeV.

52. Maximilian Lascelles (né en 1991), fils unique de Henry Lascelles.

Viennent ensuite les descendants du roi Édouard VII (1841-1910, règne 1901-1910) et de la reine Victoria (1819-1901, règne 1837-1901).

Reine de seize pays

Chef du Commonwealth, la reine est chef d'État de seize pays (*Realms*) :

Royaume-Uni.
Antigua-et-Barbuda.
Australie.
Bahamas.
Barbade.
Belize.
Canada.
Grenade.
Jamaïque.
Nouvelle-Zélande.
Papouasie-Nouvelle-Guinée.
Saint-Kitts-et-Nevis.
Sainte-Lucie.
Saint-Vincent et les Grenadines.
Îles Salomon.
Tuvalu.

Doyenne des têtes couronnées

Depuis le décès, en 2005, du prince Rainier de Monaco, la reine Elizabeth II est la doyenne des têtes couronnées en Europe.

À titre de comparaison, parmi les souverains européens ayant la plus grande longévité, la reine Margrethe II de Danemark règne depuis janvier 1972, Charles XVI Gustave de Suède depuis septembre 1973, Juan Carlos d'Espagne depuis novembre 1975 et Beatrix des Pays-Bas depuis avril 1980.

Les plus récemment couronnés sont Harald V de Norvège, proclamé roi en 1991, Albert II, roi des Belges en août 1993, le grand-duc Henri du Luxembourg en 2000 et le prince Albert II de Monaco en 2005. Aloïs du Liechtenstein dirige la principauté depuis août 2004, son père Hans-Adam II restant le prince régnant.

Les six reines d'Angleterre

Mary Ire Tudor.

1553-1558.

Née à Greenwich en 1516.

Épouse Philippe II d'Espagne. Catholique fanatique, d'où son surnom de Marie la Sanglante en raison des persécutions des protestants.

Perte de Calais, dernière possession britannique en France.

Elizabeth Ire.

1558-1603.

Fondation de l'Empire, défaite de l'Armada espagnole, ère de Shakespeare, restauration du protestantisme, exécution de Marie Stuart d'Écosse.

Mary II Stuart.

1689-1694.

Cosouveraine avec son mari, le roi William III d'Orange.

Anne Stuart.

1702-1714.

Épouse du prince Georges du Danemark. Union entre l'Angleterre et l'Écosse (1707). Dernier souverain à présider le Conseil privé et à refuser la signature d'une loi.

Victoria.

1837-1901.

Le plus long règne des souverains britanniques. Épopée impériale fantastique glorifiée par Kipling et Disraeli, ordre moral basé sur les trois R — respectabilité, responsabilité, rectitude — et misère de la classe ouvrière.

Elizabeth II.

1952 —.

La dernière reine ?

Des reines d'Angleterre venues de France

Pendant trois cents ans, de Henry II (1152) à Henry VI (1445), tous les rois d'Angleterre sans exception ont épousé des reines choisies en France :

Henry II Plantagenêt (1133-1189) épouse en 1152 Aliénor d'Aquitaine.

Henry le Jeune (1155-1183) épouse en 1160 Marguerite de France, fille de Louis VII, roi de France.

Richard Cœur de Lion (1157-1199) épouse en 1191 Bérengère, fille du roi de Navarre.

Jean sans Terre (1167-1216) épouse en 1200 Isabelle d'Angoulême.

Henry III (1207-1272) épouse en 1236 Éléonore, fille du comte de Provence.

Edward Ier (1239-1307) épouse en 1299 Marguerite de France, fille de Philippe le Hardi, roi de France.

Edward II (1284-1327) épouse en 1308 Isabelle de France, fille de Philippe le Bel, roi de France.

Edward III (1312-1377) épouse en 1328 Philippa, fille du comte de Hainaut.

Richard II (1367-1399) épouse en 1396 Isabelle de France, fille de Charles VI, roi de France.

Henry IV (1366-1413) épouse, en secondes noces, en 1403, Jeanne, fille du roi de Navarre.

Henry V (1387-1422) épouse en 1420 Catherine de Valois, comtesse du Vexin et fille de Charles VI, roi de France.

Henry VI (1421-1461) épouse en 1445 Marguerite, fille du comte d'Anjou.

Et, près de deux siècles plus tard :

Charles Ier (1600-1649) épousera en 1625 Henriette-Marie, fille d'Henri IV de France, et sœur de Louis XIII.

(Source : Henriette Walter, *Honni soit qui mal y pense.*)

Perfide Albion

Contrairement à ce qu'on pense, ce n'est pas Bossuet qui a lancé l'expression « Perfide Albion ». Dans son « Sermon de la Circoncision », il parle de « perfide Angleterre » et, à la même époque, Mme de Sévigné, dans une de ses lettres, écrit que ce pays est un « perfide royaume ». L'expression « Perfide Albion » ne date que de la Révolution française et a été popularisée par un des premiers calendriers républicains, en octobre 1793, dans lequel on trouvait un poème d'un certain Augustin de Ximenes qui disait notamment : « Attaquons dans ses eaux la perfide Albion ».

(Source : Jean Guiffan, *L'Histoire de l'anglophobie en France*, Terre de Brume, 2004.)

Le Londres royal : Elizabeth

Entre Londres et la royauté, l'histoire d'amour dure depuis des siècles. La ville est imprégnée par la monarchie britannique dont l'image attire Londoniens et visiteurs étrangers.

Faisons un test. Si on demandait à une personne qui ne serait jamais allée à Londres de nous décrire une image de la royauté telle que le cinéma et la télévision l'ont gravée en elle, la réponse serait : Buckingham Palace. Le château est et sera toujours le décor rêvé du « Royal London », théâtre de l'un des plus vieux trônes de la terre.

Dans la Queen's Gallery, seule partie du palais de Buckingham ouverte toute l'année au public, le visiteur est frappé par les couleurs dominantes : le rouge cerise des tapis, le rose bonbon des murs, le jaune paille de la brique. Ensuite, l'omniprésence de la reine Victoria qui fit de ce bâtiment néoclassique sa maison, en 1837, étonne : tableaux sévères du Siècle d'or de l'époque coloniale, innombrables porcelaines à son effigie, médailles et statuettes immortalisant la fantastique épopée des souverains.

L'étape suivante du Londres royal est, via l'allée triomphale du Mall, la National Portrait Gallery. On peut retracer l'histoire de la nation à travers les visages des personnages royaux. Fondée en 1856, la galerie rassemble les portraits des personnalités royales et politiques. Sur le palier de la salle du XXe siècle, le dur portrait de la reine Elizabeth II revêtue de la cape rouge de l'ordre du Bain datant de 1970. La jeune femme gaie de son couronnement en 1953 est devenue une souveraine stricte et sévère pour ne pas dire plus. Mais la « vraie grandeur est triste ». Ce n'est pas un ami de la Couronne britannique qui le disait, c'était Napoléon. Le célèbre portrait campagnard du prince et de la princesse de Galles en 1991, dix ans après le mariage, l'atteste. Le comble du bonheur, le comble du malheur. Les œuvres sont somptueuses, le lieu d'exposition aussi et la Tamise proche. Admirable fleuve, sinueux et gris, qui traverse Londres avec la lenteur et la majesté du *God Save the Queen*. Il en impose avec ses couleurs mordorées.

Lourde de souvenirs cruels, de soupirs et de sang, la Tour de Londres (Tower Hill) abrite une partie de la collection des Armureries royales et surtout les bijoux des Windsor, à commencer par les joyaux de la Couronne. Ces gemmes, presque toutes authentiques, sont surtout associées aux cérémonies du couronnement. Sa Gracieuse Majesté, comme la qualifie la tradition tendrement et respectueusement indulgente, porte la couronne impériale d'État lorsqu'elle prononce le traditionnel discours du Trône à Westminster. On peut ensuite prendre le bateau qui mène à Greenwich, son Académie navale et son méridien devenu le temps de référence internationale. La reine met, dans le monde entier, les pendules à l'heure.

Le « *royal warrant* » est la formule magique par laquelle la reine parraine des magasins et des produits indispensables à la bonne marche de son royaume et de ses restes d'empire. Tels Turnbull & Asser (chemises), Holland & Holland (vêtements de campagne), Lock & Co (chapeaux), Smythson (papeterie), John Lobb (chaussures), Berry Brothers (vins). Hatchard, la librairie de Piccadilly fondée en 1797, ressemble à un gentleman's club avec ses rayonnages noirs et ses fauteuils de cuir profonds. En face, Fortnum & Mason, avec ses serveurs en queue-de-pie, est surtout célèbre pour son rayon d'alimentation et en particulier pour sa marmelade à l'orange *thick cut* chère à Her Majesty. À ne pas confondre, au risque de perdre la tête, avec la *thin cut*, la *no peel*, la mixte *orange-lemon*. S'y retrouver dans les marmelades n'est pas du cake. L'enseigne est également spécialisée dans le thé préféré d'Elizabeth, le Earl Grey.

Gare de Waterloo. Destination Windsor, à soixante kilomètres de Londres, par le train-tortillard. Le château, déconcertant, émouvant, hétéroclite, où la souveraine passe le week-end, résume toute l'histoire d'Angleterre. Pour les visiteurs, les gardes à bonnet à poil jouent des airs militaires et de comédies musicales comme *Evita* ou *Hair*. Face à l'édifice, le collège d'Eton, le plus prestigieux des coûteux collèges anglais, la *public school* où ont étudié les princes William et Harry. On peut y déambuler à sa guise, mais les pavillons où résident les collégiens sont fermés aux visiteurs.

À Londres dans l'ombre de Diana

Des grands magasins de luxe, des boutiques de mode, un gymnase, deux ou trois restaurants et peut-être un McDonald's : visite guidée du petit univers chic, conformiste et cosy que parcourait « la princesse du peuple ».

Parcourir le Londres de Diana, retrouver ses lieux favoris, ressaisir son identité au-delà des cartes postales et des livres qui réfléchissent sa blondeur sur papier glacé, explorer le coton ouaté de ses errances quotidiennes : l'objectif est ambitieux, même s'il n'existe toujours pas de guide sur ce Londres-là. Cette enclave, grande comme un arrondissement, au luxe discret et au raffinement subtil, est dotée du code postal le plus recherché de Londres, SW7.

À Londres, on fait comme les Londoniens, Altesse royale ou pas. Le dianophile s'équipera donc d'un sac en plastique de supermarché pour recueillir les *must* de la journée. La panoplie comprend la *Travelcard* (titre de transport pour un jour), le guide des rues *A to Z*, un parapluie, une barre de chocolat Kit-Kat et un exemplaire du tabloïd *The Sun*. Le sac symbolise le style soft, pratique, cher à la défunte : je le tiens de la journaliste Sinclair MacKay, qui se présente comme l'arbitre des élégances.

Tous les chemins mènent à Kensington Palace, empyrée de la planète une certaine fin d'été 1997. L'immeuble de briques rouges construit par le grand architecte Wren reste un lieu de pèlerinage. La visite des pièces chaleureuses des « grands appartements », ouverts au public, permet de se faire une petite idée du cadre de vie de Diana. Un coup d'œil à la fontaine de Hyde Park consacrée à la défunte s'impose. Après un rapide cappuccino et deux scones à l'Orangerie, on se dirige vers Kensington High Street, artère commerçante haut de gamme, avec ses grands magasins et le Royal Gardens Hotel. À droite du palace, Kensington Palace Gardens, une voie privée bordée de platanes, au bout de laquelle stationnaient jour et nuit les paparazzi. À gauche, Greens, le gymnase hyperchic où Diana s'entraînait trois fois par semaine pendant une heure avec un instructeur. Il y a aussi le McDonald's bondé où elle se rendait parfois, dit-on, le dimanche soir, en compagnie des deux princes. « Elle venait de temps en temps prendre un milk-shake avec les garçons » : le discours du patron du Café Diana, petit établissement de Bayswater Road situé en haut de l'avenue conduisant au palais, est bien rodé. Reste qu'on imagine mal la princesse, obsédée par le régime et la forme, dévorer les œufs au bacon du menu ou admirer ses propres portraits qui couvrent les murs.

Le bus à impériale passe devant le curviligne Royal Albert Hall, la salle de concert de style Renaissance italienne où se tiennent les fameuses *proms*. C'est aussi le *home* de l'English National Ballet, l'une des six associations caritatives dont la princesse avait gardé la présidence après sa décision, en 1993, de se retirer de la vie publique. Diana aurait voulu être danseuse, mais elle était trop grande.

Arrêt à Beauchamp Place. Le mode de vie de la princesse irradie cette petite rue tranquille de Knightsbridge. Sur trois cents mètres s'alignent les plus grands noms de la haute couture londonienne, qui habillaient la diva du glamour. À l'instar de Bruce Olfield qui lui prêtait ses robes du soir pour les galas de charité. Le San Lorenzo : plantes vertes, décor minimaliste, clientèle cossue et policée, cuisine italienne sans rien d'exceptionnel. C'était la cantine de la princesse, qui disposait de sa table à l'étage sous la verrière, dans l'espace réservé aux VIP. L'addition est salée, le service lent. C'est Londres...

On ne présente plus Harrods, le grand magasin de Mohammed Al Fayed, troisième attraction touristique londonienne après la cathédrale St. Paul et Big Ben, avec une moyenne de trente-cinq mille visiteurs par jour. Plus de trois cents *departments*, dont le célèbre rayon d'alimentation et sa devise : « Harrods sert le monde entier ». Au cinquième étage, sports, sont installés ses bureaux personnels, protégés par une escouade de gardes du corps. Au travers de la porte vitrée, on peut entrevoir un univers à la Beatrix Potter : gravures de chasse, meubles anciens, lourdes horloges, porcelaines. À l'entresol a été érigé un autel avec les deux portraits de Di et de Dodi posés au milieu de cierges.

Le problème, c'est que Diana ne mettait jamais les pieds chez Harrods, trop *cheap*, trop touristique, trop nouveau riche, disait-elle. À l'instar de la princesse, les jeunes femmes BCBG préfèrent faire leurs emplettes chez Harvey Nichols, le petit grand magasin voisin synonyme de bon goût, fréquenté par les *Sloane Rangers*, jeunes personnes de la bonne société aristocratique qui peu-

374 ELIZABETH II, LA DERNIÈRE REINE

plent la partie chic de Chelsea et de Kensington. Dans ce lieu élégant, l'argent, l'ancien et le nouveau, s'étale. Son seul rival, où Diana avait sa liste de mariage, est la General Trading Company sur Sloane Street. « Harvey Niks », comme disent les branchés, ce n'est pas seulement la mode, l'ameublement, la literie, c'est surtout au dernier niveau l'épicerie fine, un bar à sushis et un restaurant-salon de thé parmi les plus courus de la capitale. L'endroit est horriblement cher, *of course*.

Prochaine étape, Earl's Court, quartier marginal par excellence, et Coleherne Court, sur Old Brompton Road, où Diana a habité avec trois amies avant son mariage. Au coin, le restaurant Balans West et le pub Coleherne, qui tiennent le haut du pavé gay londonien. En 1987, Diana avait été la première personnalité royale à serrer la main d'un malade du sida. Elle est toujours l'idole des hommes qui préfèrent les hommes.

Le 6 septembre 1997, le royaume a rendu son dernier hommage en l'abbaye de Westminster. Initialement, il s'agissait de l'église d'un couvent de bénédictins. De Guillaume le Conquérant à Elizabeth II, tous les souverains anglais y ont été couronnés : le symbole même de tout ce que Diana détestait, avec les sépultures des ancêtres de son ancienne belle-famille et de quelques poètes rébarbatifs chers à son ex-époux.

À Londres avec Camilla

Promenade dans la capitale britannique, sur les lieux favoris de Camilla, duchesse de Cornouailles, deuxième épouse du prince Charles, de son couturier à son armurier, en passant par la résidence qui abritait ses étreintes clandestines avec son royal amant...

Présence de drapeaux arborant la croix de Saint-George, rouge sur fond blanc, buste de la reine mère, photos jaunies du couronnement d'Elizabeth II, tapisseries, tableaux champêtres et lourdes horloges d'acajou : à l'évidence, le Goring Hotel a une longue histoire d'amour avec la monarchie britannique. Pour l'historien Robert Lacey, auteur du best-seller *Majesty*, l'établissement cosy de Beeston Place, face aux Écuries royales (est-ce un hasard ?), est l'endroit idéal pour découvrir l'univers ouaté de Camilla, trouver ses lieux favoris à Londres, saisir son identité au-delà des portraits que nous en donne la presse.

En effet, il n'existe actuellement aucun guide touristique sur le Londres de la duchesse de Cornouailles. Les tour-opérateurs n'ont pas encore organisé de visites sur ses quartiers favoris. À en croire Robert Lacey, la « dame » fréquentait assidûment le Goring, ce haut lieu caricatural des valeurs du monde codifié de la *gentry* anglaise. « L'hospitalité faite de discrétion et de bienséance lui plaisait. Et puis il est près de Buckingham Palace... » dit-il, d'un air entendu, tout en absorbant avec lenteur ses œufs brouillés comme s'il ingérait une hostie, ses lèvres remuant à peine. Son jugement est laconique : « Le style de Camilla est à des années-lumière de la moindre excentricité. C'est même, et tant mieux, comparé à l'icône Diana, le piège à tous les fantasmes. »

Commençons donc notre cheminement par le shopping. Philip Treacy est chargé de la confection des chapeaux de Camilla. Sa boutique d'Elizabeth Street se situe dans le beau quartier de Pimlico. « Philip s'inspire de la garde-robe de la duchesse, en particulier de son sac à main. Le prix dépend bien sûr de la qualité du tissu et surtout du type de plume. Pour se porter correctement, le couvre-chef doit effleurer le sourcil droit », explique Gee de Coursson, l'assistante du jeune designer. Certains savants édifices de paille et de tulle exposés dans un capharnaüm magique sont facturés jusqu'à 10 000 livres. Au 4 Hornton Place, belle ruelle à l'écart de Kensington High Street et de sa vulgarité marchande, l'échoppe du couturier favori, Robinson Valentine, sent la clientèle richissime. Le soleil qui filtre par les volets mi-clos répand dans le salon une lumière aussi douce que les tons des créations. Des pastels, jaune ou bleu pâle, l'or, qui reflètent curieusement les pâtisseries et *jellies* proposés aux fêtes campagnardes.

Tous les chemins de la haute société mènent à Sloane Square et au grand magasin Peter Jones. Dans ce chef-d'œuvre Art déco s'étale le mode de vie rural de la haute société qui réveille toutes les nostalgies d'une Angleterre désuète.

L'heure est maintenant au déjeuner. Direction St. James et le restaurant favori de la duchesse, Le Caprice. Les Rolls et les Jaguar attendent sagement dans une rue adjacente la fin des bavardages des ladies déjeunant dans ce temple d'un Londres disparu qui prétend encore jouer les hauts lieux à la mode. Murs crème, photos en noir et blanc prises par le cousin de la reine, David Bailey, plantes vertes, chaises en rotin et tables foncées style Habitat... La clientèle du déjeuner est cossue et policée. Si la cuisine est simple, l'addition est salée. Sa table à l'abri des regards est toute proche de l'escalier menant à la *powder room*, autrement dit les toilettes, où les dames se refont une beauté. Devant un verre de chablis et un plat de poisson, elle aime retrouver sa bande, ses vieilles copines, comme la romancière Jilly Cooper, le peintre Amanda Ward, l'antiquaire Jane von Westerholz ou la milliardaire Lily Safra.

C'est alors que notre bus fantôme longe le Mall, la large avenue bordée de platanes ouvrant la perspective sur Buckingham Palace. À droite, Clarence House, la résidence royale occupée par le couple depuis la mort de la reine mère, en 2002. Les médias ont déjà baptisé la vaste demeure néoclassique « la Cour *bis* ». Un seul et unique soldat à bonnet à poil garde le bâtiment. À gauche, St. James Park, ses jardins romantiques, son lac peuplé de cygnes et de canards où s'est écrit un pan de l'histoire de ce pays. La nature semble — mais semble seulement — reprendre ses droits en plein milieu de la capitale. Même à Londres, Camilla adore cultiver ses fleurs et nourrir ses animaux.

En fait, ce n'est pas Clarence House, mais Apsley House, ancienne résidence du duc de Wellington au portique corinthien, qui a servi de havre aux amours illicites de Charles et de Camilla. Jusque-là, Apsley House était surtout connue des Londoniens sous le nom « Number One London », sans doute parce qu'elle était la première maison à l'entrée de la ville. L'actuel maître des lieux, le marquis de Douro, ami de longue date de l'héritier du trône, leur a prêté sa chambre à coucher. C'est dans cette ambiance martiale, à côté des épées et des fusils, sous les plafonds chamarrés portant les armoiries du duc de Fer mêlées aux insignes de l'ordre de la Jarretière, que le couple aurait consommé ses deux décennies d'adultère.

Mme Parker-Bowles partage également avec ces grandes familles l'amour de la chasse qu'elle a « dans le sang ». La chasse à courre appartient au passé. Elle s'est donc reconvertie dans la chasse au tir. À ce propos, poussons la porte de Purdey & Sons, sis à South Audley Street, au cœur du quartier exclusif de Mayfair. Ici, c'est le nec plus ultra du fusil sur mesure et à main. Un fusil de base coûte 50 000 livres, avec un délai de livraison d'un an et demi. « Dans ce pays, la chasse au tir est un sport réservé à l'élite qui coûte très cher », précise le vendeur originaire de Bretagne. Dans la *long room* est exposée une petite sacoche à cartouches de cuir rouge confectionnée spécialement pour Edward VII. L'arrière-arrière-grand-mère de Camilla, Alice Keppel, fut pendant douze ans, de 1898 à 1910, la maîtresse du prince de Galles devenu Edward VII. Les Parker-Bowles pourraient eux aussi avoir le blason réservé aux fournisseurs de la cour !

Toujours dans South Audley Street, chez le marchand de porcelaines Thomas Goode, le client est accueilli par de la musique très années 70, Kinks, Beatles et Who. Est-ce en l'honneur de Charles et Diana ? Vêtu d'un habit queue-de-pie, Jim Gill, le directeur, montre avec fierté l'assiette « Lord des îles » décorée d'un motif tartan vert foncé et or peint par le prince Charles en personne. « C'est notre modèle le plus populaire car une partie de la recette est versée aux œuvres caritatives de Son Altesse royale. »

17 heures. Camilla, en bonne Anglaise, ne doit pas plaisanter avec l'heure du thé. On risque plutôt de la trouver chez le prestigieux Fortnum & Mason de Piccadilly plutôt qu'au Café Diana à Notting Hill Gate. Cela va sans dire.

Organigramme du palais

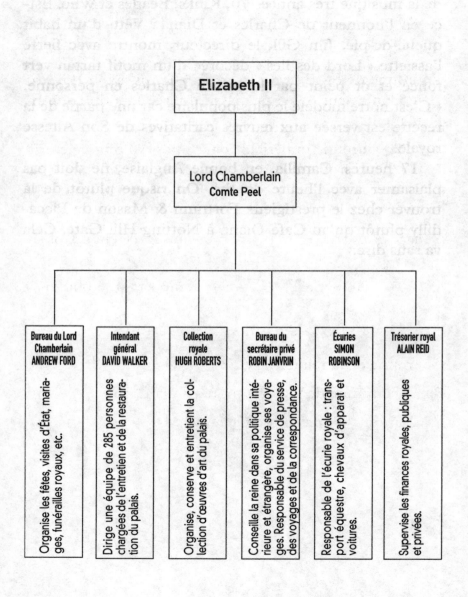

Elizabeth II

Lord Chamberlain
Comte Peel

Bureau du Lord Chamberlain ANDREW FORD	Intendant général DAVID WALKER	Collection royale HUGH ROBERTS	Bureau du secrétaire privé ROBIN JANVRIN	Écuries SIMON ROBINSON	Trésorier royal ALAIN REID
Organise les fêtes, visites d'État, mariages, funérailles royaux, etc.	Dirige une équipe de 285 personnes chargées de l'entretien et de la restauration du palais.	Organise, conserve et entretient la collection d'œuvres d'art du palais.	Conseille la reine dans sa politique intérieure et étrangère, organise ses voyages. Responsable du service de presse, des voyages et de la correspondance.	Responsable de l'écurie royale : transport équestre, chevaux d'apparat et voitures.	Supervise les finances royales, publiques et privées.

Les joyaux de la Couronne

Couronne de St. Edward — évoque le roi saxon Edward le Confesseur — en or massif utilisée lors du couronnement.

Grande couronne impériale conçue pour la reine Victoria comprenant le rubis du Prince Noir et un diamant de 317 carats taillé dans le Cullinan offert à Edward VII en 1907.

Couronne de la reine mère portant le célèbre Koh-I-Noor (la « Montagne de Lumière »).

Couronne impériale des Indes comportant 6 000 diamants.

Couronnes de Marie de Modène.

Couronne de la reine Mary.

Petite couronne de Victoria toute en diamants.

La couronne du prince de Galles.

La cave de Sa Majesté

La cave de Buckingham Palace, dont l'aménagement remonte à 1703, n'est pas la propriété personnelle de la reine mais de l'État. Elle est dirigée par le Yeoman of the Royal Cellars. Un comité de huit experts est chargé des achats.

La cave est abondante mais contient peu de grands crus. Les vins rouges sont essentiellement français. Les bouteilles les plus intéressantes sont : château-latour pomerol (1995), nuits-saint-georges (1996), château-leo-vide-barton (1988), château-fonroque (1995), château-chasse-spleen (1990), château-batailley (1994), château-meyney (1996) et château-beau-site (1995).

Côté blancs, le Nouveau Monde a la faveur du sommelier royal : chardonnay d'Afrique du Sud et sauvignon Oyster Bay de Nouvelle-Zélande. La souveraine sert le mousseux anglais Nyetimber lors de certaines réceptions.

Le champagne — Krug, Dom Pérignon — est non millésimé.

La cave est riche en excellents portos dont un Fonseca Quinto do Naval 1963.

La bouteille la plus ancienne est un sherry offert en 1660 au palais lors de l'inauguration du London Bridge.

Remerciements

Mes remerciements vont au secrétaire privé de Sa Majesté, Robin Janvrin, ainsi qu'à Penny Russell-Smith, Samantha Cohen et Ailsa Anderson, du service de presse de Buckingham Palace sans lesquels ce livre n'aurait pas été possible.

Il en est de même des historiens, spécialistes de droit constitutionnel, experts de la monarchie, anciens et présents ministres qui m'ont éclairé sur la personnalité de la souveraine. Je tiens à remercier en particulier Charles Anson, Philip Beresford, David Cannadine, Linda Colley, Robert Lacey, Roy Greenslade, et, à titre posthume, Harold Brooks-Baker, qui m'ont apporté une aide stimulante.

J'exprime toute ma reconnaissance à deux amis journalistes de longue date qui ont relu le manuscrit d'une manière très professionnelle — Dominique Dunglas et François Turmel — ainsi qu'à John Shakeshaft et à Jean-Luc Schilling. Merci aussi à mes confrères et consœurs du *Monde*, Marine Jacot, Jean-Louis Andreani, grand expert hippique, et à Didier Rioux, chef du service de la Documentation, qui m'ont permis de corriger de nombreux détails et interprétations. Je dois aussi mentionner l'aide de Paul Raw.

CET OUVRAGE A ÉTÉ ACHEVÉ D'IMPRIMER SUR
ROTO-PAGE PAR L'IMPRIMERIE FLOCH À MAYENNE
EN AOÛT 2007, POUR LE COMPTE DES ÉDITIONS DE
LA TABLE RONDE.

Dépôt légal : août 2007.
N° d'édition : 155265.
N° d'impression : 68919.

Imprimé en France.
R2